Forschungen zum Alten Testament

Herausgegeben von

Bernd Janowski und Hermann Spieckermann

33

Hermann Spieckermann

Gottes Liebe zu Israel

Studien zur Theologie
des Alten Testaments

Mohr Siebeck

HERMANN SPIECKERMANN, geboren 1950; von 1969–75 Studium der evangelischen Theologie und Altorientalistik in Münster und Göttingen; 1982 Promotion; 1987 Habilitation; 1989–92 Professor für Altes Testament und altorientalistische Religionsgeschichte in Zürich; 1992–99 in Hamburg; seit 1999 Professor für Altes Testament in Göttingen.

Die Deutsche Bibliothek – CIP-Einheitsaufnahme

Spieckermann, Hermann:
Gottes Liebe zu Israel : Studien zur Theologie des Alten Testaments /
Hermann Spieckermann. – Tübingen : Mohr Siebeck, 2001
    (Forschungen zum Alten Testament ; 33)
    ISBN 3-16-147653-0

© 2001 J. C. B. Mohr (Paul Siebeck) Tübingen.

Das Buch wurde von Gulde-Druck in Tübingen auf alterungsbeständiges Werkdruckpapier gedruckt und von der Großbuchbinderei Heinr. Koch in Tübingen gebunden.

ISSN 0940-4155

Der Theologischen Fakultät

der Universität Lund

für die Verleihung der Ehrendoktorwürde

in Dankbarkeit zugeeignet

Vorwort

Die in diesem Band zusammengestellten Studien sind allesamt Annäherungen an Wesen und Wirken Gottes im Alten Testament. Ohne daß bei ihrer Abfassung die Absicht leitend gewesen wäre, erschließt sich aus ihnen im Rückblick ein beharrliches Fragen nach Möglichkeit und Konzeption einer Theologie des Alten Testaments, zu deren Vorarbeit sie nun geworden sind. Die inhaltliche Ordnung, die ihnen in diesem Band gegeben worden ist, will auf Aspekte hinweisen, die in einer Theologie des Alten Testaments zentrale Bedeutung haben. Zwei Studien sind in der vorliegenden Form bisher nicht publiziert worden. Mögen sie alle zusammen der Disziplin der Theologie des Alten Testaments zugute kommen und ihre Stellung in der Erforschung der christlichen Bibel klären helfen.

Prof. Dr. Bernd Janowski hat mich freundschaftlich ermutigt, die Studien in „unserer" Reihe zu publizieren, und der Verleger, Herr Georg Siebeck, hat ebenfalls grünes Licht gegeben. Beiden sei von Herzen Dank gesagt.

Daß diese Studien in ordentlicher Gestalt und nach den Regeln der Kunst vor die gelehrte Welt treten können, ist das Verdienst meiner Mitarbeiterinnen und Mitarbeiter in Göttingen. Für die sorgfältige Durchführung der Korrekturen und die Anfertigung der Register danke ich Frau stud. theol. Christina Hoppe, Frau cand. theol. Alexa Friederike Hupe und Herrn stud. theol. Christian Meimbresse. Ein besonderer Dank geht an Herrn stud. theol. Tobias Teller, der die Druckvorlage erstellt hat.

Die Theologische Fakultät der Universität Lund hat mich im Jahre 2000 durch die Verleihung der Doktorwürde geehrt. Ihr sei dieses Buch als Zeichen des Dankes gewidmet. Besonders den Kollegen und Freunden im Alten Testament, den Professoren Sten Hidal, Fredrik Lindström und Tryggve N. D. Mettinger, fühle ich mich tief verbunden.

Hannover, Ostern 2001   Hermann Spieckermann

Inhalt

Liebe und Gehorsam

Gnade und Zorn

1. „Barmherzig und gnädig ist der Herr...“[1]

„Soll das theologisch Relevante am Alten Testament zusammenfassend beschrieben werden, wird dies weder anhand des größten gemeinsamen Nenners seiner verschiedenen Partien noch mit Hilfe eines möglichst durchlaufenden Kontinuums auf der Ebene der Textoberfläche gelingen können.“ Vielmehr müßte eine Formulierung gefunden werden, die, aus „gemeinorientalische(n) und darin weithin sogar allgemeinmenschliche(n) Verstehensweisen“ gespeist, ihre Transformation „zu qualitativ neuer Gültigkeit“ im alttestamentlichen Kontext erfahren hätte, ohne die Fähigkeit zur Transzendierung der Grenzen „des national-religiös-identifikatorischen Denkens“ eingebüßt zu haben. „Könnte dies gelingen, wäre damit ein wichtiger Beitrag vielleicht nicht zur Frage nach der Mitte, wohl aber zu der nach dem Zentrum des Alten Testamentes geleistet.“[2]

Die folgenden Überlegungen wollen zu erwägen geben, ob das Alte Testament nicht eine solche Formulierung in dem Satz enthält *rḥwm wḥnwn Yhwh ʾrk ʾpym wrb-ḥsd*, in der Übersetzung Luthers: „Barmherzig und gnädig ist der Herr, geduldig und von großer Güte.“ Dieser Satz, hier zitiert in der Gestalt von Ps 103,8, kommt als ganzer mit Variationen siebenmal im Alten Testament vor[3], in Teilen und freien Anspielungen mehr als zwanzigmal.[4] Die Belege sind keineswegs einigermaßen gleich|mäßig über das Alte Testament hinverstreut, sondern haben einen erkennbaren Schwerpunkt im Psalter. Gleichwohl oder gerade deshalb gilt: Wo führende Theologen des hebräischen Altertums das Zentrum der alttestamentlichen Religion als Prädikation Jahwes zu erfassen versucht haben, da ist nicht nur von „deinem Gott vom Lande Ägypten her“ (Hos 12,10) oder von „dem vom Sinai“ (Jdc 5,5; Ps 68,9; cf.

---

[1] Überarbeitete Fassung eines Vortrages, gehalten in Göttingen am 12.12.1986 und auf dem VI. Europäischen Theologenkongreß in Wien am 24.9.1987.

[2] H. H. SCHMID, Ich will euer Gott sein, und ihr sollt mein Volk sein, in: Kirche, FS G. Bornkamm, 1980, 24.

[3] Ex 34,6; Joel 2,13; Jon 4,2; Ps 86,15; 103,8; 145,8; Neh 9,17. Folgende Untersuchungen zu dieser Formulierung liegen vor: J. SCHARBERT, Formgeschichte und Exegese von Ex 34,6f. und seiner Parallelen, Bib. 38 (1957), 130-150; R. C. DENTAN, The Literary Affinities of Exodus XXXIV 6f, VT 13 (1963), 34-51; L. SCHMID, »De Deo«, BZAW 143, 1976, 86ff.

[4] Ex 20,5f. = Dtn 5,9f.; Ex 22,26; 33,19; Num 14,18; Dtn 4,31 (cf. V. 24); 7,9f.; Jes 48,9; 54,7f.; 63,7; Jer 15,15; 30,11b ≈ 46,28b; 32,18; Mi 7,18; Nah 1,2f.; Ps 78,38; 86,5; 99,8; 111,4 (damit zusammengehörig 112,4); 116,5; Dan 9,4; Neh 1,5; 9,31f.; II Chr 30,9; cf. ferner Sir 2,11. In dieser Zusammenstellung sind auch Belege berücksichtigt, die nur auf die Erweiterung der ursprünglichen Formulierung (cf. Ex 34,7 u.ö.) Bezug nehmen.

Dtn 33,2) oder gar von dem „Ich bin, der ich bin" (Ex 3,14) die Rede gewesen, sondern mindestens gleichgewichtig damit vom Barmherzigen und Gnädigen, vom Langmütigen und an Güte Reichen (nach Zürcher Bibel und Einheitsübersetzung).

Schaut man sich die Formel in der obengenannten Gestalt an, bleibt als erster Eindruck haften, was exakte Analyse nur bestätigen kann: Jahwe wird inmitten von Eigenschaften präsentiert, deren Auswahl sein Wesen offensichtlich möglichst umfassend beschreiben soll. Da ist keine Rede vom „Gott der Rache" (Ps 94,1), auch nicht vom „eifernden Gott" (Ex 20,5 u.ö.), sondern vom nachgerade unbeirrbar gnädigen: *rḥwm ḥnwn, rb-ḥsd*.[5] Selbst die Formulierung *ʾrk ʾpym* fügt der Charakterisierung keinen abweichenden Akzent hinzu. „Langsam zum Zorn": Noch friedfertiger läßt sich vom Zorn kaum reden.[6] Selbst der Zorn ist in | Jahwes Gnadenwillen aufgehoben. Deshalb soll dieser Satz im folgenden die Gnadenformel genannt werden.[7]

Die Gnadenformel in ihrer vollen Gestalt ist nur in Texten belegt, die der Exilszeit oder späteren Epochen angehören. Spricht dies nicht für hohes Alter der Formel, so ist andererseits zu berücksichtigen, daß sie an allen sieben Stellen bereits als Traditum rezipiert und interpretiert worden und deshalb ursprünglich wohl selbständig gewesen ist. Ferner ist sie als solche nicht vom

---

[5] Zu *rḥwm* cf. H. J. STOEBE, THAT II, 1976, 761-768, v.a. 767; H. SIMIAN-YOFRE, TWAT VII, 1990, 460-476; zu *ḥnwn* cf. H. J. STOEBE, THAT I, 1971, 587-597, v.a. 594f.; D. N. FREEDMAN/J. LUNDHOM, TWAT III, 1977, 23-40, v.a. 32 f.; zu *ḥsd* cf. N. Glueck, Das Wort *ḥesed* in alttestamentlichen Sprachgebrauche als menschliche und göttliche gemeinschaftsgemäße Verhaltungsweise, BZAW 47, 1927; H. J. STOEBE, THAT I, 1971, 600-621; W. ZIMMERLI, ThWNT IX, 1973, 372-377; H.-J. ZOBEL, TWAT III, 1977, 48-71; F. KELLENBERGER, *ḥäsäd wäᵃmät* als Ausdruck einer Glaubenserfahrung, AThANT 69, 1982.

Die Deutung von *ḥsd* ist nach wie vor umstritten. Die Eckwerte der Interpretation lassen sich mit zwei Namen und Zitaten markieren. Nach GLUECK meint *ḥsd* die einem „Rechts-Pflicht-Verhältnis entsprechende Verhaltungsweise" (ḥesed, 12) während nach STOEBE *ḥsd* auch da „wo er sich unter bestimmten Gemeinschaftsformen ereignet, ... nie das Selbstverständliche Pflichtgemäße" ist, sondern „Ausdruck für Großherzigkeit für eine selbstverzichtende menschliche Bereitschaft..., für den anderen dazusein" (THAT I 610f.), welche mit Modifikationen, auf Gott übertragen worden ist. Die Debatte *ḥsd* kann hier nicht weitergeführt werden. Die folgenden Beobachtungen an der für die Formel einschlägigen Texten begünstigen aufs Ganze gesehen die Deutung von STOEBE.

[6] Gott als *ʾrk ʾpym* könnte sein Vorbild in dem in der Spruchweisheit gelobten „Langmütigen" haben (cf. Prov 14,29; 15,18; 16,32; 25,15; Koh 7,8). Es ist allerdings übertrieben, gleich die ganze Formel aus der Weisheit herleiten zu wollen (cf. DENTAN VT 13,48; dazu kritisch L. PERLITT, Bundestheologie im Alten Testament, WMANT 36, 1969, 214).

[7] Andere Bezeichnungen sind vorgeschlagen worden: Epiphanieformel (im Blick auf Ex 34,6f., A. WEISER, Einleitung in das Alte Testament, ²1949, 45), Gebets- oder kultische Bekenntnisformel (SCHARBERT, Bib. 38,130ff., ebenso DENTAN VT 13,37: „confession of faith"). Angesichts der Schwierigkeiten bei der Ermittlung des „Sitzes im Leben" der Formel und angesichts ihres theologischen Gewichtes dürfte eine den Inhalt berücksichtigende Bezeichnung vorzuziehen sein.

Himmel gefallen, sondern hat eine Vorgeschichte gehabt, die in
Teilformulierungen und inhaltlichen Präfigurationen im Alten Testament
selbst und darüber hinaus in der kanaanäischen El-Theologie bezeugt ist.

Um mit dem ältesten erfaßbaren Stadium der Vorgeschichte zu beginnen,
so ist es gewiß, daß Jahwe sich in seiner Bestimmung zur Gnade den kanaanäischen Götter- und Menschvater El zum Vorbild genommen hat. Er wird in
Ugarit häufig „der Gütige, El, der Barmherzige," (*ltpn il dpid*) genannt.[8] Das
klingt im Alten Testament nach, wo diese Charakterisierung in hebräischer
Übersetzung auf Jahwe appliziert wird und zugleich in einer fünfmal belegten
Variante der Gnadenformel der Name El erhalten geblieben ist. Jahwe ist der
barmherzige und gnädige El (*'l rhwm whnwn*).[9] Richtet man sich nach der
Konvergenz des Wortlauts, ist auch hier noch einmal zu betonen, daß diese
Anknüpfung an eine kanaanäische Vorstellung des zweiten Jahrtausends alttestamentlich erst in exilisch-nachexilischer Literatur bezeugt ist. Richtet man
sich hingegen nach der zugrunde liegenden theologischen Vorstellung, lassen
sich in der mit einiger Wahrscheinlichkeit datierbaren prophetischen Überlie-
ferung vereinzelt Beobachtungen machen, die auch schon | in vorexilischer
Zeit auf Vertrautheit mit dem grundlegenden Gedanken an den barmherzigen
und gnädigen Gott schließen lassen.[10]

In der Prophetie begegnet der Gedanke als Problem. Zunächst bei Hosea
im achten Jahrhundert, der zweien seiner Kinder die Namen *l' rhmh* „Ohne-
Erbarmen" und *l' 'my* „Nicht-mein-Volk" gibt (Hos 1,6-9). Damit ist außer
Kraft gesetzt, was zur Zeit Hoseas theologisch in Geltung stand: die exklusive
Beziehung Jahwe - Israel im Zeichen der Selbstbestimmung Gottes zum Erbarmen, ohne daß der Gnadenentzug endgültig wäre. Zorn und Erbarmen liegen nach Hoseas Zeugnis im Kampf – in und um Gott selbst (cf. 11,8f.;

---

[8] Cf. M. H. POPE, El in the Ugaritic Texts, SVT 2, 1955, 44f.; H. GESE u.a., Die Religio-
nen Altsyriens, Altarabiens und der Mandäer, RM 10/2, 1970, 98; A. CAQUOT u.a., Textes
Ougaritiques I, 1974, 61; G. DEL OLMO LETE, Mitos y Leyendas de Canaan, 1981,
521.572.609. Die ugaritischen Epitheta Els haben eine Traditionsgeschichte bis zur Bezeichnung Allahs als *latīf* „gütig" und *dū fu'ād* „barmherzig". Darüber hinaus steht die sogenannte
Basmala (*bismi llāhi r-rahmāni r-rahimi*) mit der Charakterisierung Allahs als barmherzig
und gnädig allen Suren mit einer Ausnahme voran (cf. R. PARET, Der Koran. Kommentar und
Konkordanz, 1980, 11). Doch bereits in der Eröffnungssure stehen göttlicher Zorn und Gericht gleichgewichtig der Gnade gegenüber. Diese späte Ausformung der Tradition hat Erkenntniswert im Blick auf ihre Vorläufer in der kanaanäischen und alttestamentlichen Literatur. Bei ihnen fehlt eben jenes Pendant.

[9] Ex 34,6; Dtn 4,31; Jon 4,2; Ps 86,15; Neh 9,31.

[10] Ex 22,26 soll als möglicherweise vorexilischem Beleg kein großes Gewicht beigemessen werden, da seine Zugehörigkeit zum Grundbestand des Bundesbuches umstritten ist (cf.
A. JEPSEN, Untersuchungen zum Bundesbuch, BWANT III/5, 1927, 9; SCHMIDT, »De Deo«,
92 A. 97). Immerhin ist es beachtlich, daß sich der gnädige Gott auch in der Gesetzgebung
Gehör verschafft, in der er kein angestammtes Heimatrecht hat.

13,14)[11]. Wie sehr indessen die schroffe Verweigerung des Erbarmens bei Hosea (cf. auch 2,6) Spätere zur positiven Komplettierung der Worte unter Betonung der erneuten gnädigen Zuwendung Gottes gedrängt hat, ist dem Prophetenbuch selbst zu entnehmen (cf. 2,3.21.25; 14,4).[12]

Anders Jeremia ungefähr hundert Jahre später. Er leidet an Gottes Langmut mit seinen Feinden, die, wie der Prophet zu verstehen gibt, Jahwe auch als die seinen erkennen möge (Jer 15,15).[13] Offensichtlich erfährt Jeremia Gottes Langmut, für die er den bereits bekannten Begriff *'rk 'pym* gebraucht[14], als habituelle Verhaltensweise, die tief im Wesen Jahwes begründet ist. Jeremia wird irre an dem Gott, der ihn das erbarmungslose Handeln des Volkes aus dem Norden ankündigen läßt (6,23), ihm selbst obendrein bittere Freude an der Gerichtsbotschaft und Zorn einflößt (15,16f.), aber dann seinen Propheten mit unverständlicher Langmut gegen die Verfolger, wer und was auch immer darunter zu verstehen sein mag, im Stich läßt. Hier kündigt sich ein Konflikt an, der | später im Jonabuch in aller Schärfe begegnen wird, dann unter Bezug auf die Gnadenformel in voller Gestalt.[15]

Es ist der Überlegung wert, in welcher Gestalt die Gnadenformel hinter den genannten Texten aus der vorexilischen Prophetie vermutet werden darf. Da in ihnen jeweils nur Einzelaspekte der Formel angesprochen werden, läge der Gedanke nahe, die Entwicklung des Satzes zur vollen Gestalt nicht vor Jeremia anzunehmen.[16] Doch die vollständige Zitation der Gnadenformel gerade von den vorexilischen Propheten, deren Botschaft Ungnade ist, zu verlangen, hieße, von ihnen anderes zu erwarten, als sie zu sagen haben. Ferner gemahnt die bereits erwähnte Beobachtung zur Vorsicht, daß die Gnadenformel in allen Texten, in denen sie vollständig belegt ist, zwingend eine vorauslaufende Traditionsgeschichte voraussetzt. Keiner von ihnen überliefert

---

[11] Cf. M. KÖCKERT, Prophetie und Geschichte im Hoseabuch, ZThK 85 (1988), 26ff.

[12] Cf. J. JEREMIAS, Der Prophet Hosea, ATD 24/1, 1983, 34ff.48ff.168ff.

[13] Die Debatte um das Verständnis der Konfessionen Jeremias, deren Spannbreite in den vergangenen fünfzig Jahren durch die Namen G. VON RAD (Die Konfessionen Jeremias, 1936, in: DERS., Gesammelte Studien zum Alten Testament II, TB 48, 1973, 224-235) und A. H. J. GUNNEWEG (Konfession oder Interpretation im Jeremiabuch, 1970, in: DERS., Sola Scriptura, 1983, 61-82) zu charakterisieren möglich wäre, kann hier nicht weitergeführt werden. Die hier vorausgesetzte Sicht der Dinge verträgt sich am besten mit H.-J. HERMISSON, Jahwes und Jeremias Rechtsstreit. Zum Thema der Konfessionen Jeremias, in: FS A. H. J. Gunneweg, 1987, 309-343; zu Jer 15,15 cf. 331f.

[14] Zur grammatischen Problematik in V. 15 cf. W. MCKANE, A Critical and Exegetical Commentary on Jeremiah I, ICC, 1986, 351. Gegen MT wird *'rk* wohl als Nomen zu vokalisieren sein (üblich seit P. VOLZ, Der Prophet Jeremia, KAT[1] X, [2]1928, 173). Die Vokalisierung als Adjektiv wäre dann durch die Standardformulierung bedingt.

[15] Cf. HERMISSON, FS Gunneweg, 341.

[16] SCHMIDT »De Deo«, 91ff. ist sich in dieser Sache mit erwägenswerten, aber auch anfechtbaren Argumenten sicher: „eindeutig ... nicht aus alter Zeit" (91), „frühestens in der Zeit Jeremias gebildet" (96).

die Ursprungssituation der Gnadenformel. Und der in der Rezeptionsgeschichte älteste Beleg - wahrscheinlich Ex 34,6f.[17] - präsentiert die Gnadenformel in einem theologischen Kontext, der bereits von einer intensiven Auseinandersetzung mit ihr zeugt.[18]

Frühere Stadien dieser Auseinandersetzung im Bereich der deuteronomistischen Theologie sind an zwei Stellen dokumentiert. An ihnen wird die
Gnadenformel nicht erwähnt, nicht weil sie noch nicht bekannt gewesen wäre, sondern weil sie gezielt unterdrückt und theologisch ersetzt werden sollte.
Das gilt zunächst für Dtn 7,9f.: |

(9) Du solltest wissen, daß Jahwe, dein Gott, der (wahre) Gott ist, der treue Gott *(h᾽l*
hn᾽mn), der Bund und Güte bewahrt *(šmr)* denen, die ihn lieben und seine Gebote bewahren
(wlšmry mṣwt[y]w) für tausend Geschlechter, (10) der aber denen sofort vergilt, die ihn hassen *(wmšlm lśn᾽yw ᾽l-pnyw)* ...[19]

Dtn 7,9f. im Kontext von V.7-15 ist ein Dokument dafür, wie Deuteronomisten den gnädigen Gott verkündigen wollen, ohne von der Gnadenformel Gebrauch zu machen. Sie paßt nicht zum schockierenden Widerfahrnis des Ver-
lustes der staatlichen Existenz – weder zur Erfahrung der Betroffenen noch
zum theologischen Programm der Deuteronomisten. Zwar halten sie am gnädigen Gott fest, betonen sogar sein Gnadenhandeln an den Vätern und in
Ägypten (V. 7f.), aber die Gnade hat jetzt die Form des Gesetzes. Das Schlüs-
selwort des Abschnittes heißt *šmr*. Es ist der verläßliche Gott, der pflichtbe-

---

[17] Zu Ex 32-34 cf. die Analyse von E. AURELIUS, Der Fürbitter Israels, CB.OTS 27, 1988,
57-126, die im folgenden als Grundlage vorausgesetzt wird.

[18] Anders DENTAN, VT 13,35f., der die Formel in Gestalt von Ex 34,6f. für ursprünglich
hält. Es handele sich um „a beautifully balanced statement with regard to the two most basic
aspects of the character of God - His love and His justice" (36); dazu kritisch SCHMIDT, »De
Deo«, 91. Andererseits will auch SCHARBERTS Versuch nicht recht überzeugen, nach welchem in Ex 34,6f. formgeschichtlich drei ursprünglich selbständige Einheiten zu unterscheiden möglich wäre (Bib. 38,131 ff.). Dagegen spricht die formal und inhaltlich feststellbare
Abhängigkeit der Vergeltungslehre von der Gnadenformel.
　Im Gefolge von SCHARBERT ist auch SCHMIDT zuversichtlich, in Ex 34,6 die
ursprüngliche Gestalt der Gnadenformel gefundern zu haben (»De Deo«, 90 A. 90).
Angesichts des in Nebensächlichkeiten uneinheitlichen Befundes (Reihenfolge von *rḥwm* und
ḥnwn, mit oder ohne *᾽l* bzw. *᾽mt*) erscheint es allerdings als fraglich, ob hier Sicheres zu
ermitteln ist. Gerade im Blick auf *᾽mt* (nur in Ex 34,6 und Ps 86,15) wäre auch das
gegenteilige Ergebnis denkbar. Die zahlreichen Belege für das gemeinsame Vorkommen von
ḥsd und *᾽mt* u.a. im Psalter könnten eine entsprechende Komplettierung auch in Ex 34
veranlaßt haben; zu *᾽mt* cf. D. Michel, ᾽Ämät, ABG 11 (1967), 30-57.

[19] Die Fortsetzung von V. 10 „ihn zu verderben zögert er nicht; dem der ihn haßt, ihm
vergilt er sofort" ist eine sekundäre Verstärkung des schon Gesagten; zum Verständnis der
Konstruktion der Partizipien mit *l* cf. SCHARBERT Bib. 38, 145ff.; zur Interpretation von Dtn 7
cf. PERLITT, Bundestheologie 55ff.; zur Analyse von Dtn 7 im Kontext und zur
literarhistorischen Beurteilung von 7,7-15 cf. AURELIUS, Fürbitter, 18 ff. v.a. 26.33.

wußt seine vertraglichen Zusagen einhält (Väterschwur, *ḥsd* interpretiert durch *bryt*, cf. auch V. 12) gegenüber denen, die ihrerseits den von Gott auferlegten Verpflichtungen nachkommen (Liebe verstanden als Gesetzesobservanz). Wo nicht, tritt an die Stelle der pflichttreuen Jahweliebe sofortige Vergeltung (*šlm* pi.), und zwar allein an den Verantwortlichen. Das ist die Botschaft frühexilischer Deuteronomisten an die Betroffenen: Von Gottes Gnade kann man nur reden, indem man zugleich von ihrer Aufnahme bei den Empfängern spricht. Gottes Gnade als verpflichtende Liebe will Gegenliebe. Wo die Gegenliebe fehlt, herrscht nach V. 10 keine religiöse Indifferenz, sondern Gotteshaß, den Jahwe nicht lange ohne Antwort läßt.

Sollte es die Gnadenformel tatsächlich schon zur Zeit der deuteronomistischen Vergeltungslehre von Dtn 7,9f. gegeben haben? Dafür spricht bereits, daß sie in der frühdeuteronomistischen Literatur, die nachweislich mit dem Problem von Gnade, Schuld und Vergebung rang, kaum erdacht worden sein wird, aber in dem seiner Endgestalt nach spätdeuteronomistischen Text Ex 34 als Traditum da ist. Indessen ist das stärkste Argument für die Vorgabe der Gnadenformel der Wortlaut von Dtn 7,9 f. Selbst da, wo der verpflichtende Charakter der göttlichen Gnade unter Verheißung und Androhung der Vergeltung vor Augen gestellt werden soll, ist die Verhältnismäßigkeit allein bei der Strafe gewahrt, während die Verheißung ins Unvorstellbare entschränkt ist: Sie gilt tausend Geschlechtern. Der Gott des *ḥsd* ist nicht leicht zu beschränken, weder durch die Apostrophierung als *h'l hn'mn* noch durch die als *šmr hbryt* anstelle von *'l rḥwm wḥnwn*, weil die Selbstbestimmung zur Gnade sein | Wesen ist. Stünde die Gnadenformel nicht hinter Dtn 7,9f., wäre die eklatante Inkongruenz der doppelten Vergeltung allemal schwerer zu erklären.

Die in Dtn 7,9f. einigermaßen ungeschützt formulierte Vergeltungslehre hat sich in den Erfahrungen der Exilszeit nicht bewahrt. Die Zeit des göttlichen Zornes zog sich in die Länge, so daß die exilische „Nachkriegsgeneration" anklagend die Stimme erhob: „Die Väter essen saure Trauben, doch den Söhnen werden die Zähne stumpf" (Ez 18,2; cf. Jer 31,29; Thr 5,7). Diesem Problem hielt die frühdeuteronomistische Vergeltungslehre nicht stand. Sie ist von den Deuteronomisten jedoch nicht aufgegeben, sondern im Anschluß an das Fremdgötterverbot des Dekalogs weiter verschärft worden:

(9) ... denn ich, Jahwe, dein Gott bin ein eifernder Gott (*'l qn'*), der die Schuld der Väter heimsucht (*pqd*) an den Söhnen, am dritten und am vierten Glied bei denen, die mich hassen, (*lśn'y*), (10) der aber gütig handelt (*'śh ḥsd*) an den Tausenden, die mich lieben und „meine" Gebote bewahren (Dtn 5,9f. = Ex. 20,5f.).[20]

---

[20] Ohne die Diskussion über Einzelheiten der Interpretation und über die literarhistorischen Urteile hier aufnehmen zu können cf. F.-L. HOSSFELD, Der Dekalog, OBO 45, 1982, 274ff. einerseits und AURELIUS, Fürbitter, 38.116ff. andererseits.

Wie sehr Deuteronomisten der fortgerückten Exilszeit daran gelegen war, diesem Vergeltungssatz Autorität zu verleihen, ist daraus zu ersehen, daß sie ihn im Dekalog untergebracht haben, wo er kaum anderswo als hinter dem Fremdgötterverbot seinen Platz finden konnte. Schon wegen des bruchlosen Anschlusses an das Verbot mag die in die Gottesprädikation integrierte Strafandrohung der Verheißung vorgeordnet worden sein. Über diesen eher formalen Aspekt hinaus ist aber auch erkennbar die inhaltliche Gewichtsverlagerung beabsichtigt. Gottes Handeln in der Katastrophe des Exils ist nicht aus einem auf Vergeltung bedachten Affekt entstanden, sondern als Heimsuchung zu verstehen (*pqd* statt *šlm* pi.), die den noch nicht schuldfähigen Söhnen, Enkeln und Urenkeln die Verstrickung mit der Schuld der Väter bewußt machen soll. Zugleich betont diese auf das Bekenntnis zur Schuld der Väter zielende deuteronomistische Verkündigung in Übernahme der Aussage von Dtn 7,10 die Eigenverantwortung: Die Heimsuchung geschieht nicht an allen mit der Väterschuld Belasteten, sondern an denjenigen, die die Väterschuld mit der Eigenschuld – wieder ist vom Gotteshaß die Rede – paaren.

Wird dadurch auch der Auswirkung der Väterschuld eine gewisse Grenze gesetzt, so ist doch der düstere Grundton in dieser Botschaft von der Heimsuchung Gottes unüberhörbar. Er wird durch weitere Veränderungen der frühdeuteronomistischen Konzeption noch verstärkt. So ist die göttliche Gnade auf die begrenzt, die ihre Jahweliebe in der Gesetzesobservanz erweisen. Daß dies Tausende (*'lpym*) sind, damit | rechnet der hier schreibende deuteronomistische Theologe durchaus, nicht mehr jedoch damit, daß die Gottesgnade wie ein Vätersegen in tausend Geschlechtern weiterwirkt (*'lp dwr*, Dtn 7,10). Machte in Dtn 7 die Gnade wie ein Vätersegen unfaßbar Geschichte (tausend Geschlechter), so in Dtn 5 die Väterschuld in faßbarer Dimension (zusammen mit den Vätern vier Generationen). Zusammengefaßt lautet die Botschaft von V.9f.: trotz Väterschuld keine Haftung ohne Eigenschuld (cf. auch 24,16), aber auch keine Gnade ohne Verdienst. Folgerichtig heißt Jahwe hier nicht mehr der treue Gott, sondern *'l qn'*, der eifernde Gott, wohl eine bewußte Gegenbildung zu *'l rḥwm wḥnwn*.[21]

Soweit ersichtlich kommt die Auseinandersetzung mit der Gnadenformel innerhalb der deuteronomistischen Theologie in dem (nach)exilisch-

---

[21] Dafür sprechen die weiteren Belege für *'l qn'*, die zum größten Teil in den Bereich der deuteronomistischen Literatur gehören: Ex 34,14; Dtn 4,24; 6,15; Jos 24,19; cf. H. A. BRONGERS, Der Eifer des Herrn Zebaoth, VT 13 (1963), 280ff. Die jüngere Kombination des Epithetons vom eifernden Gott mit der modifizierten Gnadenformel in Nah 1,2f. könnte ein indirekter Hinweis darauf sein, daß schon immer eine Verbindung zwischen beiden Aussagen bestanden hat (cf. bereits Ex 34,6f.14); zum Thema der Eifersucht Gottes cf. auch W. BERG, Die Eifersucht Gottes - ein problematischer Zug des alttestamentlichen Gottesbildes?, BZ NF 23 (1979), 197-211.

spätdeuteronomistischen Text Ex 34,1-28 zum Abschluß.[22] Nachdem zuvor die Gnadenformel gut deuteronomistisch durch eine Vergeltungslehre (Dtn 7), dann durch den Gedanken der Heimsuchung verdrängt worden war (Dtn 5), kommt sie schließlich im Horizont der Vergebung wieder zur Geltung (Ex 34). Ihrem Ursprung nach ist der deuteronomistischen Theologie, in deren Zentrum die Anklage des Volkes und der Freispruch Gottes (genetivus objectivus!) stehen[23], der Gedanke der Vergebung fremd. In ihm wächst sie über sich hinaus, so daß er zu ihrer Auflösung in der nachexilischen Zeit entscheidend beigetragen haben wird.

Die Komposition von Ex 34 in ihrer Endgestalt ist in dieser Hinsicht ein signifikantes Kapitel spätdeuteronomistischer Theologie. Angesichts der Ursünde Israels (Ex 32) ist hier im Anschluß an die Theophanie von Ex 19, an den Bundesschluß von Ex 24 und an die Herstellung der neuen Tafeln in Dtn 10 eine Szene gestaltet, „in der die Gottesgemeinschaft eindrucksvoll aufs neue gestiftet und aufs neue durch Theophanie, Bundesschluß und Gottestafeln besiegelt wird".[24] Vor dem Vergebung gewährenden Bundesschluß und der Gebotsmitteilung eröffnet Jahwe die Theophanie mit einer umfassenden Selbstkundgabe: |

> (6) Jahwe zog vor ihm vorüber und rief: Jahwe, Jahwe, ein barmherziger und gnädiger Gott, langmütig und von großer Güte und Treue (*ḥsd w'mt*), (7) der Güte bewahrt (*nṣr ḥsd*) den Tausenden, der Schuld, Frevel und Sünde vergibt, aber gewiß nicht ungestraft läßt (*wnqh lᵓ ynqh*), der (vielmehr) heimsucht die Schuld der Väter an den Söhnen und Enkeln, am dritten und am vierten Glied.

Jahwe gibt hier die Begründung für sein Handeln mit geprägten Worten vorweg. So gut dies inhaltlich im Kontext von Ex 34 paßt, sowenig bleibt in formaler Hinsicht verborgen, daß die erweiterte Gnadenformel nicht ihre angestammte Heimat in V. 6f. hat. Jahwe selbst muß das sagen, was deutlich als von ihm zu Sagendes konzipiert worden ist. Ursprünglich war die Gnadenformel kein Eigenlob Gottes, sondern Gotteslob der dankbaren Gemeinde im Tempel. Es hat jedoch guten Sinn, daß Jahwe selbst die erweiterte Gnadenformel in Gestalt von Ex 34,6f. kundtut. Niemand als er selbst hätte sie im Rahmen der deuteronomistischen Literatur mit Autorität verkündigen können, nicht einmal Mose, der allenfalls stellvertretend um Vergebung bitten kann (cf. V. 9).

Will man die spezifischen theologischen Konturen von Ex 34,6f. in den Blick bekommen, muß man die Formel von ihrem Ende her lesen. Die aus

---

[22] Aus der reichhaltigen Literatur zu Ex 34 seien nur die beiden Werke genannt, an die die folgenden Überlegungen anknüpfen: PERLITT, Bundestheologie, 203ff.; AURELIUS, Fürbitter, 116ff.; zur Gnadenformel in Ex 34 cf. SCHMIDT, »De Deo«, 89ff.

[23] Cf. PERLITT, Anklage und Freispruch Gottes, ZThK 69 (1972), 298ff.

[24] AURELIUS, Fürbitter, 121.

Dtn 5 bekannte Lehre von der Heimsuchung Gottes ist in Ex 34,7bβγ erhalten geblieben. Aber die Zeit der Heimsuchung hat sich um eine Generation verlängert (vier Generationen bei Beginn der Zählung erst mit den Söhnen, also ohne die schuldigen Väter).[25] Gegenüber Dtn 5 erfährt hier noch eine weitere Generation die Last der Schuld der Väter, ohne daß sie sich ihrerseits zugleich der Eigenschuld bezichtigt. Der Gotteshaß der Nachgeborenen (cf. Dtn 5,9) ist kein Thema mehr.

Das kommt nicht von ungefähr. Zwar ist das Leiden an der Väterschuld länger als erwartet andauernde Realität, doch sie erscheint bereits im Lichte neuer religiöser Erfahrung, der Vergebung Gottes: Ex 34,7abα. Ganz gewiß läßt Gott nicht ungestraft (*nqh l' ynqh*)[26] – diese bittere Lektion hat das Israel der Exilszeit unter Schmerzen lernen müssen –, aber das Größere, (wieder) ganz neu Erfahrene ist die Bewahrung seiner Güte für die Tausende, die sich in der Sündenvergebung manifestiert. Keine Vergebung der Väterschuld - sie ist (bald) abgebüßt -, sondern immer neue Vergebung für die Tausende, die als einzelne und als Gemeinschaft immer wieder schuldig werden.

Die Vergebung ist die Erfahrung der vierten Generation nach der Zählung von Ex 34,7. Aber sie wäre nicht als die dominierende Erfahrung | mit Jahwe im Sinne der Sündenvergebung für die Tausende gedeutet worden, wäre die neue Erfahrung nicht auf ein theologisches Vorverständnis gestoßen, das längst seine sprachliche Gestalt gefunden hatte: in der Gnadenformel. Der hier schreibende Deuteronomist brauchte die Formulierung von Ex 34,6 also nicht erst zu konzipieren, was ihm wohl auch aufgrund seiner theologischen Herkunft schwerlich gelungen wäre. Sie schlummerte vielmehr im Fundus der Tradition und mußte nur zu neuem Leben erweckt werden.[27] Daß dies geschah, war hingegen unausweichlich, sollte die neue Erfahrung nicht theologisch grundlos bleiben. Geht es zu weit, hinter der neuen religiösen Erfahrung geschichtlich die Wende von der exilischen zur nachexilischen Zeit zu erkennen?

Jedenfalls hat die Wiederentdeckung der Gnadenformel theologische Kühnheit von nachgerade reformatorischer Prägung freigesetzt. Der in Ex 34,7 am Finale deuteronomistischer Theologie mitwirkende Theologe verkündet die Bewahrung von Jahwes Gnadenreichtum für die Tausende „ohne

---

[25] Cf. zu dem Problem, allerdings mit unterschiedlicher Lösung: HOSSFELD, Dekalog, 26ff.

[26] Die stark einschränkende Übersetzung „er läßt nicht ganz ungestraft" (cf. für viele G. WARMUTH, TWAT V, 1986, 595) trifft hier kaum den intendierten Sinn. Sie ist in Jer 30,11b ≈ 46,28b angemessen, darf aber nicht ohne weiteres überall vorausgesetzt werden.

[27] Die Nahtstelle zwischen Tradition und Interpretation ist noch deutlich im Übergang von V. 6 zu V. 7 zu erkennen. Mit *ḥsd* zu Beginn von V. 7 wird das Ende der Gnadenformel wiederaufgenommen, um Gottes *ḥsd* im Sinne der Sündenvergebung zu interpretieren. Kaum ist die Präzisierung der Gnadenformel in der Formel von Anfang an primär auf den „Spezialfall" Schuld und Vergebung ausgerichtet gewesen (anders SCHMIDT, »De Deo«, 93).

des Gesetzes Werke", genauer: ohne explizite Ermahnung zur Gesetzesobservanz (cf. dagegen Dtn 5,10). Schon allein die Unterlassung wird man bei einem Deuteronomisten auf die Goldwaage legen dürfen.[28] Nicht von ungefähr hat die Gnadenformel ihren weiteren Weg ohne das Gesetz – jedenfalls ohne explizite Verbindung mit dem Gesetz – gemacht, während sie dem Gedanken der Sündenvergebung noch eine Weile dienstbar geblieben ist.

So in Ps 103. Der nachexilische Hymnus hat sein Zentrum in der Gnadenformel (V. 8), welche der Dichter mit dem Gedanken der Sündenvergebung umkreist, um schließlich in der Gewißheit ihrer Geltung das ganze Gebet mit der Aufforderung zum Gotteslob zu umklammern. Dieser Aufbau tritt noch deutlicher zutage, wenn man von den beiden gut erkennbaren und erklärbaren Fortschreibungen in V. 6f. und V. 15-18 absieht.[29] |

Gleich in der ersten hymnischen Prädikation kommt der Psalmdichter zur Sache: *hslḥ lkl-ʿwnky* (V. 3a). Die Sündenvergebung ist ihm so wichtig, daß er ihr die göttliche Lebensbewahrung (V. 3b.4a, cf. 107,20) und Lebensgewährung (V. 4b, cf. 8,6) nachordnet. So unterliegt es keinem Zweifel, daß die

---

[28] Innerhalb der deuteronomistischen Literatur wird noch an einigen Stellen auf die Gnadenformel in Gestalt von Ex 34,6(f.) Bezug genommen: zum einen in Ex 33,19, wo *ʾl rḥwm wḥnwn* „nach dem Muster der Namens-Interpretation Ex 3:14 ausgelegt wird" (AURELIUS, Fürbitter, 104, cf. 100ff.), zum anderen in Num 14,18, einer stark verkürzten, auf den Kontext ausgerichteten, Wiedergabe der erweiterten Gnadenformel. Auch Ps 78,38 wird bei gleichzeitiger Berücksichtigung von Dtn 4,31 eine freie Wiedergabe von Ex 34,6f. sein (cf. SPIECKERMANN, Heilsgegenwart, FRLANT 148, 1989, 143f.).

[29] V 6f. unterbrechen die in V. 1-5.8-14 vorherrschende individuelle Perspektive durch einen national-religiös geprägten Einschub. Diese in einem Individualpsalm grundsätzlich nicht auszuschließende Ausweitung der Perspektive unterliegt hier aus stilistischen Gründen literarkritischem Verdacht: Beim Partizip in V. 6 fehlt der Artikel, und in V. 7 erfolgt der Übergang zur finiten Verbform. Inhaltlich knüpfen zudem V. 8ff. an V. 1-5, nicht an V. 6f. an. Zugleich liegt auf der Hand, wieso sich ein Redaktor in V. 6f. zum Hinweis auf Rechtssatzungen, Mose und die Israeliten veranlaßt sehen konnte. Für ihn gab es eine „Uroffenbarung" der Gnadenformel, nämlich Ex 34,6, welche nicht ohne sinaigemäßen Vorspann bleiben sollte (cf. Ex 33,13 und AURELIUS, Fürbitter, 109). Im Anschluß an V. 14, der die im Vorausgehenden dargelegte Vergebungsbedürftigkeit des Menschen begründen soll, hat ein Späterer in V. 15-18 (teilweise unter Sprengung des Parallelismus membrorum) in modifizierter Übernahme von Jes 40,6-8 der Vergänglichkeit des Menschen die Ewigkeit (nun nicht mehr des Gotteswortes wie bei Deuterojesaja, sondern) der Gnade Gottes gegenübergestellt. Die Gnadenzusage sieht nur auf den ersten Blick vielversprechend aus. Schon beim zweiten fallen die Einschränkungen ins Auge, die sowohl im Blick auf die Gottesgabe als auch den Empfängerkreis gemacht werden. Soll die Gnade (*ḥsd*) „von Ewigkeit zu Ewigkeit" gelten, so die Gerechtigkeit (*ṣdq*) nur bis zu den Enkeln (V. 17). Gottes Gerechtigkeit – kaum zu trennen von seiner Gnade – ist teuer geworden. Jahwe geht mit ihr sparsamer um als mit der Vergeltung. Kein Wunder, daß auch für die Empfänger die Hürden höher geworden sind (V. 18). Mit dem Ringen um die sündenvergebende Macht der Gnade in V. 9-14 haben V. 15-18 nicht viel zu tun. Für den hier wahrnehmbaren Eingrenzungs- und Ausgrenzungseifer wird kaum dieselbe Hand verantwortlich sein.

Gnadenformel in V. 8 als Grund-Satz der Sündenvergebung verstanden werden will.

Wieso ihr indessen dieser hohe Stellenwert beigemessen wird, läßt sich erst aus dem Folgenden ersehen. Der Stil ändert sich in V. 9-14. Er ist nicht mehr hymnisch, sondern explikativ und argumentativ. Der Beter überschreitet hier das Selbstgespräch hin zur Gemeinde derjenigen, die er zu den *yr'yw* zählt (V. 11.13).[30] Diese freilich, „die ihn fürchten", sind selbst voller Furcht, und zwar wegen „unserer Sünden" (V. 10.12). Derselbe Sündenkatalog wie in Ex 34,7 begegnet in Ps 103,10.12 (*ḥṭ'[h], 'wn, pš'*), nun aber nicht in kurzer Affirmation der Sündenvergebung (so in Ex 34), sondern – unter dem Schutz der Gnadenformel – in ausführlicher Explikation ihrer Geltung: Jahwe zürnt nicht auf immer (cf. V. 9), er vergilt uns – man darf hinzufügen: anders als den Vätern – nicht nach unseren Sünden (cf. V. 10), die Größe seines *ḥsd* vermag selbst unsere große Schuld von uns zu entfernen (cf. V. 11f.), die mit eigener | Schuld beladenen Söhne brauchen nicht auf die schuldigen Väter, sondern dürfen auf den barmherzigen Vater blicken (cf. V. 13). Kurz: Die in V. 9-14 an die Gnadenformel angeschlossene Erläuterung ist eine verdeckte Auseinandersetzung mit der doppelten Vergeltungslehre von Ex 34,7, nun nicht mehr innerhalb, sondern außerhalb der deuteronomistischen Theologie. Die Vergeltungslehre ist in der Folgezeit selbst in der abgemilderten, Gestalt von Ex 34,7 als so bedrohlich empfunden worden, daß sie nicht mehr zitiert, sondern nur noch gegen sie polemisiert wird. Zitabel ist allein die Gnadenformel geblieben, die immer entschiedener die Funktion der Garantin der Sündenvergebung wahrnahm.

Das läßt sich der späten Individualklage Ps 86 entnehmen, in der die Gnadenformel in Gestalt von Ex 34,6 zitiert wird und in der darüber hinaus ihre Formulierungselemente, für den jeweiligen Zweck abgewandelt, reichlich präsent sind (cf. V. 2.3.11.13.16). In V. 5 hat der Psalmdichter sogar den Versuch unternommen, den Inhalt der Gnadenformel mit eigenen Worten wiederzugeben, wobei wiederum die Sündenvergebung im Zentrum der Neuformulierung steht: „Denn du, Herr, bist gütig und willig, zu vergeben (*ṭwb wslḥ*), reich an Gnade für alle, die dich anrufen." *Slḥ* – damit ist der Terminus auf dem Plan, mit dem man in äußerster Konzentration den Inhalt der Gnadenformel zu bündeln vermag. So in Neh 9,17, wo Jahwe angesichts seines Verhaltens gegenüber der Schuldgeschichte des Volkes vor der Zitierung der Gnadenformel das Epitheton *'lwh slyḥwt* „Gott der Vergebung" bekommt. Diese Prädikation steht nicht isoliert im Kontext. Vielmehr hat sie in freien Anspielungen auf die Gnadenformel ein Umfeld (cf. V.19.27f.31f.; im weite-

---

[30] Nichts legt in V.9-14 den Gedanken nahe, den Kreis der Jahwefürchtigen für eine kleine exklusive Gruppe zu halten. Anders in V. 15-18 wo die Bezeichnung (V. 17) nur noch unter verschärften Bedingungen vergeben wird (zu V. 18 cf. Dtn 5,10; 7,9; cf. auch die Überlegungen von SCHMIDT, »De Deo«, 97).

ren literarischen Umkreis cf. Dan 9,4.9.18; Neh 1,5; I Chr 21,13; II Chr 30,9), das den Ruf des Barmherzigen und Gnädigen als desjenigen, der Sünden vergibt, als fest etabliert ausweist.

Möglicherweise parallel zu dieser Entwicklung wird auf ganz überraschende Weise das Verständnis der Gnadenformel im Sinne der Sündenvergebung noch einmal problematisiert. Noch einmal: Denn die im Jonabuch thematisierte Frage hat in der prophetischen Existenz Jeremias ein Vorspiel, das sich nun in der paradigmatischen Existenz Jonas zum Konflikt entwickelt. Auf dem Höhepunkt macht Jona einen befremdenden Gebrauch von der Gnadenformel:

> (4,2) ... Ich habe es doch gewußt: Du bist ein gnädiger und barmherziger Gott, langmütig und groß an Güte und läßt dich des Unheils gereuen (*wnḥm ʿl-hrʿh*).

Jona tritt aus der zur Dominanz gelangten Tradition vom gnädigen, vergebenden Gott heraus und unterwirft sie gnadenloser Kritik. Er akzeptiert nicht die immer umfassender verstandene Geltung der Gnadenformel, bei der Gottes Reue über das von ihm rechtens beschlossene Unheil fest einkalkuliert ist: *wnḥm ʿl-hrʿh*. Gnade vor Recht gegenüber der Stadt Ninive, Repräsentantin der jahwefernen Völkerwelt, das macht | Jona, Repräsentant des jahwegläubigen, aber an Jahwes Langmut mit der Völkerwelt verzweifelnden Israel, nicht mit. Seine Flucht ist kein theologischer Eskapismus, sondern scharfer Protest gegen den von allen und jedem durch Umkehr zu Gnade und Reue beeinflußbaren Gott.[31]

Jonas Protest gegen Jahwes Reue hat sich in einer langen Geschichte angestaut.[32] Der Widerstreit von Gottes Zorn und Reue begleitet die Schriftprophetie von ihren dokumentierten Anfängen an.[33] So bei Hosea, der im Namen

---

[31] Zu Recht weist SCHMIDT (»De Deo«, 86f.) auf den grundsätzlichen Charakter von Jonas Protest hin: „Er wußte von Anfang an, daß Jahwe das angedrohte Gericht nicht vollziehen würde, weil dieser Gott *immer* gnädig ist und sich *immer* des Unheils gereuen läßt" (87). Gleichwohl darf man nicht aus den Augen verlieren, daß der Konflikt Israel – Völkerwelt weiterhin bestimmend bleibt, ja daß ohne Israels Leiden an Jahwe inmitten der Völkerwelt Jonas Protest nicht in derartiger Schärfe ausgebrochen wäre (cf. auch H. W. WOLFF, Dodekapropheton 3. Obadja und Jona, BK XIV/3, 1977, 64).

[32] Cf. zu dem Thema SIMIAN-YOFRE, TWAT V, 1985, 366-384, v.a. 372ff.

[33] Die Geschichte der Reue Jahwes wird bewußt nicht mit Am 7,3.6 eröffnet, weil der Visionszyklus 7,1-8 wahrscheinlich späterer Zeit entstammt. Die ausführliche Begründung kann nicht an dieser Stelle erfolgen. Es sei darauf hingewiesen, daß die Zusammenstellung der ursprünglich selbständigen Visionen erst durch die zweimalige erfolgreiche Fürbitte des Propheten ermöglicht worden ist. Sprachliche Gestaltung und inhaltliche Akzentuierung lassen es nicht ratsam erscheinen, mit der Fürbitte des Amos vor Jeremia zu rechnen. Will man die traditionsgeschichtliche Entwicklung der Fürbitte idealtypisch nachzeichnen (also ohne möglichen historischen Überschneidungen Rechnung zu tragen), so dürfte der Weg von der königlichen Fürbitte (Hiskia, cf. Jer 26,18f.) über die prophetische (erst Jer 18,20, dann

Jahwes nicht nur den glühenden Zorn (*ḥrwn ʾp*) gegen Ephraim/Israel verkündigt, sondern zugleich seine Entmachtung durch die Revolution in Jahwe
(*nhpk ʿly lby*), die Reue (*nḥwmym*, 11,8). Jahwes Begründung für seine Unfä-
higkeit zum anhaltenden Zorn ist aufschlußreich: „Denn Gott (*ʾl*) bin ich und
nicht Mensch, in deiner Mitte der Heilige" (V.9). Ist es abwegig, hinter dem
Gott, der seine Gottheit gerade in der Fähigkeit zum inneren Umsturz, zur
Abkehr vom Zorn gewahrt sieht, den Barmherzigen und Gnädigen zu erkennen, der *ʾrk ʾpym* ist?[34]

Diese Verbindung ist auch da zu erkennen, wo zweimal in vordeuterono-
mistischer Zeit die Wendung belegt ist, daß sich Jahwe des Unheils | gereuen
läßt (*nḥm ʾl-hrʿh*). Zunächst in II Sam 24,16 (par. I Chr 21,15), wo Jahwe seinem Pestboten in dem Moment reuig Einhalt gebietet, da er sein Vernich-
tungswerk an Jerusalem vollbringen will.[35] Die spätere deuteronomistische
Fassung der Erzählung, in der David selbst unter drei Übeln die Wahl hat,
läßt den König in folgerichtiger Deutung des älteren Bestandes und in Wahrung überkommener theologischer Einsicht sagen: „Wir wollen lieber Jahwe
in die Hand fallen, *ky rbym rḥm(y)w*" (V. 14).

Der andere vordeuteronomistische Beleg ist Jer 26,19.[36] Hier nimmt Jahwe
die Drohung, den Jerusalemer Tempel zu zerstören, nicht von sich aus reuig
zurück. Vielmehr bedarf es dazu - wie die Erinnerung an Hiskia und den Propheten Micha zeigt – königlicher Fürbitte (V. 18f.). Auch dieser Erzählung
haben die Deuteronomisten eine Neufassung gegeben, in der sie der Wirksamkeit königlicher Fürbitte im Blick auf Jahwes Reue nicht mehr viel zu-
trauen, wohl aber der Umkehr eines jeden Judäers (*šwb mdrk hrʿh*, V. 3; *hyṭyb
drkym wmʿllym*, V. 13). Ihr wird Jahwe seine Reue, die in den deuteronomistischen Partien des Jeremiabuches mit seiner Vergebung identisch ist (cf.
36,3, *slḥ*), nicht vorenthalten.

Am 7,3.6) zur mosaischen Fürbitte verlaufen sein (anders im Blick auf Amos: Aurelius,
Fürbitter 203ff.).

[34] Damit paßt die viel spätere deuterojesajanische Gottesrede Jes 48,8-11 zusammen, in
der Jahwe das *ky ydʿty* lange vor Jona sagt. Was Jahwe genau kennt, gereicht Israel nicht zur
Ehre: Treulosigkeit und Schuld. Daß Jahwe gleichwohl langsam zum Zorn ist (*ʾrk ʾpy*, V. 9),
begründet er ähnlich wie in Hos 11,9: *lmʿn šmy* (Jes 48,9) und dann noch einmal emphatisch
lmʿny lmʿny (V. 11): Barmherzigkeit um Gottes willen. Nicht von ungefähr heißt Jahwe
zweimal bei Deuterojesaja der „Erbarmer" (*mrḥm* mit Suffix 49,10; 54,10).

[35] Zur Analyse von II Sam 24 cf. T. VEIJOLA, Die ewige Dynastie, AASF B 193, 1975,
108-117; F. STOLZ, Das erste und zweite Buch Samuel, ZB AT 9, 1981, 298-303; F. FORESTI,
The Rejection of Saul in the Perspective of the Deuteronomistic School, 1984, 137f.

[36] Zur Analyse von Jer 26 cf. W. THIEL, Die deuteronomistische Redaktion von Jeremia
26-45, WMANT 52, 1981, 3f.; R. P. CARROLL, Jeremiah, OTL, 1986, 509-522. Die
schwierige Frage, ob die Erzählung rein fiktiver Art ist oder ob authentische Erinnerungen
aus dem Leben des Propheten verarbeitet worden sind, kann in diesem Zusammenhang auf
sich beruhen bleiben.

Damit sind die beiden theologischen Aspekte genannt, unter denen Jahwes reuige Zurücknahme des von ihm beschlossenen Unheils auch noch anderweitig in der deuteronomistischen Literatur thematisiert wird: Fürbitte und Umkehr. Wie bereits angedeutet, gebührt nicht der königlichen Fürbitte in deuteronomistischer Sicht besonderes Vertrauen, nicht einmal mehr der prophetischen Fürbitte generell, wohl aber der Fürbitte eines bestimmten Mannes, dem das Prophetenamt und die Funktion des Fürbitters allererst in der deuteronomistischen Theologie übereignet worden sind: Mose.[37] Im Gefolge von Jer 26,19 kämpft Mose in Ex 32,12.14 erfolgreich um Jahwes Reue angesichts der Urschuld des Volkes. Jahwe läßt sich schließlich des Unheils gereuen, was im Verlauf der deuteronomistischen Fortschreibung wiederum mit dem Gedanken der Vergebung in Zusammenhang gebracht worden ist (cf. 34,9, *slḥ*). Diese | Reue, gibt der in 32,7-14* schreibende Deuteronomist zu verstehen, ist (vergleichbar dem inneren Umsturz bei Hosea) nichts weniger als Umkehr Jahwes: *šwb mḥrwn 'p* (V. 12).

Indessen ist es nicht die Umkehr Jahwes, sondern die Umkehr des Volkes, die in der deuteronomistischen Literatur als conditio sine qua non für die Reue Jahwes formuliert worden ist. Die Textbasis dafür ist nicht breit, aber gewichtig[38]. Im Anschluß an Jeremias Töpfergleichnis (Jer 18,26*) haben Deuteronomisten aus den genannten Vorgaben in V.7-12 eine umfassende theologische Konzeption entwickelt.[39] Nach ihr haben es alle Völker (nicht nur Israel!) in der Hand, durch das eigene Verhalten auf Jahwes Handeln Einfluß zu nehmen. Das gilt in zwei Richtungen: Jahwe kann sich durch Umkehr eines Volkes des beabsichtigten Unheils gereuen lassen, und er kann sich ebenso durch die Abkehr eines Volkes des beabsichtigten Guten gereuen lassen (V. 7-10).

Man muß diese deuteronomistische Auslegung des Töpfergleichnisses mit der universalen Ausweitung ihrer Umkehr/Abkehr-Theologie vor Augen haben, wenn man sich dem Jonabuch zuwendet.[40] Die in Jer 18,7-10 angelegte Zwangsläufigkeit von guter oder schlechter Aktion eines Volkes und entsprechender reuiger Reaktion Jahwes ist im Jonabuch zum akuten Problem geworden, weil nach Meinung theologisch offensichtlich einflußreicher Israeli-

---

[37] Zum Prophetenamt des Mose cf. PERLITT, Mose als Prophet, EvTh 31 (1971), 588-608; zu seiner Fürbitte in Ex 32,11-14 cf. AURELIUS, Fürbitter, 91-100.

[38] Nur mit Vorbehalt wird man Jer 42,10 an dieser Stelle nennen dürfen, weil der Gedanke der Umkehr nicht expressis verbis genannt ist (allenfalls in einem signifikanten Überlieferungsfehler des masoretischen Textes). Jahwes Reue will wirksam werden; trotzdem bleibt die Forderung einer „Vorleistung" bestehen (zur Analyse von Jer 42 cf. THIEL, Jeremia 26-45,62ff.).

[39] Zur Analyse von Jer 18,1-12 cf. THIEL, Die deuteronomistische Redaktion von Jeremia 1-25, WMANT 41, 1973, 210-218; CARROLL, Jeremiah, 370-375; MCKANE, Jeremiah I, 420-428; anders W. L. HOLLADAY, Jeremiah 1, Hermeneia, 1986, 512-518.

[40] Cf. auch SCHMIDT, »De Deo«, 101f.

ten davon die Falschen, nämlich die Heiden, profitieren. Kehren die Niniviten von ihrem schlechten Wandel um (*šwb mdrk hrᶜh*, cf. Jon 3,8.10), kehrt Jahwe von seinem Zorn um (*šwb mḥrwn ʾp*, cf. V. 9) und läßt sich des Unheils gereuen (cf. V. 10), und zwar nicht allein aus einem „Zugzwang" heraus, sondern – und damit benennt die im Jonabuch zu Wort kommende Opposition die tiefere Ursache – aus seiner Selbstbestimmung zur Barmherzigkeit heraus, die Jona in 4,2 unter Berufung auf die Gnadenformel Gott zum entscheidenden Vorwurf macht.

Im Jonabuch hat die Gnadenformel, bereichert um die Vorstellung der Reue Jahwes, eine letzte Bewährungsprobe zu bestehen: Gibt es Gottes Gnade und Reue für die anderen? Für die, deren Gott nicht der Barmherzige und Gnädige ist, die aber zur Umkehr bereit sind? Eine sich bald nach der im Jonabuch aufgerissenen Frage zu Wort meldende | Stimme im Joelbuch, die die Gnadenformel in Gestalt von Jon 4,2 in Joel 2,13 zitiert[41], sagt ein klares Nein (2,12ff.). Die Umkehrforderung und das „Wer weiß!" von Jahwes Reue (cf. 2,14 mit Jon 3,9) gelten allein Israel. Für sein Land eifert Jahwe (*qnʾ* pi.), sein Volk schont er (*ḥml*, Joel 2,18, cf. *ḥws* in V. 17 und in Jon 4,10f.), während die Völker den heiligen Krieg zu gewärtigen haben, für den Pflugscharen zu Schwertern und Winzermesser zu Lanzen umgeschmiedet werden sollen (cf. Joel 4,9f.).

Ganz anders fällt die Antwort im Jonabuch selbst aus. Das kleine Prophetenbuch ist eine großartige Affirmation und Applikation der Gnadenformel – nicht nur gegenüber der Stadt Ninive, deren König im Blick auf Jahwes erhoffte Reue ein vorsichtiges *my-ywdᶜ* „Wer weiß!" spricht (3,9), sondern auch gegenüber dem Rebellen Jona, der im Blick auf Jahwes mißgönnte Reue sein zorniges *ky ydᶜty* „Ich habe es doch gewußt!" herauspreßt (4,2). Der Einwand gegen Jonas Protest erfolgt ebenso leise wie Gottes Reaktion gegenüber Elia am Horeb in I Kön 19, einem Referenztext für Jona 4.[42] Jahwe wirbt mit feiner Ironie[43] und unaufdringlicher Didaktik um Verständnis für sein Beharren bei dem Gnadenwort. Schonend bringt er Jona die Schonung Ninives bei, indem er sich mit dem Einwand zugunsten der Gnade begnügt, ihm aber keine Zustimmung abtrotzt (4,10f.).

---

[41] Es ist üblich, die Abhängigkeit auf Seiten des Jonabuches zu suchen (cf. WOLFF, Dodekapropheton 3,55.128.141; A. DEISSLER, Zwölf Propheten II, Die Neue Echter Bibel Lfg. 8, 1984, 150). Es hat jedoch größere Wahrscheinlichkeit, die literarische Priorität dort anzunehmen, wo das Zitat fester im Kontext verankert ist. Das dürfte aber mit ziemlicher Sicherheit im Jonabuch der Fall sein. Diese Sicht der Dinge wird durch die auch anderwärts dokumentierte polemische national-religiöse Tendenz des Joelbuches bestätigt.

[42] Cf. Wolff, Dodekapropheton 3, 55.141ff.

[43] Beispiele dafür sind das Spiel mit dem Wort *rᶜh* in 3,10; 4,1f.6 und die Episode mit der Rizinusstaude in 4,6ff.

Dieses Paradigma nicht nur theoretischen Umgangs mit der Gnadenformel, sondern ihrer praktischen Umsetzung bleibt für das Ende ihrer Rezeptionsgeschichte im Alten Testament bestimmend. Es ist in dem spätnachexilischen, anthologisch geprägten Akrostichon Ps 145 zu finden, in dem die Gnadenformel in V. 8 hymnisch affirmiert und zugleich durch einen Kommentar begleitet wird, der die universale Geltung des Satzes ausdrücklich feststellt:

Gütig (*twb*) ist Jahwe gegen alle (*lkl*),
seine Barmherzigkeit (*rhmyw*) (gilt) allen seinen Geschöpfen (V. 9).

Der Kommentar bringt auf den Punkt, was die der Gnadenformel innewohnende Intention von jeher gewesen ist: die gütige Zuwendung | Jahwes ohne national-religiöse Schranken.[44] Natürlich ist auch hier Jahwes Liebe nicht grenzenlos. Die Grenze verläuft „zwischen jenen Menschen, die Jahwe anrufen, ihn fürchten und lieben (V. 18-20), und den anderen, die nicht wissen oder wissen wollen, daß sie von der Güte Jahwes leben."[45] Sein Interesse gilt aber nicht diesen Ignoranten, sondern jenen, die seit eh und je den Gnadenempfang lobend und dankend in ihr Gebet hineingenommen haben. Nicht von ungefähr ist die Gnadenformel überwiegend in der Gebetsliteratur bezeugt. Daß sie hier wohl auch – kaum datierbar – ihren Ursprung hat, bekräftigen Formulierungen aus demselben Überlieferungsbereich, deren theologische Aussage mit der der Gnadenformel eng verwandt ist.

Ganz augenfällig ist die inhaltliche Nähe einer in dem Danklied Ps 30 überlieferten Sentenz (V. 6):

Ein Augenblick in seinem Zorn, ein Leben in seiner Huld (*rswn*),
am Abend ... Weinen, doch gegen Morgen Jubel.[46]

Auch dieser Satz birgt Wesensbeschreibung Jahwes in sich, allerdings formuliert aus der Perspektive wahrscheinlich jahrhundertealter religiöser Erfahrung. Wie bei der Gnadenformel ist der Überlieferungsort – die in der Endgestalt eher späte Komposition Ps 30 – kein tragfähiger Anhaltspunkt für die Datierung der Sentenz. Jes 54,7f. zeigen, daß sie in der Exilszeit bereits national-religiös applizierbar war, und zwar unter Verwendung von Begriffen, die die Nähe zur Gnadenformel noch einmal deutlich unterstreichen: *rhmym gdlym* und *hsd 'wlm*.

---

[44] WOLFF zur Gnadenformel: „Es ist bezeichnend für die gesamte literarische Formel, daß sie kein eingrenzendes Element enthält, das Jahwes Verhalten auf Israel beschränken würde" (Dodekapropheton 3, 141).

[45] SCHMIDT, »De Deo«, 99 A. 119.

[46] Zu Ps 30 cf. SPIECKERMANN, Heilsgegenwart, 253ff.

Der letztgenannte Terminus könnte allerdings auch durch eine andere Formulierung bedingt sein, die ebenfalls das theologische Umfeld der Gnadenformel bereichert:

Lobet/danket Jahwe, denn er ist freundlich (*twb*),
denn seine Güte währet ewiglich (*l'wlm ḥsdw*).

Dieser im Alten Testament vielfach belegte liturgische Aufruf zum Gotteslob[47], dessen beide Hälften aller Wahrscheinlichkeit nach als Aufforderung und Antwort von Priester und Gemeinde zu sprechen sind, betont im *'wlm*-Begriff die Stetigkeit des göttlichen *ḥsd*. Daß dies nichts anderes als eine Formulierungsvariante zur Prädizierung Jahwes als *rb-ḥsd* in der Gnadenformel ist, läßt sich der hymnischen Litanei Ps 136 entnehmen.[48] In ihr wird die Formel in einer Rekapitulation der Ge|schichte Israels vom Exodus bis zum Ende des Exils national-religiös appliziert (V. 10-24). So willig die Formel diese Applikation trägt (unwillig nur in V. 19f.), sowenig läßt sie sich national beschränken, sondern bringt in der Rahmung ihren universalen Anspruch zur Geltung: Das Lob gilt dem Gott der Götter (V. 2, cf. V. 3.26), der seine großen Wundertaten mit der Schöpfung hat beginnen lassen (V.4-9) und seine menschenfreundliche Güte in der Fürsorge für alle (*lkl-bśr*) dokumentiert (V. 25). Dies ist die Klammer, ohne die das Partikularinteresse von Jahwes *ḥsd* an Israel beziehungs- und haltlos wäre.[49]

Es dürfte deutlich geworden sein, daß die Gnadenformel in der Gebetsliteratur ein theologisches Umfeld hat – und zwar immer gehabt und nicht erst spät erobert hat –, in welchem Gotteslob und theologische Reflexion mit Selbstverständlichkeit im „ökumenischen" Horizont ihren Platz hatten. Wäre es nicht an der Zeit, diese Einsicht für die Ortung des theologischen Zentrums des Alten Testamentes fruchtbar zu machen?

---

[47] Ps 136,1; cf. 100,5; 106,1; 107,1; 118,1.29 u.ö.

[48] Zu Ps 136 cf. vorläufig Spieckermann, Heilsgegenwart, 162.

[49] Stärker von der partikularen religiösen Erfahrung Israels her interpretiert K. Koch, »...denn seine Güte währet ewiglich«, EvTh 21 (1961), 531-544, cf. v.a. 536ff. (dazu kritisch Schmidt, »De Deo«, 98 A. 118). Kochs Urteil, daß in Ps 136,1 etc. »der Glaube Israels ... in einer prägnanten Formel zur Sprache kommt« (540), könnte auch hier beigepflichtet werden, allerdings in einem anders akzentuierenden Interpretationsrahmen.

2. Gnade
Biblische Perspektiven

Die Gnade hat es heute nicht leicht. Es gibt keinen „gnädigen Herren" mehr und schon gar kein „gnädiges Fräulein". Auch der „gnädigen Frau" begegnet man in den sog. besseren Kreisen immer seltener. Und bekommt eine Frau gar den Superlativ „meine Gnädigste" zu hören, kann diese Formulierung von der Ungnade selbst diktiert sein. Ein gnädiger Prüfer im Examen mag für den Betroffenen wie ein Geschenk des Himmels erscheinen, doch aufs ganze gesehen ist er eine problematische Figur. Er läßt nämlich Gnade vor Recht ergehen und schmälert damit auf bedenkliche Weise die Chancengleichheit. Bitten wir jemanden, er möge so gnädig sein, dies oder das zu tun, ist damit nicht ein kaum zuzumutender Gunsterweis gemeint, sondern die zumeist ärgerliche Erwartung, endlich möge das geschehen, was billigerweise längst hätte geschehen sollen. Und wenn wir heute jemanden mit dem Wunsch bedenken „Dir gnade Gott!", dann pflegt der Unterton weniger gnädig als drohend zu sein.

Daß es die Gnade in unserem heutigen Sprachgebrauch nicht leicht hat, ist erklärlich. Seit den bezeugten Anfängen der deutschen Sprache wird das Wortfeld Gnade von der christlichen Tradition beherrscht, welche bis in die feinsten Verästelungen des Rechtes und der Sitte hinein gewirkt hat. Auf diese Weise gibt die Sprache wieder, was in Kirche und Welt erfahrbare Realität war: daß die Gnade ihre Ordnung gefunden hatte. Verwaltet die Kirche die Gnadenmittel (vor allem die Sakramente), so nehmen die weltlichen Herrscher ihr Amt nicht aus Eigenmächtigkeit, sondern „von Gottes Gnaden" wahr. Der biblische Ursprung dieser Formel bei Paulus (vgl. 1Kor 3,10; 15,10) und ihre kirchliche Rezeption waren weit in den Hintergrund getreten, als zur Zeit Karls des Großen die Formel „von Gottes Gnaden" (Dei gratia) zur feststehenden Beifügung des Herrschertitels in den fränkischen Urkunden geworden ist.[1] Gleichwohl eignet sich das im Gottesgnadentum zum Ausdruck kommende Legitimationsinteresse nicht allein zur Ideologiekritik. Im Gottesgnadentum gewinnt guten Glaubens die Idee eines christlichen, obrigkeitlichen Staates Gestalt, welcher seinen christlichen Wurzeln bis in die rechtlichen Ordnungen hinein Geltung verschaffen will. So ist die Gnadenfrist zwar ursprünglich die der Seele zu ihrem Heil gewährte Zeit der Schonung bis zu Gottes Gericht, dann aber auch in der Rechtsprechung die als Vergün-

---

[1] Vgl. J. und W. GRIMM, Deutsches Wörterbuch Bd. 8 (Leipzig 1958) 524.

stigung gewährte Zeit der Strafaussetzung.[2] Und neben dem Gnadenlohn, dem von Gott aus reiner Gnade verliehenen ewigen Leben[3], steht das Gnadengehalt, welches die Beamten heutzutage Pension zu nennen pflegen.[4]

Aus der Zeit des christlichen Staates mit seiner ständischen Gesellschaftsordnung ließe sich noch von mancherlei Gnaden berichten: vom Gnadenbrot, das einst nicht nur verdiente Haustiere bekamen, bis zum Gnadenstoß, mit dem ursprünglich der Henker den Verurteilten vor der Räderung getötet hat, um ihm die folgenden Qualen zu ersparen.[5] Die unproblematischen und problematischen Gebrauchsweisen machen sichtbar, daß Kirche und Welt der Gnade eine Ordnung gegeben hatten, die ihrerseits eines von vielen Bindegliedern zwischen Kirche und Welt war. Eine derart enge Verbindung von Kirche und Welt ist gefährdet. Schwindet die Akzeptanz eines christlichen Staates, steht nicht nur eine bestimmte Staatsauffassung zur Disposition, sondern auch der religiöse Grund, der sie getragen hat. Wo gnädige Herren, die bestimmte Gnaden gewähren, ins Zwielicht geraten, hat es auch der eine Herr der Gnaden schwer, das Zwielicht von sich fern zu halten. Gnade gerät in den Geruch obrigkeitlicher Willkür. Nicht von ungefähr ist die reiche Gnadenterminologie bis auf die Begnadigung aus unserer Sprache verschwunden. An die Stelle von gewährten Gnaden ist im weltlichen Bereich der rechtlich geschützte Anspruch auf bestimmte Leistungen des Staates getreten. Und im religiösen Bereich steht die Rede von der Gnade in dem Verdacht, den Menschen primär als Sünder, als auf Gottes Gnade stets Angewiesenen in den Blick zu nehmen und ihn dadurch klein und unmündig zu halten. Die Gnade ist zur Konkurrentin der Autonomie des Menschen geworden. Muß deshalb der weltlichen Emanzipation von der Gnade nicht auch noch die geistliche Emanzipation folgen? Die Antwort auf diese Frage soll auf einem nicht allzu langen Weg durch die Bibel gefunden werden, und zwar durch die ganze christliche Bibel, welche von der ersten bis zur letzten Seite das Buch der gnädigen Zuwendung Gottes zum Menschen ist.

Das Urteil über die Bibel als Buch der gnädigen Zuwendung Gottes zum Menschen schließt bewußt Altes und Neues Testament unter dem Gedanken der Gnade Gottes zusammen. Damit soll die gängige Vorstellung abgewehrt werden, das Alte Testament sei beherrscht vom Gott der Vergeltung und im Gegensatz dazu das Neue Testament vom Gott der Gnade. Zwar begünstigt das Neue Testament im ganzen nicht diesen Gegensatz. Aber die in ihm dokumentierte Gegenüberstellung etwa von Adam und Christus bzw. von Sünde und Gnade (Röm 5,12-21), von Gesetz und Gnade (Röm 6,14 im Kontext von

---

[2] Vgl. a.a.O. 571.
[3] Vgl. a.a.O. 578f.; auch hier gibt es jedoch den profanen Gebrauch: Arbeitslohn ohne Rechtsanspruch.
[4] Vgl. a.a.O. 572f.
[5] Zu den genannten Ausdrücken vgl. a.a.O. 569f.580f.587-590.

Kapitel 6) und von Gesetz und Christus (Röm 10,1-4) kann im Sinne des blanken Gegensatzes mißverstanden werden. Wenn es in Joh 1,17 heißt „Denn das Gesetz ist durch Mose gegeben; die Gnade und Wahrheit ist durch Jesus Christus geworden"[6], dann ist das Gesetz des Mose hier gleichbedeutend mit dem ganzen Alten Testament. Wie leicht ist es da, in diesen Satz den Gegensatz hineinzulesen: Gesetz als Altes Testament auf der einen Seite, verbunden mit Rache und Vergeltung, auf der anderen Seite, lichtvoll davon abgehoben, das Neue Testament mit seiner Botschaft der Gnade Gottes und der Nächstenliebe.

Wie unsachgemäß dieser undifferenzierte Gegensatz auch sein mag – man vergleiche nur das unverdächtige Zeugnis, das Matthäus den Juden Jesus sprechen läßt (19,16-22; 22,34-40) –, so leidet es doch keinen Zweifel, daß dieser Stempel dem Alten Testament in christlicher Tradition häufig genug aufgeprägt worden ist. Heißt es in der letzten Zeile von Conrad Ferdinand Meyers Gedicht „Die Füße im Feuer": „Mein ist die Rache, redet Gott"[7], denkt jeder an den Gott des Alten Testaments – und ist damit ausnahmsweise nicht ganz und gar im Unrecht, denn die älteste Bezeugung ist in Dtn 32,35 zu finden, welches Wort dann allerdings auch zweimal im Neuen Testament aufgenommen worden ist (Röm 12,19; Hebr 10,30). Es steht dahin, aus welcher biblischen Schrift Conrad Ferdinand Meyer seine Weisheit gehabt hat. Berufen sich hingegen heute Journalisten auf den sog. alttestamentarischen Gott, ist sicher kein anderer als der zornige und rächende Gott gemeint, dessen Wille in der Talionsformel „Auge um Auge, Zahn um Zahn" scheinbar seinen angemessenen Ausdruck gefunden hat (Ex 21,23f.; Lev 24,19f.; Dtn 19,21; vgl. dagegen Mt 5,38-42).

Man könnte die gängige Sicht des Alten Testaments als eines weithin „gnadenlosen" Buches noch durch den Hinweis verstärken, daß es in ihm keinen bestimmten Terminus für Gnade gibt, vergleichbar dem griechischen χάρις oder dem lateinischen gratia. Bei dem in dieser Hinsicht wichtigsten hebräischen Wort, חסד, ist die Wiedergabe mit Gnade umstritten. Ohne die gelehrte Debatte hier auszubreiten, sei soviel gesagt, daß der Verdacht gegen die Wiedergabe mit Gnade verständlich, aber unbegründet ist.[8] Das betref-

---

[6] Schon in Joh 1,14 werden Gnade und Wahrheit mit dem im Sohn fleischgewordenen Wort verbunden (vgl. auch 1,16).

[7] Zitiert nach T. ECHTERMEYER/ B. VON WIESE, Deutsche Gedichte. Von den Anfängen bis zur Gegenwart, Düsseldorf 1966, 490.

[8] Zu חסד vgl. W. ZIMMERLI, ThWNT IX (1973) 372-377; H. J. STOEBE, THAT I (1971) 600-621; H.-J. ZOBEL, ThWAT III (1982) 48-71. Die gegenwärtige Debatte um das angemessene Verständnis von חסד ist vorangebracht worden durch K. D. SAKENFELD, The Meaning of Hesed in the Hebrew Bible: A New Inquiry (HSM 17), Missoula, Montana 1978; E. KELLENBERGER, häsäd wä[a]mät als Ausdruck einer Glaubenserfahrung (AThANT 69), Zürich 1982; G. R. CLARK, The Word Hesed in the Hebrew Bible (JSOT.S 157), Sheffield 1993 (Lit.); vgl. außerdem die einen Überblick gewährenden Artikel von J. S. KSELMAN,

fende hebräische Wort, das im Alten Testament nicht selten belegt ist (245mal, davon 127mal allein in den Psalmen), kann sowohl mit Gott als auch mit Menschen als handelnden Subjekten verbunden werden. Von Gott ausgesagt, deckt es ein komplexes semantisches Feld ab, in dem die Komponenten Gnade, Güte und Liebe dominieren. Das lehren die jeweiligen Kontexte der Belege. Die Übersetzungen der Septuaginta (ἔλεος) und in ihrem Gefolge der Vulgata (misericordia), beidemal mit der Bedeutung Barmherzigkeit, akzentuieren neu. Für diese Bedeutungsverlagerung gibt es bereits in jungen Texten des hebräischen Alten Testaments durch die Gleichung von חסד und רחמים „Barmherzigkeit" einen Vorlauf.[9] Die Apostrophierung der Gnade als Barmherzigkeit ist dadurch bedingt, daß der schuldige Mensch in den Spätstadien des Alten Testaments sich immer mehr auf die erbarmungsvolle Zuwendung Gottes angewiesen sieht (vgl. Ps 51,3-6; 103,8-18; 146,7-9), in deren Licht dann auch Gottes Gerechtigkeit erscheint. Dies ist nicht repräsentativ für die Breite des Belegspektrums von חסד im theologischen Gebrauch des Alten Testaments. Sosehr mit diesem Wort immer schon Gottes Antwort auf menschliche Not und Schuld formuliert worden ist (vgl. Ps 31,8.20-23), sowenig läßt es sich auf diese Gebrauchsweise reduzieren. Vielmehr ist חסד Kristallisationspunkt der gnädigen, gütigen und liebevollen Zuwendung Gottes zum Einzelnen, zu seinem Volk und zur Welt (vgl. Ps 36,6-11; 136). Jeder der drei Begriffe Gnade, Güte und Liebe vermag für sich das Wesen von חסד, sofern Gott der Handelnde ist, wiederzugeben. Kombinationen untereinander und mit anderen Vorstellungen sind möglich.[10] Es ist typisch für das Hebräische, daß bei einer so komplexen theologischen Vorstellung eine terminologisch exakte Wiedergabe nicht gelingt. Das Hebräische hat ein Interesse daran, die Vielzahl der beteiligten theologischen Komponenten zur Geltung kommen zu lassen und sie nicht definitorisch einzuengen oder gar kategoriell zu hierarchisieren. Im Rahmen dieser Ausführungen wird der Wiedergabe von חסד mit Gnade der Vorzug gegeben, weil dadurch der biblisch-theologische Brückenschlag zum Gnadenverständnis des Neuen Testaments ohne Begriffsverwirrung vollzogen werden kann.

Art. Grace, AncBD II (1992) 1084-1086; K. D. SAKENFELD, Art. Love, AncBD IV (1992) 375-381; H. SPIECKERMANN, Art. Gnade/Gnade Gottes II. Altes Testament, RGG⁴ III (2000) 1024-1025.

[9] Vgl. Jes 63,7; Jer 16,5; Hos 2,21; Sach 7,9; Ps 25,6; 40,12; 51,3; 69,17; 103,4; Lam 3,22; Dan 1,9.

[10] Häufig werden z. B. חסד und אמת „Gnade/Liebe" und „Treue" kombiniert: vgl. Ps 25,10; 26,3; 40,11; 57,4.11; 85,11; 89,15; 117,2; 138,2 u.ö. Aufgrund dieser gut belegten Kombination wird in der englischen (New) Revised Standard Version חסד mit „steadfast love" wiedergegeben. Diese nicht exakt ins Deutsche zu transponierende Übersetzung ist dem Begriff חסד kongenial, weil sie bereits mit dem Begriff der göttlichen Liebe die ihm unveräußerliche Eigenschaft der Treue verbindet.

Im folgenden soll das alttestamentliche Verständnis von Gnade an einem
wichtigen theologischen Textbereich vorgestellt werden, nämlich am Dekalog
und an der damit zusammenhängenden Erzählung vom goldenen Kalb und
ihren Folgen (Ex 20; 32-34).[11] Im Pentateuch ist nicht häufig ausdrücklich
von der Gnade die Rede, in Ex 20; 32-34 aber zentral und bestimmend für
alles Folgende.

Der Anfang des Dekalogs lautet in der Fassung von Ex 20,2-6:

> 2 Ich bin der HERR, dein Gott, der ich dich aus Ägyptenland, aus dem Sklavenhaus, her-
> ausgeführt habe. 3 Du sollst keine anderen Götter haben neben mir. 4 Du sollst dir kein Bild-
> nis noch irgendein Gleichnis machen, weder von dem, was oben im Himmel, noch von dem,
> was unten auf Erden, noch von dem, was im Wasser unter der Erde ist. 5 Bete sie nicht an
> und diene ihnen nicht. Denn ich, der HERR, dein Gott, bin ein eifernder Gott, der die Schuld
> der Väter heimsucht an den Söhnen bis ins dritte und vierte Glied von denen, die mich has-
> sen, 6 der aber Gnade (חסד) erweist den Tausenden, die mich lieben und meine Gebote hal-
> ten.

Das Fremdgötter- und Bilderverbot hat eine Begründung bei sich. Durch sie
wird signalisiert: In diesem Verbot geht es theologisch ums Ganze. Man kann
den Text unterschiedlich gliedern. Die Juden zählen die Einleitung (V. 2) als
erstes Gebot, alles Folgende (V. 3-6) als zweites Gebot. Anders die Refor-
mierten. Sie zählen das Verbot der Vielgötterei (V. 3) als erstes und das Verbot des Bilderdienstes (V. 4-6) als zweites Gebot, während Katholiken und
Lutheraner das Fremdgötterverbot als erstes zählen und darin das nicht eigens
genannte Bilderverbot impliziert sein lassen.[12] Der Hintergrund der unterschiedlichen Zählungen liegt im erkennbaren geschichtlichen Gewordensein
dieses Textes, welches die eine oder andere Zählung (und inhaltliche Kom-
primierung) zuläßt.[13] Wichtig ist in unserem Zusammenhang allein die Beobachtung, daß der gewachsene Text nun eine Einheit sein will, die die Einzigkeit Gottes betont im Blick auf das, was er getan hat, und im Blick auf das,
was er immer wieder tun will. Es hat nämlich großen Erkenntniswert, daß
Gott selbst etwas tut, ehe er den Israeliten etwas zu tun bzw. zu unterlassen
gebietet, und daß auf dieses Verbot sogleich wieder Gottes Handeln folgt. Der

---

[11] Zu den genannten Texten vgl. F.-L. HOSSFELD, Der Dekalog. Seine späten Fassungen,
die originale Komposition und seine Vorstufen (OBO 45), Freiburg (Schweiz) – Göttingen
1982; E. AURELIUS, Der Fürbitter Israels. Eine Studie zum Mosebild im Alten Testament
(CB.OT 27), Lund 1988.

[12] Zu den unterschiedlichen Zählungen vgl. E. NIELSEN, Die Zehn Gebote. Eine traditionsgeschichtliche Skizze (AThD 8), Kopenhagen 1965, 16-18; zur Geschichte der Erforschung des Dekalogs vgl. W. H. SCHMIDT, in Zusammenarbeit mit H. DELKURT und A.
GRAUPNER, Die Zehn Gebote im Rahmen alttestamentlicher Ethik (EdF 281), Darmstadt
1993.

[13] Vgl. W. ZIMMERLI, Das zweite Gebot, in: DERS., Gottes Offenbarung. Gesammelte
Aufsätze zum Alten Testament (TB 19), München 1963, 234-248.

den Fremdgötter- und Bilderdienst unterlassende Mensch ist vom tätigen, vom wohltätigen Gott gleichsam umschlossen.

Wie sieht das konkret aus? Der wohltätige Gott präsentiert sich zu Beginn des Dekalogs nicht mit dieser oder jener Tat, sondern mit der Grundwohltat an seinem Volk, der Befreiung aus Ägypten. Diese Rettungstat wird hier als die Geburtsstunde des Volkes Israel angesehen. Wenn die Juden diese Einleitung der Zehn Gebote als erstes Gebot zählen (was es nach Form und Inhalt ja eigentlich nicht ist), dann wollen sie damit deutlich machen, daß Gott mit dieser Rettungstat seinem Volk das Leben allererst ermöglicht hat. Vertrauen auf den rettenden Gott ist und bleibt von nun an das Lebensgesetz dieses Volkes. Dieses Gebot schüchtert und schränkt nicht ein, sondern eröffnet allererst Freiraum zum Leben. Wer es übertritt, hat mit harter, aber beschränkter Strafe zu rechnen (vier Generationen), wer es beobachtet mit uneingeschränkter Gnade (חסד).[14]

Wohlgemerkt: Bei der Liebäugelei mit fremden Göttern geht es um kein religiöses Kavaliersdelikt. Hier geht es darum, ob es zwischen diesem Gott und den Israeliten ein Liebesverhältnis geben soll oder nicht. Da ist kein Platz für drei. Wo jedoch Gott und Israel in Liebe zueinander finden, da sind Gesetz und Gnade einträchtig beisammen: „der aber Gnade erweist den Tausenden, die mich lieben und meine Gebote halten". Auch diejenigen, die Gott lieben, sind also auf seine Gnade angewiesen. Ob es um Liebe geht oder nicht, entscheidet sich an der Einstellung zu den Geboten, dem Dekalog zunächst, dann aber auch zum ganzen Gesetz. Aber dieses Gesetz ist keine Zwangsjacke, sondern Lebensgesetz, Lebensgestaltung durch den einst aus ägyptischer Sklaverei befreienden und durch seine Gnade immer neu befreienden Gott.

Daß es bei dieser im Dekalog vorgenommenen Verhältnisbestimmung von Gesetz und Gnade nicht um einen wichtigen theologischen Gedanken neben anderen geht, sondern um den Mittelpunkt einer Theologie des Gesetzes als einer Theologie des gnädigen Gottes läßt sich einer weiteren wichtigen Beobachtung entnehmen. In großer Nähe zur Bekanntgabe des Dekalogs im Exodusbuch erfolgt Israels Sündenfall schlechthin, nämlich die erste Mißachtung des Fremdgötter- und Bilderverbotes durch die Anfertigung und Verehrung des goldenen Kalbes (Ex 32). Der Rückbezug auf den Dekalog ist überdeutlich, denn das Bild wird mit den Worten vorgestellt: „Das ist dein Gott, Israel, der dich aus Ägyptenland geführt hat" (Ex 32,4.8; vgl. 20,2). Ursprünglich war der Zusammenhang mit der Verkündung des Dekalogs noch enger, weil in der noch erkennbaren älteren literarischen Fassung Ex 32 unmittelbar an Ex 24,11 angeschlossen war.

---

[14] Zur Anspielung auf die sog. Gnadenformel in diesem Zusammenhang vgl. H. SPIECKERMANN, „Barmherzig und gnädig ist der Herr...", ZAW 102 (1990) 1-18, 7f. (= s.o. 3-19).

Die von Israel begangene Urschuld des Fremdgötter- und Bilderdienstes
führt in Ex 33f. zu einer großen Neubesinnung auf Gottes Gnade. Dabei spielt
Mose als Mittler zwischen Gott und Volk eine wichtige Rolle. Er verhindert
die Vernichtung des Volkes (vgl. schon Ex 32,10-14.30-35), indem er Gott an
die ihm gewährte Gnade erinnert und dieses persönliche Gnadenverhältnis
zugunsten des Volkes geltend macht (vgl. Ex 33,12-17). Was durch diese
Intervention des Mose bei Gott ausgelöst wird, ist seltsam. Gott reagiert nicht
strikt bezogen auf diese eine Verfehlung der Israeliten, sondern mit der
Kundgabe seines innersten Wesens. Zwei Stellen sind hier von Belang:

> Und er sprach: Ich will vor deinem Angesicht all meine Güte vorübergehen lassen und
> will vor dir kundtun den Namen des HERRN: Wem ich gnädig bin, dem bin ich gnädig, und
> wessen ich mich erbarme, dessen erbarme ich mich (Ex 33,19).

> Und der HERR ging vor seinem Angesicht vorüber, und er rief aus: HERR, HERR, ein
> barmherziger und gnädiger Gott, langmütig und von großer Gnade (חסד) und Treue (אמת),
> der Gnade (חסד) bewahrt den Tausenden, der Schuld, Frevel und Sünde vergibt, aber gewiß
> nicht ungestraft läßt, der (vielmehr) heimsucht die Schuld der Väter an den Söhnen und
> Enkeln, am dritten und am vierten Glied (Ex 34,6f.).[15]

Die Urschuld Israels führt nicht die Verstärkung des Zornes Gottes herauf,
sondern die Bekräftigung seines innersten Wesens, der Gnade (Güte, Liebe,
חסד) und Barmherzigkeit, um nur diese Begriffe aus dem umfänglichen An-
gebot der beiden Stellen zu nennen. Wer hier terminologisch unterscheiden
wollte, müßte es gegen die Texte tun. Bei der Selbstbestimmung Gottes zur
Gnade in Ex 34,6f. kann man der Formel noch anmerken, daß sie ursprünglich zum Lobe Gottes gestaltet worden ist. Hier tut sie Gott selber kund, weil
von seinem innersten Wesen nur er selber verbindlich sprechen kann. Dabei
dominiert die Gnade in einer Weise, daß selbst der Zorn Gottes im Verhältnis
zur Gnade eine kräftige Relativierung erfährt. Das in Ex 34,6 mit „langmütig"
wiedergegebene Wort (ארך אפים) hieße wörtlich übersetzt „langsam zum
Zorn". Vom Zorn Gottes kann nicht unter Absehung von seiner Gnade gesprochen werden, wenn es um Gottes innerstes Wesen geht. Und von einer
Gleichwertigkeit von Zorn und Gnade kann ohnehin keine Rede sein, sondern
allenfalls von einer widerwilligen Abkehr Gottes von seiner Gnade um seiner
Gnade willen. Das alles ist keine neutestamentliche Erkenntnis, sondern alttestamentliches Zeugnis von Gottes Gnade, welches in dieser Klarheit gehört
werden muß, will man das Judentum verstehen und will man dann auch den
neuen Ton in der Gnadenbotschaft des Neuen Testaments richtig hören.

In Ex 34,6f. sei noch auf einen letzten wichtigen Aspekt hingewiesen. In
34,7 wird ganz klar mit der gnädigen Zuwendung Gottes zu den Tausenden
und der strafenden Heimsuchung weniger Generationen an die Begründung

---

[15] Zur Auslegung vgl. H. SPIECKERMANN, (Anm. 14) 8-10 (= s.o. 3-19).

des Fremdgötter- und Bilderverbotes im Dekalog erinnert (Ex 20,5f.). Die Gnade (חסד), die bereits in Ex 20,6 erwähnt wird, ist in Ex 34,6 bezeichnenderweise um Gottes Treue (אמת) ergänzt worden. In Gottes Gnade wird seine Treue konkret. In seiner Gnade bleibt er sich selber treu. Die Gnade ist also kein Affekt, sondern Gottes wesentliche Selbstbestimmung, wie sie angesichts der Urschuld Israels offenbar geworden ist. Deshalb wird die Gnade in Ex 34,7 auch noch einmal in Vorordnung vor der Strafe als Gottes bleibende Bereitschaft zur Sündenvergebung bekräftigt.

Zugleich aber bleibt Gottes Gnade mit dem Gesetz verbunden. Die zerbrochenen Tafeln werden erneuert und zur Grundlage eines neuen Bundes zwischen Gott und Volk gemacht (Ex 34,10-28). Die Gnade und Treue, ich könnte auch übersetzen: die Gnade und Wahrheit bestimmen das Verhältnis Gottes zum Volk.[16] Israel weiß indessen, daß es dem von seiner Seite nichts Gleichgewichtiges gegenüberstellen kann, auch nicht im Gesetzesgehorsam. Ohne die unermeßliche Gnade Gottes wäre Israel nicht lebensfähig. Aber es gilt zugleich: Ohne die tätige Liebe zum Gesetz ist die Erfahrung der Gnade nicht möglich. Es hat eine Mittlerfunktion für den Gotteswillen. Nur Studium und Praxis des Gesetzes ermöglichen die Begegnung mit dem gnädigen Gott. Dieser Weg ist für den frommen Juden keine Last, sondern Lust (vgl. Ps 1,2). Aber die Erfahrung der Gnade Gottes können nur die machen, die sich dem Gesetz öffnen. Der Gnadenschatz des Gesetzes ist groß. Er wird aber nicht allen Bedürftigen zuteil, sondern allein den beharrlichen Schatzsuchern. So stellt sich jedenfalls das Verhältnis von Gnade und Gesetz an den zentralen Stellen der Sinaioffenbarung in Ex 20 und 34 dar.

Blickt man auf dem Hintergrund der Gnadenbotschaft des Alten Testaments in das Neue Testament, sind Übereinstimmung, ohne die die neutestamentliche Botschaft gar nicht sprachfähig wäre, und Unterschied gut zu erkennen. Auch aus dem Neuen Testament soll nur ein Text vorgestellt werden, der zwar nicht die gesamte neutestamentliche Gnadenbotschaft vertritt[17], der aber für das Thema Gnade im fortgeschrittenen Stadium der neutestamentlichen Traditionsbildung eine ähnliche Schlüsselfunktion wie der behandelte alttestamentliche Textkomplex innehat: der Prolog des Johannesevangeliums in Joh 1,1-18:

1 Im Anfang war das Wort, und das Wort war bei Gott, und Gott war das Wort. 2 Dieses war im Anfang bei Gott. 3 Alles ist durch es geworden, und ohne es wurde nichts, was geworden ist. 4 In ihm war das Leben, und das Leben war das Licht der Menschen. 5 Und das

---

[16] Vgl. H. WILDBERGER, Art. אמן, THAT 2 (1971) 177-209, 201-209; A. JEPSEN, Art. אמן, ThWAT 1 (1973) 313-348, 333-341.

[17] K. BERGER, „Gnade" im frühen Christentum, NedThT 27 (1973) 1-25; H. CONZELMANN, Art. χάρις κτλ, ThWNT 9 (1973) 381-393; E. RUCKSTUHL, Art. Gnade III. Neues Testament, TRE 13 (1984) 467-476; D. SÄNGER, Art. Gnade/Gnade Gottes III. Neues Testament, RGG⁴ 3 (2000) 1025-1027.

Licht scheint in die Finsternis, und die Finsternis hat es nicht ergriffen. 6 Es war ein Mensch, von Gott gesandt; sein Name war Johannes. 7 Der kam zum Zeugnis, um von dem Licht zu zeugen, damit alle durch ihn glaubten. 8 Er war nicht selbst das Licht, sondern er sollte zeugen von dem Licht. 9 Das wahre Licht, das jeden Menschen erleuchtet, kam in die Welt. 10 Er war in der Welt, und die Welt ist durch ihn geworden; aber die Welt erkannte ihn nicht. 11 Er kam in sein Eigentum; aber die Seinen nahmen ihn nicht auf. 12 Wie viele ihn aber aufnahmen, denen gab er Macht, Gottes Kinder zu werden, denen, die an seinen Namen glauben, 13 die nicht aus dem Blut noch aus dem Willen des Fleisches noch aus dem Willen eines Mannes, sondern aus Gott geboren sind. 14 Und das Wort ward Fleisch und wohnte unter uns, und wir sahen seine Herrlichkeit, eine Herrlichkeit wie die des einzigen Sohnes vom Vater, voller Gnade und Wahrheit. 15 Johannes gibt Zeugnis von ihm und ruft: Dieser war es, von dem ich gesagt habe: Nach mir wird kommen, der vor mir gewesen ist; denn er war eher als ich. 16 Denn aus seiner Fülle haben wir alle empfangen Gnade um Gnade. 17 Denn das Gesetz wurde durch Mose gegeben; die Gnade und die Wahrheit sind durch Jesus Christus geworden. 18 Niemand hat Gott je gesehen; der einziggeborene Gott, der an der Brust des Vaters ist, der hat (uns) Kunde gebracht (Joh 1,1-18).

Das Johannesevangelium ist zu einer Zeit verfaßt worden, als es die Briefe eines Paulus und die anderen Evangelien schon gab (um 100 n. Chr.). Wir haben es im Johannesevangelium also nicht mit ersten Reflexionen über Person und Werk Jesu Christi zu tun, sondern mit dem Versuch, die Botschaft seines Lebens, Sterbens und seiner Auferstehung in Erzählungen und Reden zu verdichten. Dem Prolog in Joh 1,1-18 kommt dabei eine programmatische Bedeutung zu.[18] Er versetzt den Leser in die Lage, von Anfang an über die göttliche Herkunft Jesu Christi und den Sinn seiner Sendung Bescheid zu wissen, während im weiteren Verlauf des Evangeliums Jesus auf Schritt und Tritt Menschen begegnet, die auf sein Reden und Handeln mit Mißverstehen und Unglauben reagieren. Selbst der ursprüngliche Schluß des Evangeliums in Joh 20,24-31, die nachösterliche Erzählung von der Wandlung des ungläubigen zum gläubigen Thomas, zeigt, daß der Unglaube bis in den Kreis der Jünger reicht. Es gibt keine alle Menschen überzeugende Selbstevidenz der Botschaft von Jesus Christus. Sie stößt in der Welt auf Glauben und häufiger auf Unglauben. Dies zeigt das Johannesevangelium in nüchternem Realismus ebenso wie die gnädige Zuwendung Gottes zur Welt vom Anfang der Welt an.

Im Prolog hat das Thema der Gnade eine zentrale Stellung. Aber um dieses Zentrum zu erreichen, wird in wenigen Versen ein langer Weg ins Auge gefaßt. Der Ursprung des Weges liegt „im Anfang", also vor der Schöpfung, wie in bewußter Anspielung auf den Anfang des Schöpfungsberichtes in Gen 1,1 gesagt wird: „Im Anfang war das Wort, und das Wort war bei Gott, und Gott war das Wort. Dieses war im Anfang bei Gott. Alles ist durch es gewor-

---

[18] Vgl. C. K. BARRETT, Das Evangelium nach Johannes, KEK Sonderband, Göttingen 1990, 177-196; U. SCHNELLE, Das Evangelium nach Johannes (ThHK 4), Leipzig 1998, 28-45.; U. WILCKENS, Das Evangelium nach Johannes (NTD 4), Göttingen 1998, 19-36.

den, und ohne es wurde nichts, was geworden ist" (Joh 1,1-3). Gott und Wort werden hier in Identität und Differenz präsentiert. Gott ist das Wort, und das Wort ist zugleich etwas von Gott zu Unterscheidendes, dessen sich Gott bei der Schöpfung kreativ bedient. Ohne die Vorstellung der personifizierten Weisheit in Prov 8,22f. und vor allem in SapSal 9,1-4, wo die Weisheit in enger Verbindung mit dem Wort als Throngefährtin Gottes erscheint, wären diese johanneischen Formulierungen nicht denkbar. Zugleich darf jedoch nicht übersehen werden, daß im Johannesprolog nicht mehr von der Weisheit, desto eindringlicher aber allein vom Wort in seinem Verhältnis zu Gott die Rede ist. Was hier über dieses Verhältnis von Gott und Wort am Anfang in Anfängen gedacht wird, hat später zur Trinitätstheologie geführt.

Nach dem Zeugnis des Prologs ist Gott kein Prinzip, keine Idee, keine abstrakte Vorstellung, sondern im Verhältnis zu seinem Wort ein tätiger Gott, ein Leben schaffender und Leben erhellender Gott (vgl. Joh 1,4). Auf seiten des Menschen gibt es kein Verstehen von Leben, Existenz und Welt unter Absehung von diesem Gott. Dieses Verstehen gewährleistet das Wort – nicht als bloßes Verständigungsmittel, sondern als Gottes schöpferisches Wort in Einheit mit und in Unterschiedenheit von ihm selbst.

Gott, Wort, Leben: Zu dieser Reihe tritt nun noch das Licht hinzu. Das Licht ist die Erscheinung Gottes in der Welt der Finsternis, wie Joh 1,5 in Anlehnung an Jes 9,1 sagt. Auch in Gen 1 ist das Licht als erstes Schöpfungswerk Gottes entscheidendes schöpferisches Wort gegen die Finsternis (vgl. Gen 1,2-5). Freilich gilt auch in Gen 1 die Finsternis in ihrer Begrenzung auf die Nacht allenfalls als gezähmt, nicht als bezwungen. Und erst recht nach Joh 1 kann es über die Macht der Finsternis in der Welt und ihre Resistenz gegen das Licht keinen Zweifel geben. Das Schöpfungslicht Gottes, das Gottes Wort und Leben, ja Gott selbst ist, unterliegt in Joh 1,6ff. zunächst ganz unmerklich einer Umakzentuierung. Johannes, der Täufer, der Licht-Zeuge, gibt nicht allein Zeugnis von Gottes Schöpfungslicht, welches Gottes Schöpfungswort „im Anfang" war (vgl. Joh 1,1.3 mit 1,10), sondern, ununterscheidbar von diesem, zugleich vom wahren Licht. Man kann in Joh 1,6ff. sehr schön sehen, wie sich die Wirklichkeiten miteinander verschränken. Das Licht, von dem Johannes in 1,6ff. zeugt, wird als Subjekt auch in 1,9-13 nicht abgelöst. Aber zugleich ist deutlich, daß dieses Licht durch das Zeugnis des Johannes in einem neuen Licht erscheint. Denn es vollzieht sich an diesem neu leuchtenden Schöpfungslicht eine Scheidung: zwischen denen, die ihn nicht aufnehmen, und denen, die ihn aufnehmen, an seinen Namen glauben und die Vollmacht der Gotteskindschaft empfangen (vgl. 1,11-13). Damit ist aber deutlich, daß hier die Scheidung an Jesus Christus gemeint ist. Auf ihn weisen 1,9-13 hin, ohne klar zwischen der Wirklichkeit des Schöpfungslichtes und der Wirklichkeit des Christusgeschehens zu unterscheiden, weil es dieselbe Wirklichkeit ist.

Im letzten Teil des Johannesprologes (1,14-18) wird schließlich beim Namen genannt, welches Ziel der lange Weg vom Anfang der Schöpfung an verfolgt: die Fleischwerdung des Schöpfungswortes im ein(zig)geborenen Sohn des Vaters (1,14). Das Wort des Ursprungs, ununterscheidbar von Gott selbst, gibt sich ganz in die menschliche Existenz hinein, um am Ort der Finsternis und Schuld die Herrlichkeit Gottes in der Beziehung zu seinem Sohn aufstrahlen zu lassen. Diese Beziehung in Gott selbst will in ganz spezifischer Weise ihre Wirkung für die Menschen entfalten: als Fülle der Gnade und Wahrheit. Nicht die Menschen suchen den gnädigen und wahren Gott, etwa im Gesetz, sondern Gnade und Wahrheit kommen zum Menschen in die Finsternis der Gnadenferne und der ewigen Wahrheitssuche. Gnade und Wahrheit kommen nicht als eine Idee oder ein Prinzip, auch nicht als ein Gesetz, sondern sie kommen in einem Menschen, im einzigen Sohn vom Vater. Gnade und Wahrheit werden menschlich und bleiben zugleich göttlich. Gnade und Wahrheit sind – wie anstößig formuliert wird – Fleisch geworden, fleischgewordenes Wort Gottes, Gott im Fleisch. Der Gott in Beziehung zum Sohn drängt über sich hinaus, nicht, um wie in der Gnosis wesensgleiche himmlische Lichtelemente zu erlösen, sondern um Licht in die Finsternis zu bringen, Tote lebendig zu machen, Unreine rein und Sünder zu Gottes Kindern[19], kurz: um die Fülle von Gottes Gnade und Wahrheit der Welt erfahrbar zu machen.

Dabei ist die Verbindung von Gottes Gnade und Wahrheit essentiell. Gott handelt in seiner gnädigen Zuwendung zur Welt nicht punktuell-situationsgebunden, sondern seinem Wesen gemäß, genau wie in Ex 34. Gottes Gnade *ist* Gottes Wahrheit, wie alle Selbstentäußerungen Gottes wahr sind: das Wort, das Leben, das Licht (vgl. 1,9). Und diese Selbstentäußerungen sind nicht zusammenhanglos; vielmehr sind sie der Weg zu dem Ziel der Selbstentäußerung Gottes im Sohn als dem fleischgewordenen Wort, durch welches er seine Wahrheit als Gnade menschlich macht.

Gott will nunmehr durch nichts anderes als seine menschlich gewordene Gnade im Sohn erkannt werden. Er ist als Sohn einziggeborener Gott, der die Kunde gebracht hat, der – so wird man ἐξηγήσατο in 1,18 deuten dürfen – in Wesens- und Willenseinheit mit dem Vater endgültige göttliche Kunde bringt und „exegesiert".[20]

Darin liegt nach dem Zeugnis des Johannesprologs der Unterschied zum Gesetz: „Denn das Gesetz wurde durch Mose gegeben; die Gnade und die Wahrheit sind durch Jesus Christus geworden" (1,17). Man muß im Gedächt-

---

[19] Vgl. H. THYEN, Art. Johannesevangelium, TRE 17 (1988) 220.

[20] Josephus, ein ungefährer Zeitgenosse des Verfassers des Johannesevangeliums, verwendet das Verb ἐξηγέομαι für Personen, die kundig sind, die väterlichen Gesetze auszulegen (vgl. De bello Judaico 1,649; 2,162; Antiquitates 18,81); vgl. ferner die Bezeugung von ἐξηγέομαι in Griechentum und Hellenismus in: Neuer Wettstein Bd. I/2, hg. von U. SCHNELLE, Berlin – New York 2000, z. St.).

nis haben, daß das Gesetz hier das ganze Alte Testament meint. Das Gesetz, durch Mose gegeben, und die Gnade und Wahrheit, durch Jesus Christus geworden, stehen in Joh 1,17 unverbunden nebeneinander. Das darf nicht im Sinne der inhaltlichen Beziehungslosigkeit verstanden werden. Dagegen spricht alles, ebenso allerdings auch gegen die folgenschwere Einfügung des kleinen Wörtchens „aber", wodurch Gesetz und Gnade sowie Wahrheit in einen Gegensatz geraten. Joh 1,17 würde dann lauten: „Denn das Gesetz wurde durch Mose gegeben; *aber* die Gnade und Wahrheit sind durch Jesus Christus geworden."[21] Schon der griechische Text schließt diese Deutung durch das Fehlen der Partikel δέ in der zweiten Satzhälfte aus. Gänzlich unmöglich wird aber diese antithetische Deutung von Gesetz und Gnade und damit von Altem und Neuem Testament durch das oben aufgezeigte Verständnis des Gesetzes im Alten Testament selbst und durch die gedankliche Eigenbewegung des Johannesprologes, der das Christusgeschehen bewußt in Kontinuität zu alttestamentlichen Traditionen formuliert.

Mit Bedacht ist das Verhältnis von Gesetz und Gnade in Joh 1,17 nicht genau fixiert worden. Hier wird sprachlich die Offenheit gewahrt, die die Sache selbst erfordert. Aber die Art des Verhältnisses ist völlig klar. Gnade und Wahrheit, wie sie in Jesus Christus Realität geworden sind, stehen in Kontinuität zum Gesetz des Mose. Wäre es nicht so, hätte Johannes seinen Prolog anders konzipieren müssen. Überbietung des Gnadenzeugnisses im Gesetz und Betonung der Endgültigkeit der durch Christus vermittelten Gnade mögen wichtige Elemente der Aussageintention des Johannesprologes sein. Der von ihm am stärksten apostrophierte Unterschied zwischen Mosegesetz und Christusgnade liegt indessen darin, daß die Menschen nicht mehr den Gnadenschatz des Gesetzes (auf)suchen müssen, sondern daß die Gnade in Jesus Christus „zur Welt gekommen" ist. Dieses Zur-Welt-Kommen gilt im doppelten Sinne: Zum einen ist das göttliche Wahrheitswort als Gnade – und nur als Gnade – Mensch geworden. Und zum anderen begründet diese Individuation des göttlichen Wahrheitswortes in der Fleischesexistenz keine partikulare, sondern eine universale Geltung. Das fleischgewordene Wort ist zur ganzen Welt gekommen. Gott hat sich für die ganze Welt als Gnade und Wahrheit erfahrbar gemacht. Gnade und Wahrheit stehen nicht mehr im Kodex des Gesetzes, übermittelt durch die Person des Mose. Vielmehr sind Gnade und Wahrheit selbst Person geworden, Mensch geworden, menschlich gewordene Manifestation des nie gesehenen Gottes (vgl. 1,18).

Was das konkret heißt, erzählt das Johannesevangelium. Gottes lichtvolle Liebe zur Welt in Finsternis wird menschlich konkret im Gespräch Jesu mit dem Pharisäer Nikodemus (3,1-21) wie im Kontakt mit den verachteten Samaritanern (4,1-42). Sie wird konkret in der Heilung von Kranken (4,43-54;

---

[21] Als Beispiel für diese Übersetzung sei verwiesen auf S. SCHULZ, Das Evangelium nach Johannes (NTD 4), 16. Aufl., Göttingen 1987, 13.

5,1-18; 9), in der Vergebung für die Ehebrecherin (7,53-8,11), in der Auferweckung des Lazarus (11,1-45) und im Liebesdienst der Fußwaschung (13,1-15). Sie wird konkret in Jesu Auslegung des gnädigen und wahren Gottes in seiner eigenen Person: „exegetisch" leitend von der Speisung der Fünftausend (6,1-15) zum Brot des Lebens (6,22-59), von der Erkenntnis der Wahrheit zur wirklichen Freiheit (8,30-36), von der Orientierungslosigkeit und Heimatlosigkeit zu Weg und Wohnung (14). Jesus ist in seinem Tun und Reden menschlich erfahrbare Fülle der Gnade und Wahrheit Gottes, welche die Welt der Verlorenheit entreißt und im Liebesgebot weiter erfahrbar bleiben will: „Ein neues Gebot gebe ich euch, daß ihr euch untereinander liebt, wie ich euch geliebt habe, damit auch ihr einander liebhabt" (13,34; vgl. 15,12.17).

Soweit das Johannesevangelium und in dieser brennpunktartigen Bündelung das Gnadenzeugnis des Neuen Testaments insgesamt. Welche Erkenntniskraft hat die biblische Wahrheit von der Gnade über die bleibende religiöse Gültigkeit hinaus für die gegenwärtige Wirklichkeit? In einer als Rechts- und Sozialstaat organisierten Gesellschaft ist Gnade institutionell so gut wie nicht vorgesehen. „Vater Staat" hat ihre Funktion in seine rechtlich perfekte Regie genommen. Gnade muß nicht mehr vor Recht ergehen. Recht ergeht ohne Gnade, und zwar mit dem Anspruch, besser als die Gnade die Gleichheit aller vor dem Recht zu gewährleisten und die Wohlfahrt aller zu fördern.

Will auch kein vernünftiger Mensch hinter diese Errungenschaft zurück, darf man gleichwohl nicht die Augen davor verschließen, daß staatlich organisierte Solidarität der Gefahr Vorschub leisten kann, die persönlich wahrgenommene Solidarität einzuschläfern. Wo „Vater Staat" das soziale Netz anscheinend oder auch nur scheinbar eng genug geknüpft hat, schwindet die persönliche Bereitschaft zur Solidarität für diejenigen, deren materielle und seelische Not nicht allein durch die Realisierung von Rechtsansprüchen aus der Welt geschafft werden kann. Solidarität im Lichte der biblischen Gnadenbotschaft hat etwas mit Liebe, Güte und Barmherzigkeit zu tun – Formen der Gnade, in denen Gott selbst in Jesus Christus den Menschen zum Heil erfahrbar geworden ist. Christlicher Glaube wird Solidarität wahrendes Recht immer begrüßen, aber zugleich wissen, daß es nur humane Rahmenbedingungen schaffen kann, die der Füllung durch menschliche Güte und Barmherzigkeit im Lichte der Fülle der Gnade und Wahrheit bedürfen.

Ich möchte zu bedenken geben, ob nicht die Menschlichkeit einer Gesellschaft an der in ihr möglichen Erfahrbarkeit der Gnade hängt – gewiß nicht ausschließlich, aber doch in entscheidender Hinsicht. Menschlich gewordene Gnade ist nicht allein religiöse Privatsache. Das lehrt im Johannesevangelium das Liebesgebot als persönliche Konsequenz aus der Erfahrung der Person gewordenen Gnade Gottes mit allem Nachdruck. Ich denke an das Weiterwirken der Menschwerdung der Gnade Gottes in den alltäglichen Erfahrungen, die wir mit anderen machen und die andere mit uns machen können. Ich denke etwa daran, daß neben dem Rechtsanspruch auf diese oder jene Leistung die Ansprechbarkeit der Mitglieder einer Gesellschaft untereinander von großer Bedeutung ist. Eine sozialstaatlich noch so hochorganisierte Gesellschaft ohne die Kultur der Barmherzigkeit, der Sensibilität und der persönlichen Solidarität für die Not des anderen wird eine gnadenlose, eine kalte Gesellschaft bleiben. Der Gnade gesellschaftlich Raum zu geben, heißt, Augen für den anderen zu haben, ihn nicht einfach als bestimmten gesellschaftlichen Fall zu kategorisieren, nicht nur Hilfestellung an das anonyme Wesen Gesellschaft zu delegieren, wo das Gesicht eines Menschen nach persönlicher Ansprache durch das gute Wort verlangt.

Wird damit die Gnadenbotschaft der Bibel in zu kleine Münze umgesetzt? Die Münzen, in die sie umgesetzt wird, können gar nicht klein genug sein. Im Johannesevanglium hat Gottes menschliche Gnade für die ganze Welt keinen Zug ins Große. Sie wird konkret am Teich Betesda, wo achtunddreißig Jahre lang alle Welt an einem Kranken vorübergegangen ist und ihm nicht geholfen hat (Joh 5,5-7). Jesus schärft den Blick für die Gnadenlosigkeiten der Welt wie diese. Bedarf für Gnade in diesem Sinne gibt es genug. Sie wird für andere immer dann zu einer besonderen Erfahrung werden, wenn sie ihren Ursprung in der eigenen Erfahrung mit der menschlich gewordenen Gnade Gottes hat.

3. Dies Irae
Der alttestamentliche Befund und seine Vorgeschichte[1]

1. Der alttestamentliche Befund

„Dies irae, dies illa" – diese mittelalterliche Sequenz verdankt ihren einleitenden Vers alttestamentlicher Prophetie. Er stammt aus Zeph 1,15. Trotz dieses Anfanges hat sich der Dichter im weiteren Verlauf des 19-strophigen Textes am wenigsten durch alttestamentliche Vorstellungen inspirieren lassen.[2] Er taugt nicht als Wegweiser zum alttestamentlichen Zornestag. Dazu wird man vielmehr auf exegetisch Bewährtes zurückgreifen müssen: die Konkordanz. Die Arbeit mit ihr beschert zunächst eine Überraschung. Zwar herrscht im Hebräischen kein Mangel an Äquivalenten für den Begriff Zorn, *ʾp*, *zʿm*, *zʾp*, *ḥmh*, *ḥrwn*, *ʿbrh*, *qṣp*, zum Teil auch *kʿs* und *qnʾh*, allesamt bezogen auch auf den göttlichen Zorn. Doch sind es aufs Ganze gesehen nur zwei Begriffe, die in der St.-cstr.-Verbindung mit *ywm* „Tag" belegt sind: *ʾp* bzw. die gut bekannte Kombination *ḥrwn ʾp* und *ʿbrh*.[3]

Dieser Befund ist ein erster Hinweis darauf, daß der alttestamentliche dies irae weder eine häufige noch eine unspezifisch allgemeine Vorstellung ist. Darauf deutet auch die feste Verbindung mit dem Singular *ywm* hin. Die Rede etwa von den *ymy ʿbrh*, wie man z.B. die Anfänge der Welt als *ymy qdm* bezeichnen kann (Jes 51,9; Ps 44,2 u.ö.), ist offenbar unmöglich. Der Zornestag ist nicht | im allgemeinen Sinne als die Zeit des Zornes zu verstehen[4], sondern präzis als *Tag* des Zornes, in welcher Verbindung die Zeitangabe, so merkwürdig das auch erscheinen mag, ihre konkrete Bedeutung beibehalten hat.

Unter den mit (*ḥrwn*) *ʾp* und *ʿbrh* formulierten Belegen für den Zornestag hebt sich eine Gruppe von allen anderen ab. Es handelt sich um vier Stellen aus den Klageliedern (Lam 1,12; 2,1.21-22), die vom *ywm* (*ḥrwn*) *ʾpk/w* bzw. *ywm ʾp Yhwh* im Rückblick auf den bereits eingetretenen Zornestag sprechen: den Untergang Jerusalems im Jahre 586, der auch als *ywm yrwšlm* „Tag Jerusalems" bekannt ist (Ps 137,7). Nur der definitive Verlust staatlicher Souverä-

---

[1] Habilitationsvortrag, gehalten in Göttingen am 15.1.1987.

[2] Text: A. SCHOTT, Das vollständige römische Meßbuch (10. Aufl., Freiburg, 1949) pp. [173-4].

[3] Ez 22,24 ist der einzige Beleg, der die Vorstellung vom Zornestag mit *zʿm* formuliert.

[4] Jer 43,23 mit der singulären Verbindung *bʿt ʾpk* ist die Ausnahme, die die Regel bestätigt.

nität mit allen Konsequenzen auch für die Kultausübung hatte die Schrek-
kensdimension, die in diesem Ereignis die Ankunft des göttlichen Zornestages
erkennen ließ, welcher vorher und auch wieder nachher allein Gegenstand der
Drohung gewesen ist.[5]

Dies irae als Gegenstand der Drohung: Man muß kein Prophet sein, um das
Schwergewicht der Ankündigung des Zornestages in der Prophetie zu
vermuten. Die Ausnahmen sind gering: zwei Belege im Hiobbuch (20,28;
21,30), einer in den Proverbien (11,4) und einer im Psalter (110,5). Alle
genannten Belege sind von prophetischer Tradition mitgeprägt. So ganz
deutlich Prov 11,4:

Nichts nützt Reichtum am Tage des Zornes (*bywm 'hrh*),
aber Gerechtigkeit rettet vom Tode.

Hier wird der Zornestag als aus der Prophetie bekannte Vorstellung verwendet, an welchem die Entscheidung über Leben und Tod fällt.[6] Und die kom-
mentarlose Identifizierung des *ywm 'yd* „Tag des Unglücks" mit dem *ywm
'brwt* „Tag des Zornes" in Hi 21,30 ist ein Hinweis darauf, daß der Zornestag
ein sprachliches Umfeld (gefunden) hat, in das u.a. auch die Bezeichnungen
ywm 'nwš, *ywm mr*, *ywm ṣrh* und *ywm r'(h)* gehören.[7]

Für die Prophetie ist es jedoch charakteristisch, daß in ihr der Zornestag
und, damit untrennbar verbunden, der *ywm Yhwh*, der Tag Jahwes, besondere
Bedeutung erlangt haben. Waren die Texte | über den Zornestag auch noch
vergleichsweise breit im Alten Testament gestreut, so sieht sich der Exeget
beim *ywm Yhwh* einer Belegstatistik von seltener Eindeutigkeit gegenüber:
Alle sechzehn Belege für *ywm Yhwh* sind in der prophetischen Literatur zu
finden (Jes 13,6.9; Ez 13,5; Joel 1,15; 2,1.11; 3,4; 4,14; Am 5,18 [bis], 20; Ob
15; Zeph 1,7.14 [bis]; Mal 3,23), ebenso drei weitere Stellen für den Ausdruck *ywm lYhwh* (Jes 2,12; Ez 3,3; Sach 14,1).[8]

Unter den genannten Stellen sind auf einen Blick ganz wenige Textkom-
plexe zu erkennen, die schon von der Belegfrequenz her gleichsam Haupt-
stücke über den Jahwetag sein werden. Die Texte einmal in der vorläufig zu
vermutenden literarhistorischen Reihenfolge genannt: Am 5,18-20 (drei Bele-

---

[5] In keinem oder allenfalls in lockerem Zusammenhang mit der Vorstellung vom
Zornestag stehen die Belege Num 32,10 und Dtn 31,17, in denen ebenfalls auf die
Realisierung des göttlichen Zornes zurückgeblickt wird.
[6] Ähnliche Worte ohne prophetischen Beiklang: Prov 10,2.16; 12,28.
[7] Cf. E. JENNI, Art. *Ywm*, THAT I (1971), col. 713-14.
[8] Einen Überblick über die Forschung bieten u.a. M. SÆBØ, Art. *Ywm*, TWAT III (1980),
col. 583 (Literatur ibid. col. 561), und O. LORETZ, Regenritual und Jahwetag im Joelbuch
(Altenberge, 1986), pp. 77-81 (Literatur ibid. A. 5). Nach LORETZ geht der Jahwetag „auf den
großen Tag Baals zurück, da dieser in Gewitterwolken gehüllt auftritt" (ibid. p. 82).

ge), Zeph 1,2-2,3 (drei Belege), Jes 13 (zwei Belege)[9], schließlich das Joelbuch (fünf Belege). Es kann kaum Zufall sein, daß die prophetischen Stellen
für den Zornestag bis auf Ez 7,19 in den genannten Textkomplexen zu finden
sind: viermal in dem Zephanja-Abschnitt (1,15.18, 2,2-3) und einmal in Jes 13
(V. 13). Der inhaltliche Zusammenhang mit dem Jahwetag wird auch durch
die Formulierungskombinationen *ywm 'brt Yhwh* (Ez 7,19; Zeph 1,18) und
ywm 'p Yhwh (Zeph 2,2-3, so auch Lam 2,22) dokumentiert.

Zieht man eine erste Zwischenbilanz, kann festgehalten werden, daß die
eng zusammenhängenden Vorstellungen vom Zornestag und Jahwetag ihr
Traditionszentrum in der Prophetie haben. Nach dem einsamen Vorläufer
Amos im 8. Jahrhundert macht Zephanja in spätvorexilischer Zeit mit großem
theologischem Gewicht von diesen Vorstellungen Gebrauch. Schließlich sind
sie auch in der Folgezeit zu finden bis zum nahen Ende der Prophetie im
Joelbuch, auch dort noch einmal mit veränderten theologischen Akzenten
versehen. Es wird sich zeigen müssen, ob die inhaltliche Unter|suchung Licht
sowohl in diesen literarhistorischen Befund als auch in die merkwürdige Rede
vom Tag Jahwes und Tag seines Zornes zu bringen vermag.

2. Der Jahwetag bei Amos

(18)   Wehe denen, die den Tag Jahwes herbeisehnen!
       Was soll euch der Tag Jahwes?
           Er ist Finsternis und nicht Licht.
(19)   Wie wenn einer vor dem Löwen flieht,
           da stellt ihn der Bär.
           Gelangt er ins Haus und stützt seine Hand gegen die Wand,
           da beißt ihn die Schlange.
(20)   Ist nicht Finsternis der Tag Jahwes und nicht Licht?
       Ist ihm (nicht) Dunkelheit eigen und kein Glanz?

Der Wehe-Ruf Am 5,18-20 ist mit hoher Wahrscheinlichkeit das älteste
Zeugnis über den Jahwetag im Alten Testament. Mit ebenso hoher Wahrscheinlichkeit ist das Wort in sich nicht einheitlich. Im einleitenden Bikolon
rüttelt Amos offenbar an einer communis opinio: „Wehe denen, die den Tag
Jahwes herbeisehnen! Was soll euch der Tag Jahwes?" Die Anfrage setzt bei
den Hörern zwingend ein positives Vorverständnis voraus, wobei dem Worte

---

[9] Eine Prophetie gegen Babel und damit kein Text vom Propheten Jesaja selbst;
ebensowenig wahrscheinlich die *ywm-lYhwh*-Stelle Jes 2,12aα innerhalb von 2,6-22, einer
literarisch stark überarbeiteten Ansage der Parusie Jahwes wider Götzendienst und Hochmut;
zur Spannweite kritischer Analyse cf. J. BLENKINSOPP, „Fragments of Ancient Exegesis in an
Isaian Poem (Jes 2,6-22)", ZAW 93 (1981), pp. 51-62; O. KAISER, Das Buch des Propheten
Jesaja. Kapitel 1-12 (5. Aufl., Göttingen, 1981), pp. 67-75.

nicht entnommen werden kann, mit welchem spezifischen Inhalt der Begriff *ywm Yhwh* von der Tradition her gefüllt ist.[10]

Der folgende Halbvers „Er ist Finsternis und nicht Licht" kommt zu früh. Die Formulierung stammt aus V. 20, nun aber nicht mehr in rhetorischer Frage, sondern als Affirmation. Dieser Halbvers ist jedoch keine isolierte Glosse, sondern gehört mit V. 19 zusammen. Er handelt in einer gut formulierten, packenden Bilderfolge „vom unentrinnbaren Zugriff Jahwes"[11], allerdings eingeleitet durch ein unbeholfenes *kᵓšr* „wie". Die in V. 19 prädizierte Unentrinnbarkeit des Jahwetages verträgt sich nur schlecht mit dem einleitenden Wehe-Ruf über diejenigen, die den Jahwetag herbeisehnen. Als Einleitung zu V. 19 wäre eher ein Wehe-Ruf | über diejenigen zu erwarten gewesen, die sich einbilden, der Jahwetag sei ein Nimmerleinstag, jenen vergleichbar, die nach dem Zeugnis Jesajas Jahwe zur Beschleunigung seines Werkes spöttisch ermuntern (cf. Jes 5,18-19).

Alle Unklarheiten des Amos-Textes zusammengenommen verschaffen Klarheit über den Redaktionsvorgang. Ein Späterer hat im Mittelpunkt des Amos-Wortes die von ihm vermißte Eindeutigkeit der Information über den Jahwetag nachgetragen. Er hat es mit geliehenen Worten getan: die Betonung der Finsternis des Jahwetages mit den Worten des Amos selbst und die Kunde von seiner Unentrinnbarkeit offensichtlich mit einer Art Sprichwort, das er in losem Anschluß an das Vorhergehende mit einem *kᵓšr* eingeleitet hat.

Demgegenüber ist das ursprüngliche Amos-Wort (5,18abα.20) in Inhalt und Stil weniger expressiv, aber nicht weniger bedrohlich.

Wehe denen, die den Tag Jahwes herbeisehnen!
Was soll euch der Tag Jahwes?
Ist nicht Finsternis der Tag Jahwes und nicht Licht?
Ist ihm (nicht) Dunkelheit eigen und kein Glanz?

Der von Amos angekündigte Jahwetag ist nicht nur *ywm pqdy* (3,14), *ywm rᶜ* (6,3), *ywm mr* (8,10) oder Tag des unzeitgemäßen Sonnenunterganges und Anbruches der Finsternis (8,9). Amos macht Gebrauch von allen diesen Vorstellungen, identifiziert aber keine von ihnen direkt mit dem Jahwetag. Er hat in der Sicht des Propheten noch eine andere Qualität.

Was Amos dem Jahwetag in rhetorischer Frage abspricht, ist nichts weniger als die Gottesgegenwart. *ᵓwr* „Licht" und *ngh* „Glanz" sind in Israel und dem alten Orient überhaupt Präsenzanzeigen des heilsam dem Menschen zu-

---

[10] Cf. Kongruenz und Differenz der gut hundert Jahre jüngeren Jeremia-Stelle 17,16.

[11] Überschrift zu Am 5,18-20 bei H. W. WOLFF, Dodekapropheton 2, Joel und Amos (Neukirchen-Vluyn, 1969), p. 298; cf. die im Resultat, nicht in der Begründung weitgehende Übereinstimmung der vorgelegten Analyse mit derjenigen von LORETZ (A. 8), pp. 82-4.

gewandten Gottes.[12] Wo *ḥšk* „Dunkelheit" und *ʾpl* „Finsternis" herrschen, ist
Gottesfinsternis, Gottesferne und deshalb Unheil. Der von Amos angedrohte
Jahwetag findet gleichsam in Abwesenheit Jahwes statt, d.h. in Abwesenheit
des gnädigen Gottes, was Amos als Gottesverfinsterung ausdrückt. Er redet
nicht – noch nicht – vom zornigen Gott oder vom Zornestag, und zwar nicht
nur hier nicht, sondern überhaupt nicht, obwohl Amos Unheilsprophet wie
kaum ein ande|rer ist. Etwa hundert Jahre später wird in dem nun zu betrach-
tenden Zephanja-Text diese Verbindung von großer Bedeutung sein.

3. Der Jahwetag als Zornestag bei Zephanja

Der unheilvolle Jahwetag, bei Amos noch eher anfänglich wahrgenommene
Schreckensvision, ist bei Zephanja, einem Propheten der spätvorexilischen
Zeit (Zeph 1,1), zur plerophorischen Drohung geworden, deren Verwirklichung *qrwb*, ja *qrwb wmhr mʾd* ist (1,14). Innerhalb der aus mehreren Ze-
phanja-Worten bestehenden Komposition 1,2-2,3 bildet die bedrückende Charakterisierung des nahen Jahwetages in 1,14-16 den dramatischen Höhepunkt.

(14a) Nahe ist der Tag Jahwes, der große, nahe (ist er) und eilt gar sehr.[13]
(15)   Ein Tag des Zornes ist jener Tag,
       ein Tag der Not und Bedrängnis,
       ein Tag der Verwüstung und Vernichtung,
       ein Tag der Finsternis und Dunkelheit,
       ein Tag des Gewölks und Wolkendunkels,
(16)   ein Tag der Trompete und des Kriegsgeschreis
       über die festen Städte und die hohen Zinnen.

In dem Zephanja-Text steht der dies irae (*ywm ʿbrh*) am Anfang einer Reihe
von Prädikationen, die den nahen Jahwetag zum Fanal des Schreckens machen. Darunter kommen auch die schon von Amos her bekannten Begriffe
ḥšk und *ʾpl(h)* vor; aber sie sind hier keine Schlüsselbegriffe mehr. Sie gehören zum Schreckensensemble, das den *ywm ʿbrh*, nunmehr Synonym für den
Jahwetag, vielfältig konkretisiert.

---

[12] Cf. M. Sæbø, Art. *ʾwr*, THAT I (1971), col. 88-90; H. Eising, Art. ngh, TWAT V
(1984), col. 201-202; zum mesopotamischen Bereich cf. E. Cassin, La splendeur divine (Paris, 1968).
[13] V. 14b ist ein in vorliegender Gestalt kaum verständlicher Nachtrag. K. Seybold, Sati-
rische Prophetie (Stuttgart, 1985) p. 110: „eine Scholie zu *mahēr mᵉʿod* ,eilt sehr' in V. 14a."
In dieser und nahezu jeder Hinsicht anders Loretz (A. 8) pp. 84-86. Die Vorstellung vom
nahen Jahwetag ist später in Dtn 32,35; Jes 13,6.22; Ez 7,7-8; Joel 1,15; 2,1; 4,14; Ob 15
rezipiert und modifiziert worden.

Was hat dazu geführt, daß bei Zephanja der Jahwetag zum Zornestag geworden ist? Zephanja hat es bei seinen Adressaten offensichtlich nicht mehr wie Amos mit einem selbstsicher vorgetragenen positiven Vorverständnis des Jahwetages zu tun. Ihm stehen vielmehr Leute gegenüber, denen ein wie auch immer gearteter Jahwetag ebenso gleichgültig geworden ist wie Jahwe selbst: „Jahwe tut weder Gutes noch Böses" (Zeph 1,12). Sie ha|ben vielfältigen Ersatz für Jahwe gefunden, scheinbar mächtiger und heilswirksamer als er. Daß es sich dabei im späten 7. Jahrhundert – natürlich nicht ausschließlich, aber doch vornehmlich – um die vielen Götter Assurs gehandelt haben wird, dessen Vasall Juda in jener Zeit war und dessen Götter in jedes okkupierte Land mitzogen, ist dem Zephanja-Text selbst zu entnehmen.

Schon die Erwähnung Baals in Zeph 1,4 richtet sich kaum noch primär gegen den kanaanäischen Gott.[14] Besonders deutlich wird der mesopotamische Hintergrund jedoch durch die Erwähnung des Himmelsheeres (*sb' hšmym*) in 1,5, vor dem sich die Judäer auf den Dächern niederwerfen. In der mesopotamischen Religion sind die Gestirne selbst Götter oder haben Götter auf Gestirnen ihren bevorzugten Standort. Gerade in der spätassyrischen Religion des 7. Jahrhunderts sind Tempel- und Palastdach wichtige Orte für die nächtliche Durchführung von Opferhandlungen, Ritualen und Gebeten sowie Beobachtungsplatz für die Gestirnbewegungen gewesen, die für die Omendeutung von besonderem Gewicht waren.[15] In den Bereich der omenrelevanten Handlungen weist auch das vom Propheten getadelte Springen über die Schwelle (1,9)[16], ferner das gerügte Tragen ausländischer Kleidung, äußeres Indiz der inneren religiösen Überfremdung (1,8). Die Judäer des 7. Jahrhunderts haben sich im Unterschied zu den Zeitgenossen des Amos willentlich von Jahwe entfernt, so daß dieser ihnen mit seinem Zornestag wieder nahekommen will.

Ist die Apostrophierung des Jahwetages als Zornestag bei Zephanja auf dem Hintergrund der ernsten Bedrohung des Jahweglaubens auch verständlich, so ist doch noch nicht der Vorstellungsreichtum erklärt, der Zephanja zur Illustrierung des Zornestages zu Gebote steht: „ein Tag der Not und Bedrängnis, ein Tag der Verwüstung und Vernichtung, ein Tag der Finsternis und Dunkelheit, ein Tag des Gewölks und Wolkendunkels, ein Tag der Trompete und des Kriegsgeschreis..."

Die Tradition, derer sich Zephanja hier bedient und aus der überhaupt die Vorstellung vom Jahwetag hervorgewachsen zu sein scheint, ist keine genuin

---

[14] Cf. H SPIECKERMANN, Juda unter Assur in der Sargonidenzeit (Göttingen, 1982), pp. 203-204.

[15] Cf. ibid., pp. 223,257-273,294.

[16] Zur Bedeutung der Schwelle in der akkadischen Omenliteratur cf. CAD A/H, pp. 333-335 s.v. *askuppatu* und *askuppu*.

israelitische, sondern nach Ausweis vieler | Indizien dieselbe, der Zephanjas Kritik gilt: die vor allem in Mesopotamien beheimatete Kunst der Omendeutung und dabei besonders die altorientalische Variante des Horoskops, die Monats- und Tagewählerei, die Menologie und Hemerologie.

Ein ganz unverdächtiges Zeugnis für die Bedeutung, die vor allem den bösen Tagen beigemessen wurde, sind lexikalische Listen der Keilschriftliteratur. In einer solchen lexikalischen Serie wird für den 19. Tag des Monats das akkadische Wort *ibbû* angegeben, anscheinend der speziell für diesen Tag reservierte Terminus mit der Bedeutung „Zornestag".[17]

In einer anderen lexikalischen Serie steht der Zornestag (*ūmum ebbûm* = *ibbû*) am Anfang einer stattlichen Reihe ungünstiger Tage. Zu ihnen gehören weitere Bezeichnungen für „Zornestag" (*ūmum aggum, ūmum ezzu*), „finsterer Tag" (*ūmum ḫadurum* = *adūru*), „böser Tag" (*ūmum lemnu*). Nimmt man noch die Termini *uḫulgallu* „schlimmer, ungünstiger Tag" und *ūm uggati* „Zornestag" hinzu, ist die Liste der Unglückstage im Akkadischen einigermaßen vollständig.[18] Daß sie, nicht aber die günstigen Tage in vergleichsweise profanen Listen so umfassend verzeichnet sind, kann kaum anders als Indiz für ihre Wichtigkeit im täglichen Leben verstanden werden, was die hemerologischen Texte selbst auch vollauf bestätigen.

Dafür sei auf ein Beispiel aus der Hemerologie für einen Schaltmonat (nach dem 6. Monat Elul) aus der Serie *Inbu bēl arḫi* hingewiesen.[19] Sie ist so aufgebaut, daß jeder Tag des Monats einer Gottheit bzw. einem Götterpaar oder einer Göttergruppe zugehört, worauf stereotyp, nahezu beschwörend, die Klassifikation des Tages als *magru* „günstig" erfolgt, was keineswegs ausschließt, daß der jeweilige Tag potentiell höchst ungünstig sein kann. |

Das ist bei fünf Tagen in diesem Monat der Fall, bei denen auf die Klassifikation „günstig" genau die gegenteilige folgt. Es sind die Tage der „bösen Sieben", die als *uḫulgallu* „Unglückstag" gelten, also der 7., 14., 21. und 28. des Monats, vor allem jedoch der 19. Tag, errechnet aus 7 x 7 = 49, abzüglich

---

[17] B. LANDSBERGER, Materialien zum sumerischen Lexikon V (Rom, 1957), p. 23, l. 189; cf. AHw col. 363a; CAD I/J, col. 1b-2a. Akkadische Belege werden hier wie im folgenden in Transkription, nicht in Transliteration wiedergegeben wobei mit Sicherheit vorzunehmende Ergänzungen nicht gekennzeichnet werden.

[18] M. CIVIL, MSL XIII (Rom, 1971), p. 258, l. 248-252; cf. l. 242: *ūmum eklum* „finsterer Tag"; zur schlimmen Vorbedeutung eines finsteren Tages (*ūmu + adāru*) cf. einen Brief aus der neuassyrischen Königskorrespondenz, S. PARPOLA, Letters from Assyrian Scholars to the Kings Esarhaddon and Assurbanipal I (Kevelaer-Neukirchen-Vluyn, 1970), No. 64 Obv. 14-16 (samt Kommentarband LAS II [Neukirchen-Vluyn, 1983], p. 69) und die damit verwandte Vorstellung in Zeph 1,7.

[19] Cf. die angegebene Literatur bei S. PARPOLA, LAS II/A (Neukirchen-Vluyn, 1971), p. XIV.

der 30 Tage des vorangegangenen Monats.[20] Daß der 19. Tag als der schlimmste betrachtet wird, ist daran zu erkennen, daß er neben der Klassifikation als *uḫulgallu* „Unglückstag" zusätzlich diejenige als *ibbû* „Zornestag" erhält. Die Bestimmungen für den 19. Tag sind in der genannten Serie ansonsten dieselben wie für die anderen Unglückstage. Sie lauten:

19. Tag, Zornestag der (Heilgöttin) Gula, ein günstiger Tag, ein Unglückstag. Der Hirte zahlreicher Menschen (= der König) darf nichts essen, was vom Feuer berührt worden ist. Das Gewand, das er trägt, darf er nicht wechseln, keine reinen (Kleider) anziehen. Er darf keine Opfer darbringen. Der König darf nicht auf dem Wagen fahren. Befehlend darf er nicht sprechen. Am Ort des Geheimnisses darf der Opferschauer keinen Spruch tun. Der Arzt darf sich nicht mit einem Kranken abgeben. Zur Ausführung eines Unternehmens ist (der Tag) nicht geeignet.[21]

Der Zornestag der Gula legt dem König eine Reihe einschneidender Restriktionen auf. Neben Speise- und Kleidungsvorschriften ist die erhebliche Einschränkung seiner Herrschertätigkeit auffällig. Außer der Herrschaftsausübung des Königs ruht am Zornestage auch zu einem beträchtlichen Teil die Wissenschaft. Die medizinische Fakultät (*asûtu*) und die der Opferschaukunde (*bārûtu*) sind geschlossen, einfach aus dem Grunde, um nicht der Heilgöttin Gula an ihrem Zornestage Gelegenheit zu unheilvollen Omina bei Krankheitsbefunden und Opfertieren zu geben. Hingegen bleiben die anderen Fakultäten – *ṭupšarrûtu*, eigentlich „Schreiberkunst", aber im speziellen Sinne „Omenkunde" für Himmel und Erde, *āšipûtu* „Beschwörungskunde" und *kalûtu*, etwa „Klagewissenschaft"[22] anscheinend geöffnet, weil zum einen himmliche und | irdische Vorzeichen ohnehin nicht zu sistieren sind und zum anderen die magischen und rituellen Gegenaktionen gerade an diesem Tage notwendig sind.

Neben den ausgesprochenen Unglücks- und Zornestagen gibt es in der hemerologischen Literatur auch die Klassifikation nach vollkommen günstigen, günstigen, halbgünstigen und ungünstigen Tagen. Im sog. babylonischen Almanach, einer kurzgefaßten Hemerologie, bekommt jeder Tag des Jahres eine dieser Zensuren bzw. eine Charakteristik, deren hemerologischer Wert eindeutig ist (z.B. „Eine Frau soll man nicht nehmen, sonst wird man nicht

---

[20] Cf. B. LANDSBERGER, Der kultische Kalender der Babylonier und Assyrer (Leipzig, 1915), p. 119.

[21] H. C. RAWLINSON, The Cuneiform Inscriptions of Western Asia[2] 4 (London, 1891) 32-33 II 39-46 = P. JENSEN, Keilinschriftliche Bibliothek 6/II (Berlin, 1915), pp. 16-17, 1. 39-46. Einen Überblick über den Bereich der Hemerologie und Menologie gibt SPIECKERMANN (A. 14), pp. 273-81.

[22] Cf. die Zusammenstellung der einschlägigen Quellen bei PARPOLA (A. 19), pp. XIII-XVII.

alt").[23] Das an manchen Tagen drohende Unheil kann mit Stichworten konkretisiert werden, die die Charakterisierung des Jahwetages im Zephanja-Text in Erinnerung rufen: *antalû Šamaš* „Sonnenfinsternis", *tanūqāt ṣalti* „Kampfgeschrei", *idirtu* „Trübsal", *gilittu* „Schrecken", *gabaraḫḫu* „Verzweiflung", *ḫibiltu* „Ruin", *niziqtu* „Kummer", *ḫamāt kakki* „Funkeln der Waffe", *tēšû* „Verwirrung", *nissatu* „Wehklage" u.a.m.[24], aber andererseits auch für den 4. Tešrīt die dem Zephanja-Text völlig fremde Anweisung: „Man lasse einen gefangenen Vogel frei, (dann) wird der (göttliche) Zorn (*kimiltu*) gelöst sein."[25]

Diese Sammlung allein aus dem babylonischen Almanach ließe sich durch weitere Hemerologien und Omentexte noch bereichern. Ihre religiöse Anziehungskraft auf Judäer des 7. Jahrhunderts könnte vielfältig dokumentiert werden. In diesem Zusammenhang muß die vorgeführte Kritik des Zephanja an diesen Praktiken genügen. Zephanja kritisiert indessen nicht nur ihre Übernahme durch die Judäer, sondern hat auch selbst für seine Androhung des Jahwetages Gebrauch von eben diesen Vorstellungen gemacht. Die prononcierte Rede vom Jahwetag bzw. vom Zornestag, und nicht einfach von der Zeit des Zornes, hat ihr Vorbild in der hemerologischen Zuweisung eines jeden Tages zu einem bestimmten Gott. Ferner hat die Idee der Charakterisierung des Jahwe- und zugleich Zornestages durch eine ganze Tagesreihe einen Vorläufer in den besprochenen lexikalischen Listen, wobei die von Zephanja verwandten Konkretionen nicht aus ihnen selbst, sondern wiederum | aus der hemerologischen Literatur bzw. den Omentexten allgemein stammen. Alle angeführten Katastrophenelemente von der Finsternis über die Verwüstung bis hin zur Kriegsschilderung sind in ihnen beheimatet. Endlich sei noch zu bedenken gegeben, ob nicht auch die noch zu erschließende Siebener-Reihe über den Jahwetag in Zeph 1,14-16 nach hemerologischem Vorbild gestaltet ist, da die Siebener-Tage in dieser Literatur die Unglückstage par excellence sind.

Daß Zephanja diese Vorstellungen, die er eigentlich bekämpft, nur in eigenwilliger, polemischer Modifikation übernommen hat, versteht sich fast von selbst. Die Art und Weise, wie er die Vorstellungen verändert, kann indessen das Fürchten lehren. Der Zornestag ist nicht länger die unheilvolle Ausnahme im Gegenüber zu einer Vielzahl günstiger Tage, allesamt verteilt auf verschiedene Götter mit festen Zuständigkeiten. Des einen Gottes Jahwe ist jeder Tag (cf. Ps 74,16), aber wenn prononciert vom Jahwetag die Rede ist, dann ist es sein Zornestag.

---

[23] R. LABAT, „Un almanach babylonien (V R 48-49)", Revue d'assyriologie et d'archéologie orientale 38 (1941), pp. 13-40; das Zitat p. 24, l. 5-6.
[24] Cf. ibid., p. 26, l. 22; p. 28, l. 12, 14, 23, 28; p. 30, l. 27-28; p. 31, l. 13; p. 32, l. 20; p. 33, l. 16, 20; p. 34, l. 8; p. 36, l. 21-2, 30; p. 40, l. 18.
[25] Ibid., p. 33, l. 4.

Beides gilt: Der Zornestag ist immer Jahwetag. Und der Jahwetag ist immer Zornestag. In der letzteren Aussage liegt die prophetische Zuspitzung. Der Jahwetag ist bei Zephanja zu einem tödlichen Festtag geworden:

Still vor dem Herrn Jahwe!
Denn nahe ist der Jahwetag.
Jahwe (selbst) hat sich ein Schlachtopfer bereitet,
hat seine Geladenen geweiht (1,7).

Ist das Handeln der altorientalischen Götter ihrem eigenen Willen nach in Grenzen „berechenbar", weil kundgetan durch Vorzeichen und zu deuten durch kultisch approbierte Fachleute, so nicht Jahwes Handeln und das Kommen seines Tages. Der Jahwetag wird kundgetan durch institutionell nicht abgesichertes prophetisches Wort, das sich unkontrollierbar Jahwe verdankt und deshalb des Undanks der Hörer in der Regel gewiß sein darf. Der Jahwetag als Zornestag paßt in kein hemerologisches Schema und kennt keine Vorzeichen. Er kündigt sich nicht an durch eine Sonnenfinsternis, sondern ist als Finsternis plötzlich und unberechenbar da.

Ebenso undenkbar ist die Annullierung des Zornestages durch magisch-rituelle Handlungen, weder durch das Freilassen eines gefangenen Vogels noch durch lange Lösungs-Litaneien, die be|schwörend auf die Gottheit Einfluß nehmen. Jahwetag als Zornestag bei Zephanja, d.h. Ausgeliefertsein an den unberechenbar kommenden, schon nahen Gott, der sich das Recht zum Zorn durch niemanden und nichts streitig machen läßt.

Dabei kennt Jahwes Zorn keine Einschränkung. Er ergeht „über die festen Städte und die hohen Zinnen" (Zeph 1,16) sowohl der Assyrer, die in Siegerpose die Macht ihrer Götter in der Welt proklamieren, als auch der Judäer, die sich als die verunsicherten Verlierer von den Göttern der Sieger beeindrucken lassen und von Jahwe nichts mehr erwarten: er „tut weder Gutes noch Böses" (1,14). Dieser tief beleidigte Gott entschließt sich zum Tun des Bösen; er wird zum Gott des Zornestages, an dem er seine Macht und Freiheit im Gericht realisiert.

4. Der Jahwetag als Zornestag in der exilisch-nachexilischen Prophetie

Der Jahwetag als nahe bevorstehender Zornestag hat bald nach der Ansage Zephanjas auch die Verkündigung anderer Propheten im Umkreis der Exilszeit erreicht. Wie schon gezeigt, ist dabei die Identifizierung des Zornestages mit dem Ereignis der Vernichtung Jerusalems und der Exilierung auf das nichtprophetische Zeugnis der Threni beschränkt, in denen aber die Rede vom Jahwetag unterbleibt. Mit Absicht? Manifestiert sich darin vielleicht eine

Scheu, den Jahwetag geschichtlich zu identifizieren, ihn zum Ereignis der Vergangenheit werden zu lassen?

Jedenfalls bleibt der Jahwetag bei Ezechiel und einer jüngeren prophetischen Stimme im Jesaja-Buch Ankündigung des Zornes bzw. des Zornestages: in Ez 7 gegen das Land Israel gerichtet, das *bywm 'brt Yhwh* in den Untergang der vier Weltenden mit hineingerissen wird (cf. 7,2.7.19); in Ez 13 in einem Vorwurf an Israels Propheten: „Ihr seid nicht in die Bresche getreten und habt keine Mauer um das Haus Israel gebaut, daß es bestehe im Kampf am Tage Jahwes" (13,5); schließlich in Jes 13 vor allem gegen Babel gerichtet, Ziel besonderer Heimsuchung *bywm ḥrwn ʾpw*, da Jahwe die Menschen seltener als Feingold machen wird (13,12-13).

Alle drei genannten Texte schildern den nahenden Jahwetag plerophorisch als Realisierung des göttlichen Zornes, wobei Ez 13 und Jes 13 dem Zornesrausch je einen neuen Aspekt hinzufügen, die beide in einem inhaltlichen Zusammenhang stehen. In Ez 13 | scheint die Möglichkeit des Bestehenkönnens (*ʿmd*) im Kampfe am Jahwetage auf[26], mit Geltung natürlich allein für Israel, während Jes 13 nicht mehr Israel, sondern ein fremdes Volk zum herausgehobenen Ziel von Jahwes Zorn macht. In dieser Linie steht dann auch das Obadja-Büchlein mit seiner Ausweitung des Gerichtes auf alle Völker: „Denn nahe ist der Tag Jahwes über alle Völker " (Ob 15a), zu denen das „Haus Jakob" und das „Haus Joseph" nicht zählen, wie die Fortsetzung eindeutig zeigt (16-18).[27]

5. Jahwetag und „jener" Tag bei Joel

Es sind diese beiden Aspekte, die die weitere Tradition des Jahwetages geprägt haben: die Verlagerung der unheilvollen Bedeutung dieses Tages auf die Völker und damit die Eröffnung eines heilvollen Ausgangs für Israel oder aber einen Teil Israels. Parallel zu dieser Entwicklung ist eine andere zu beobachten: das völlige Verschwinden der Zornesterminologie im Zusammenhang mit der Schilderung des Jahwetages und somit auch das Ausbleiben der Identifizierung von Jahwetag und Zornestag.

Dafür kann es wohl nur eine Erklärung geben. Jahwe zürnt bzw. läßt seinen Zornestag dort ankündigen, wo Israel ihn zutiefst verletzt hat; und das ist vor allem in der späten Königszeit mit ihrem Reflex im Exil der Fall

---

[26] Hier könnte der Ursprung der Vorstellung vom Bestehen- bzw. Nicht-Bestehenkönnen liegen (cf. auch Joel 2,11; Nah 1,6; Mal 3,2), aus dem sich jüngere, eschatologisch geprägte Gerichtsvorstellungen entwickelt haben (cf. z.B. Ps 1,5; 130,3).

[27] Die literarhistorischen Verhältnisse in dem Büchlein und die Datierungsfragen brauchen in diesem Zusammenhang nicht diskutiert zu werden, cf. A. DEISSLER, Zwölf Propheten II (Würzburg, 1984), pp. 137-139.

gewesen. Wo fremde Völker sich an Jahwe (und seinem Volk) vergehen, antwortet er nicht (allein) mit Zorn, sondern mit Vernichtung (am Jahwetag). Ganz signifikant ist in dieser Hinsicht bereits Obadja, der eindringlich an den Tag des Unterganges Judas erinnert (Ob 11-14), aber mit keinem Wort mehr von Jahwes Zorn oder Zornestag spricht, wo die Threni noch den Zornesrausch bezeugen.

Es wäre zu vordergründig, darin nur die heilende Wirkung der Zeit erkennen zu wollen. Hier verschafft sich vielmehr eine neugewonnene theologische Perspektive Geltung, die zugleich eine wiedergewonnene ist. Jahwe ist nicht in erster Linie der Gott des | Zornestages, sondern derjenige, von dem es heißt, er sei ʾrk ʾpym „langsam zum Zorn", und auch dies nur in Begleitung seiner dominierenden Eigenschaften, der Barmherzigkeit, Gnade und Güte (cf. Ps 103,8 u.ö.).[28]

Das Buch des Propheten Joel, das wohl erst ins 4. Jahrhundert gehören wird, ist ein Spiegelbild dieser Entwicklung. Man könnte es als das Buch vom Tage Jahwes bezeichnen, in welchem die Wendung vom Jahwetag über Israel/Juda zum Jahwetag über die Völker zum Abschluß kommt, wobei der Wendepunkt theologisch durch die Erinnerung an das Gnadenwort markiert wird:

> Zerreißt eure Herzen und nicht eure Kleider, kehrt um zu Jahwe, eurem Gott, denn gnädig und barmherzig ist er, geduldig (ʾrk ʾpym) und von großer Güte und läßt sich des Unheils gereuen (Joel 2,13).

Mit diesem Wort – wahrscheinlich ein Zitat aus Jon 4,2 – stellt der Prophet Joel die Aufforderung zur Buße unter die Verheißung der Reue Gottes.[29] Reue über das beschlossene „Unheil" (rʿh) bei Jahwe, wo die ältere Theologie des Jahwisten nur die Reue Jahwes angesichts „der Bosheit der Menschen" (rʿt hʾdam) kennt, die zum Beschluß der Vernichtung durch die Sintflut führt (Gen 6,5-7).

In diesem Vorschein der Vergebung steht bei Joel auch der Israel/Juda angekündigte Jahwetag. Von seinen Schrecken redet Joel nur in Zitaten – aus Jes 13,6; Zeph 1,15-16 und Mal 3,2.23[30] –, wobei er konsequent alle Hinweise auf Jahwes Zorn, auch den Zornestag in Zeph 1,15, aus seinen Vorlagen gestrichen hat (cf. Joel 1,15; 2,1-2.11; 3,4). Wenn Jahwe nunmehr eifert, dann

---

[28] Cf. H. Spieckermann, „Barmherzig und gnädig ist der Herr...", ZAW 102 (1990) (= s.o. pp. 3-19)

[29] Der literarische Zusammenhang zwischen Joel 2,13 und Jon 4,2 wie auch zwischen Joel 2,14a und Jon 3,9a ist offenkundig. Die Priorität wird dort liegen, wo die Formulierungen fester im Kontext verzahnt sind. Und das ist hier wie dort bei Jona der Fall.

[30] Zur Funktion der Vorboten des Gerichtes in Mal 2,17-3,5 ("Engel des Bundes") und 3,23-24 (Elia) cf. A. S. van der Woude, „Der Engel des Bundes", Die Botschaft und die Boten. FS H. W. Wolff (Neukirchen-Vluyn, 1981), pp. 289-300.

– in reuiger Rückbesinnung auf sein Gnadenwort – für sein Land und zur Schonung seines Volkes (cf. 2,18).

Der Jahwetag aber ist zum Gericht über die Völker im „Tale Josaphat" bzw. im „Tale der Entscheidung" geworden[31], und zwar über die Völker, die „mein Land in Stücke gerissen und über mein | Volk das Los geworfen haben" (4,2-3; cf. 4,12.14). Wenn Joel fragt: „Wer wird ihn (= den Jahwetag) bestehen?" (2,11), so ist seine Antwort klar: nicht die Völker, aber Israel/Juda. Und deshalb ist der Jahwetag kein Zornestag mehr.

Dies irae, dies illa: Sowenig in der Geschichte der Prophetie die Identifizierung von Jahwetag und Zornestag Bestand gehabt hat, sowenig auch diejenige von dies irae und dies illa. Dies illa, *hywm hhw'* „jener Tag", ist im Verlauf der alttestamentlichen Theologiegeschichte immer mehr zum Tag der Erfüllung großer Verheißung für Israel/Juda geworden, nicht unbedingt für die Völker. So auch am Ausgang des Joelbuches:

(18)   An jenem Tage werden triefen die Berge von Most
        und die Hügel fließen von Milch
        und alle Bäche Judas Wasser führen.
        Und eine Quelle wird vom Hause Jahwes ausgehen
        und das Akaziental tränken.
(19)   Ägypten wird zur Öde werden
        und Edom zur Wüstenei
        wegen der Gewalttat an den Söhnen Judas,
        in deren Land sie unschuldiges Blut vergossen haben.
(20)   Aber Juda wird auf immer wohnen bleiben
        und Jerusalem von Geschlecht zu Geschlecht,
(21)   ...
        da Jahwe auf dem Zion wohnt (Joel 4).[32]

Propheten haben im Umkreis des 6. Jahrhunderts aus dringlichem Anlaß den Jahwetag als Zornestag angekündigt. Ihre Botschaft vom Zornestag ist auf das Ganze des Alten Testament gesehen Episode geblieben und gerade darin Abschattung des Gottes, der *'rk 'pym* ist, „langsam zum Zorn". Man könnte es auch mit den Worten über Gott, den „treuen Menschenhüter", formulieren, die, alttestamentliche Tradition nachsprechend, in einen Balken des Pfarrhauses in dem niedersächsischen Dorf Hackenstedt geschnitzt worden sind: "Deine Lust is ins gemein, gnädig und barmhertzig sein."

---

[31] Cf. Wolff (A. 11), pp. 91-2.
[32] Cf. ibid. pp. 86, 99-102.

Nähe und Ferne

4. Ambivalenzen

Ermöglichte und verwirklichte Schöpfung in Gen 2f.

1. Die Entstehung der Endgestalt von Gen 2f.

Im Jahre 1964 wurde die Habilitationsschrift von W. H. Schmidt zur priester-schriftlichen Schöpfungsgeschichte erstmals publiziert.[1] Im Anhang dieses Werkes wird zugleich die „jahwistische Schöpfungs- und Paradiesgeschichte" im Überblick behandelt.[2] Das Buch dokumentiert, wie meisterhaft Schmidt den priesterschriftlichen und jahwistischen Text unter überlieferungsge-schichtlichem Aspekt zu erhellen vermocht hat. Rezipierte altorientalische Schöpfungstraditionen und ihre Aneignung in je eigenen theologischen Kon-zeptionen sind von ihm so klar profiliert worden, daß eine breite Aufnahme dieser Ergebnisse in der Forschung – nicht zuletzt an den für eine Habilitati-onsschrift ungewöhnlichen drei Auflagen ablesbar – nachgerade vorgezeich-net war.

Der weitere Gang der Forschung hat beim priesterschriftlichen Schöp-fungsbericht und in der jahwistischen Schöpfungs- und Paradieserzählung zu unterschiedlichen Akzentsetzungen geführt. Sind in Gen 1 eher die konzep-tionelle Binnenstimmigkeit gegenüber den von Schmidt und anderen diagno-stizierten Unebenheiten und die Position des Textes im priesterschriftlichen Gesamtwerk stärker herausgearbeitet worden[3], haben in Gen 2f. die inhaltli-chen Spannungen und Dop|pelungen die Überprüfung der literarischen Inte-

---

[1] W. H. SCHMIDT, Die Schöpfungsgeschichte der Priesterschrift. Zur Überlieferungsge-schichte von Genesis 1,1-2,4a und 2,4b-3,24: WMANT 17 (1964. [3]1973; vgl. DERS., Altte-stamentlicher Glaube, ([8]1996) 233-243 (468-470 Literatur). Im vorliegenden Beitrag wird auf den priesterschriftlichen Schöpfungsbericht in gewohnter Abkürzung durch Gen 1, auf die jahwistische Erzählung durch Gen 2f. verwiesen.

[2] Vgl. W. H. SCHMIDT, Schöpfungsgeschichte (Anm. 1) 194-229.

[3] Vgl. O. H. STECK, Der Schöpfungsbericht der Priesterschrift. Studien zur literarkriti-schen und überlieferungsgeschichtlichen Problematik von Genesis 1,1-2,4a: FRLANT 115 (1975. [2]1981); E. ZENGER, Gottes Bogen in den Wolken. Untersuchungen zu Komposition und Theologie der priesterschriftlichen Urgeschichte: SBS 112 (1983, [2]1987); B. JANOWSKI, Tempel und Schöpfung. Schöpfungstheologische Aspekte der priesterschriftlichen Heilig-tumskonzeption (1990), in: DERS., Gottes Gegenwart in Israel (1993) 214-246; anders C. LEVIN, Tatbericht und Wortbericht in der priesterschriftlichen Schöpfungserzählung: ZThK 91 (1994) 115-133; über die traditionelle Trennung diachroner und synchroner Betrachtung hinausführend: D. M. CARR, Reading the Fractures of Genesis. Historical and Literary Ap-proaches (1996).

grität des Textes angeregt.⁴ Damit steht die schon eher einsetzende Problematisierung der Frühdatierung des Jahwisten in Zusammenhang.⁵ Wer im jahwistischen Werk ohne umfassende literarische Distinktionen auszukommen vermeint, muß aufgrund der zuweilen bestehenden Affinität zu deuteronomistischen und jüngeren weisheitlichen Texten mit gewisser Konsequenz einer Spätdatierung des Gesamtwerks zuneigen. Trotz der bestehenden Unsicherheiten in Analyse und Datierung des Jahwisten zeichnet sich in der heutigen Forschung die klare Tendenz ab, die dem Jahwisten üblicherweise zugeschriebenen Texte als Resultat einer langen Literargeschichte von der vorexilischen bis in die nachexilische Zeit zu betrachten. Die folgenden Beobachtungen zu Gen 2f. liegen auf der Linie dieses Erkundungsversuchs.

Dabei soll es indessen nicht um die eingehende Analyse der Genese von Gen 2f. gehen. Sie wird lediglich kurz skizziert werden, um den theologischen Anreicherungsprozeß vor Augen zu haben, der zur literarischen Endgestalt der Schöpfungs- und Paradieserzählung geführt hat. Dem auf diese Weise erreichten inhaltlich spannungsvollen Gebilde soll das Augenmerk gelten. Diese Spannungen – so die im folgenden zu begründende These – sind bewußt in den Text eingetragen worden, um Leser und Hörer auf die theologische Komplexität zu stoßen, die Gottes Erschaffung des ersten Menschenpaares mit sich bringt. Die unterschiedlichen Aspekte der Komplexität kommen allesamt darin überein, daß sie dem Geheimnis des Menschseins zwischen Geschöpflichkeit und Selbstverantwortung auf der Spur sind. Das Menschliche ist dabei nur in Ambivalenzen sagbar, die allein zu sehen vermag, wer die Geschichte der Chancen, Krisen und Brechungen im Verhältnis von Gott und Mensch auf dem Hintergrund der Geschichte JHWHs mit seinem Volk Israel in beträchtlicher Erstreckung überblickt. Deshalb gehört Gen 2f. in der Endgestalt eher in die Zeit von Hohemlied und Koheletbuch, die bezeichnenderweise beide mit Gen | 2f. im intertextuellen Diskurs stehen⁶, als in irgendein Jahrhundert der judäischen Monarchie.

---

⁴ Vgl. P. WEIMAR, Untersuchungen zur Redaktionsgeschichte des Pentateuch: BZAW 146 (1977) 112-137; C. DOHMEN, Schöpfung und Tod. Die Entfaltung theologischer und anthropologischer Konzeptionen in Gen 2/3: SBB 17 (1988, ²1996); C. LEVIN, Der Jahwist: FRLANT 157 (1993) 82-92; D. U. ROTTZOLL, Die Schöpfungs- und Fallgeschichte in Gen 2f.: ZAW 109 (1997) 481-499; 110 (1998) 1-15.

⁵ Als repräsentatives Werk dieser Forschungsrichtung aus jüngerer Zeit vgl. J. VAN SETERS, Prologue to History. The Yahwist as Historian in Genesis 1992 (zu Gen 2f. vgl. 107-134); darüber hinaus vgl. die nützlichen Überblicke über die Pentateuchforschung von A. DE PURY/T. RÖMER, Le Pentateuque en question: Position du problème et brève histoire de la recherche: A. DE PURY (Hg.), Le Pentateuque en question, PURY, (1989) 9-80; E. OTTO, Kritik der Pentateuchkomposition: ThR 60 (1995) 163-191.

⁶ Zum Hohenlied vgl. P. TRIBLE, God and the Rhetoric of Sexuality (1978) 144-165; im Koheletbuch vgl. unter anderem Koh 3,21; 12,7 mit Gen 3,19 und dazu H.-P. MÜLLER, Weisheitliche Deutungen der Sterblichkeit: Gen 3,19 und Pred 3,21; 12,7: DERS., Mensch – Umwelt – Eigenwelt. Gesammelte Aufsätze zur Weisheit Israels (1992) 69-100.

Folgende Analyse von Gen 2f. wird vorausgesetzt[7]: Das älteste literarische Stratum des Textes bildet eine Erzählung von der Menschenschöpfung, verbunden mit einer Kulturätiologie, wie sie aus verschiedenen mesopotamischen Traditionen bekannt ist. JHWH schafft den *ʾādām* aus der *ʾᵃdāmāh*, damit diese von ihm bearbeitet werden kann. Um Leben entstehen zu lassen, muß zur *ʾᵃdāmāh* die Gabe des Wassers kommen und zum *ʾādām* JHWHs Einhauchung des Odems. Nachdem die Natur belebt und der Mensch beseelt ist, pflanzt Gott einen Garten mit fruchttragenden Bäumen, der dem *ʾādām* zunächst als Lebensraum dient (vgl. Gen 2,5[Anfang der Erzählung nicht erhalten]-9a[ohne *ʿāpār* in V. 7]). Darauf macht sich JHWH an die Aufgabe, dem *ʾādām* ein gleichwertiges, hilfreiches Gegenüber zu erschaffen, da der *ʾādām* als Einzelwesen dem intendierten „Gutsein" der Schöpfung (vgl. V. 18) noch nicht entspricht. Nach einer schöpferischen Suchbewegung Gottes, die die Tierwelt ins Dasein bringt, gelingt JHWH die Erschaffung der Frau. Sie wird vom *ʾādām* als sein Ein und Alles spontan erkannt. Indem er ihr den Namen *ʾiššāh* gibt, bestimmt er sich selbst zum *ʾîš*, ohne dadurch sein adamitisches Wesen zu verlieren. Die Konkordanz der Namen und das Verlassen des Vaterhauses durch den Mann aus Liebe zur Frau führen das singuläre Verhältnis von Mann und Frau plastisch vor Augen (vgl. 2,18-24). Die Vereinigung zu „einem Fleisch" ist nicht selbstgenügsam, sondern schafft Leben, was im Namen Eva zum Ausdruck kommt. Das erste Menschenpaar trägt ab 3,20 Eigennamen, Adam und Eva, ein Zeichen der Individuation und Reife für die zugedachten Aufgaben der Fortpflanzung und Kultivierung des Ackerbodens. Die Anfertigung von Fellen als Kleidung für die beiden durch JHWH in 3,21 ist eine letzte Vorbereitung für die Entlassung aus dem Ort des Urgeschehens, dem Garten Eden, hinaus in die Welt, wo die Komplementarität von Schöpfung und besonders ausgezeichnetem Geschöpf sich bewähren muß (vgl. 3,23). Diese Schöpfungserzählung findet ihre nahtlose Fortsetzung in der Kainitengenealogie mit ihren Kulturätiologien in 4,1.17-23. Die alte Noachitengenealogie ist nicht erhalten (allenfalls in 9,18aαγ[ohne Japhet]b: Noah mit den beiden Söhnen Sem und Ham), wohl aber die Fortsetzung in Elementen der Völkertafel in 10,6-30*, durch die die Völkerwelt erklärt wird. Damit findet die älteste Form der Urgeschichte ihren Abschluß.

In die positiv gestimmte Schöpfungs- und Kulturätiologie ist in Gen 2f. durch 2,9bβ (der Baum der Erkenntnis des Guten und Bösen).16f.25; 3,1-19a.24abα(ohne die Keruben) die Erzählung von Fall, Verfluchung und Vertreibung aus dem Garten Eden eingezeichnet worden. Diese große literarische Aufweitung setzt mit ihrer Sicht von Gut und Böse und mit ihrer Problematisierung der Gottebenbildlichkeit des Menschen den priesterschriftlichen Schöpfungsbericht in Gen 1 voraus. Die Zusammenarbeit der vorexilischen Schöpfungs- und Kulturätiologie mit der priesterlichen Grundschrift hat es nur im Zusammenhang mit der literarischen Komplettierung der alten Erzählung gegeben. Dies ist das | literarische Stadium, das die theologischen Ambivalenzen in die Urgeschichte gebracht hat.

In einem letzten Stadium ist durch das Motiv der Vergänglichkeit des Menschen und die Interpretation des Baumes in der Mitte des Gartens als Baum des (ewigen) Lebens die Frage nach dem Todesgeschick in die Erzählung integriert worden (*ʿāpār* in 2,7; 2,9bα; 3,19b.22; *ʾæt-hakkᵉrubîm* in 3,24bα; 3,24bβγ). Mit dieser Erweiterung hängt wohl auch die Ergänzung der vier weltumspannenden Flüsse mit Quellgrund in Eden zusammen (2,10-14), weil damit die Vorstellung vom ersten Menschen als Paradieswächter verbunden ist (2,15), welcher infolge des Falls durch Keruben und Schwertflamme ersetzt wird (3,24b*).

---

[7] Die Analyse basiert auf den Ausführungen von R. G. KRATZ/H. SPIECKERMANN, Schöpfer/Schöpfung II. Altes Testament, TRE 30 (1999) 258-283. In der vorliegenden Form sind geringe Modifikationen vorgenommen worden.

Der auf diese Weise gewachsene Text ist ein theologisch hochkomplexes Gebilde, das in intertextueller Auseinandersetzung mit Gen 1 steht.[8] Im Endtext ist die Sicht des Menschen derart auf den Fall konzentriert, daß die Frage nach dem Menschsein ganz auf ihn hin und von ihm her erfaßt zu werden versucht wird. Sosehr Menschsein in Gottes Schöpfung gründet, sowenig ist es ohne den Fall existent und denkbar. Er bringt auch das Menschsein vor dem Fall in eine eigentümliche Ambivalenz. Und im Geschehen des Falles selbst und in seinen Folgen geht die Schöpfung nicht verloren, sondern erscheint wiederum in Ambivalenzen, die zwischen entstehender Gottesferne und Vollendung der Schöpfung changieren. Die in den Endtext von Gen 2f. eingezeichneten Ambivalenzen des Menschseins sollen im folgenden dargestellt werden.

2. Die Ambivalenz vor dem Fall (Gen 2,5-25)

Urgeschehen ist Gründungsgeschehen im Sinne der Erschaffung von Grundgegebenheiten, die weiterer Entfaltung bedürfen, soll der Modus des Möglichen in den des Wirklichen übergehen. In Gen 2f. ist deutlich, daß ein Spannungsbogen am Anfang aufgebaut und erst am Ende „entspannt" wird, freilich nur, um weitere Spannungsbögen folgen zu lassen. Das „Bevor" von 2,5 wird nicht durch die Bewässerung der Erde in 2,6 und die darin beschlossene Ermöglichung des Pflanzenwuchses in 2,9 abgegolten. Die Bearbeitung der *ᵃdāmāh* durch den *ʾādām* steht aus. Daß seine Erschaffung aus der *ᵃdāmāh* Herkunft und Gewiesensein an die *ᵃdāmāh* verschmelzen will, liegt auf der Hand. Diese Pointe wird aber erst in 3,17-19a bzw. in 3,23 deutlich, nicht schon in der „Gartenarbeit" des *ʾādām* in 2,15, die spät in den Text integriert worden ist und selbst in der Endgestalt wegen fehlender Kor|respondenz zur *ᵃdāmāh* nicht als Verwirklichung von 2,5 verstanden werden kann.[9]

Auffällig ist das Schöpfungsingrediens Staub (*ʿāpār*) beim Menschen in 2,7. Diese „Beimischung" bleibt im Gründungsgeschehen von Gen 2 folgenlos und läßt mit der Wirkung auf sich warten. Eine Verbindung, die sich dem Leser des Endtextes nahelegen könnte, mag zwischen dem Schöpfungsingrediens Staub beim Menschen und dem Lebensbaum in der Mitte des Gartens bestehen. Dieser Baum bewahrt offensichtlich ein Geheimnis des Lebens, das Gott dem Menschen bei der Erschaffung und der Einhauchung des Lebenso-

---

[8] Vgl. E. OTTO, Die Paradieserzählung Genesis 2-3: Eine nachpriesterschriftliche Lehrerzählung in ihrem religionsgeschichtlichen Kontext: „Jedes Ding hat seine Zeit..." FS D. Michel BZAW 241 (1996) 167-192. Die als notwendig erachteten Korrekturen sind der vorliegenden Analyse zu entnehmen.

[9] Zu dem gesamten Themenkomplex des Gartens Eden vgl. T. STORDALEN, Echoes of Eden. Gen 2-3 and Symbolism of the Eden Garden in Biblical Hebrew Literature (Diss. Oslo 1998).

dems vorenthalten hat. Daß der im Lebensbaum sich manifestierende Schöpfungsvorbehalt JHWHs mit dem Staub als Inbegriff der Vergänglichkeit[10] zusammenhängen könnte, drängt sich auf. Die Spannung von Vergänglichkeit und ewigem Leben wird in der Endgestalt des Textes suggeriert, um sie sogleich wieder in die Irritation zu führen. Denn die Erklärung des Lebensbaumes in 2,9 erfolgt nicht durch einen Verweis auf das ewige Leben, sondern auf die Erkenntnis des Guten und Bösen.

Durch diese Apostrophierung wird ein weiter Horizont aufgerissen. Ist der von Gott geschaffene Mensch in jeder Hinsicht ohne Erkenntnis oder „nur" ohne Erkenntnis des Guten und Bösen? Die in der Forschung beliebte Erklärung des Merismus gut und böse als Umschreibung einer Totalität ist unbefriedigend.[11] Gut und böse sind in der Urgeschichte qualifizierte Begriffe, was allein durch einen Blick auf die vorausgesetzte Betonung des Gutseins der Schöfung in Gen 1 und die totale Verdrängung des Guten zugunsten des Bösen in der weiteren Urgeschichte (6,5; 8,21) erwiesen werden kann. Im Lichte von Gen 1 kann man die in Gen 2 JHWH vorbehaltene Erkenntnis von gut und böse kaum anders als gezielte Veränderung der Schöpfungskonzeption verstehen. Der Mensch, der die Erkenntnis von gut und böse nicht hat, spiegelt als Geschöpf weder unmittelbar das Gutsein der Schöpfung wider noch eine Existenzform, die der Wirklichkeit des Menschseins, zu der das Wissen um gut und böse hinzugehört, entspricht. Der von Gott erschaffene und im Garten beheimatete Mensch verkörpert Menschsein in statu nascendi. Staub und Lebensbaum, vorenthaltene | Erkenntnis des Guten und Bösen, Genußverbot und Todesdrohung weisen auf eine komplizierte Geburt voraus.

Zunächst jedoch muß JHWH selbst in 2,18 das Urteil sprechen, daß der Mensch als Einzelwesen im Zustand der Abwesenheit des Guten lebt. Dieser zum ältesten Bestand der Schöpfungserzählung gehörige Satz steht im Endtext durch die vorenthaltene Erkenntnis des Guten und Bösen in einem anderen Licht. Der in Fragen von gut und böse noch nicht entscheidungsfähige Mensch ist in der Gestaltung seines Lebens ganz auf den Schöpfer angewiesen. Die daraufhin von JHWH intendierte Erschaffung der dem Menschen gleichwertigen Hilfe ist nicht auf dem Niveau der fehlenden Haushaltshilfe zu

---

[10] Ps 103,14; 104,29; Hi 4,19; Koh 3,20; 12,7 u.ö.; vgl. G. WANKE, Art. *ʿāfār*: THAT II (1976) 353-356, 355; L. WÄCHTER, Art. *ʿāpār*, ThWAT VI (1989) 275-284, 282f.

[11] Die Einschätzung J. WELLHAUSENS steht weithin in Geltung: „Mit Gut und Böse, wie es in Gen. 2. 3 gemeint ist, ist keine Entgegensetzung der Handlungen nach ihren sittlichen Unterschieden beabsichtigt, sondern eine Zusammenfassung der Dinge nach ihren zwei polaren Eigenschaften, wonach sie den Menschen interessieren, ihm nützen oder schaden... (Prolegomena zur Geschichte Israels, [6]1905, 301); vgl. C. WESTERMANN, Genesis BK I/1 ([2]1976) 330-337.

verstehen[12], sondern als kreative Ermöglichung des Guten im Leben des Menschen – allerdings ohne Erkenntnis.

Daß JHWH die Kreation des Guten im Leben des Menschen nach den nützlichen, aber dem Menschen inadäquaten Kreationen im Tierreich mit der Erschaffung der Frau schließlich gelingt, wird vom Menschen durch intuitive Zustimmung bestätigt (wie er vorher – das ist implizit vorausgesetzt – die Tiere als inadäquates Gegenüber intuitiv abgelehnt hat). Das Gute ist durch die kongeniale Zweiheit ins Leben gekommene Liebe. Ihre Macht sprengt die Fiktion des Urgeschehens durch das Verlassen von Vater und Mutter (2,24) im pointiert konstruierten Gegenentwurf zur allenthalben etablierten patriarchalen Ordnung. Der aus Liebe zur Frau Vater und Mutter verlassende Mann ist so fiktiv, wie das Wunder der Liebe bisher rein potentiell ist. Wirklich geliebt wird in 2,24f. noch nicht. Paul Tillich hat für den Zustand vor dem Fall die treffende Metapher der „träumenden Unschuld" geprägt.[13] Im Blick auf die Liebe gewinnt dieser Zustand in der nicht ins Auge gefaßten definitiven Individuation der Liebenden Gestalt. Zwar wird durch das intuitiv erfaßte Wunder der Liebe der 'ādām zum 'îš, sozusagen vom geschlechtsneutralen „Erdenkloß"[14] zum Mann, doch die Benennung der Frau als 'iššāh hält sowohl im Klang des Namens als auch in seiner Begründung die generische Identität mit dem Mann ('îš) fest. In Übereinstimmung damit wird Liebe vor ihrer Verwirklichung gedacht als Weg „von meinem Fleisch" (2,23) „zu einem Fleisch" (2,24). Die Zweiheit der potentiell Liebenden schafft kein Bewußtsein bleibender Individuation und Differenz, vielmehr bleiben Zweiheit und Einheit ein unproblematisches Ganzes. Überspitzt gesagt: Die Zwei|heit ist eine Variante der Einheit. Konsequenterweise führt deshalb die Nacktheit von Mann und Frau nicht zur Scham (2,25).

Die Liebe in ihrer Potentialität vor dem Fall ist ambivalent. Im vollkommenen Umfangensein der Zweiheit von der Einheit der Liebenden bleibt das Wunder der Liebe ein unschuldiger Traum. Dem von JHWH erschaffenen Menschenpaar, dessen Verhältnis durch gegenseitige, hilfreiche Zuwendung bei gleichzeitigem, bleibendem Gegenübersein ('ēzær kᵉnægdô, 2,18.20) gekennzeichnet sein soll, steht die Verwirklichung dieser in der Schöpfung angelegten Bestimmung noch bevor: in der durch den Fall „geschaffenen" Wirklichkeit.

---

[12] Die überwiegende Zahl der Belege für 'ēzær ist auf Gott bezogen: Ex 18,4; Dtn 33,26.29; Ps 33,20; 70,6; 115,9; 121,1f.; 146,5; vgl. 124,8; unter Berücksichtigung der Wurzel 'zr und des Nomens 'æzrāh würde sich die Belegfrequenz noch erheblich erhöhen. Indessen bahnt sich bereits in Tob 8,6 das Mißverständnis von Gen 2,18 an.

[13] P. TILLICH, Systematische Theologie II (1958) 39–43.

[14] So die Übersetzung M. Luthers in der Bibel von 1545, nicht nur in Gen 2,7, sondern auch in Tob 8,8(6); zur Rezeption vgl. J. und W. GRIMM, Deutsches Wörterbuch 3 (1862) 759.

3. Die Ambivalenz des Falls (Gen 3,1-13)

Die Ambivalenz des Falls entspringt aus dem Motiv des Erkennens, das im Zentrum der Erzählung steht.[15] Damit sind auf der Ebene des Endtextes alle weiteren Motive verwoben, die aus der Situation vor dem Fall heraus der Klärung harren: der Baum in der Mitte des Gartens in seiner zweifachen Bestimmung, Mann und Frau in ihrem noch nicht realisierten Gegenüber-Sein, die Liebe in ihrer Potentialität, verbunden mit der „paradiesischen" Familienordnung, dem Nacktsein und der fehlenden Scham. Manches davon wird in der Erzählung vom Fall der Klärung zugeführt, manches erst in den Konsequenzen aus dem Fall, hier wie dort jedoch so, daß die Klärungen keine Eindeutigkeit, sondern Ambivalenz bewirken.

Die Schlange ist das erste Geschöpf, das im urgeschichtlichen Geschehen von Gen 1-3 ein Gespräch eröffnet. Zum adäquaten Verständnis des Wesens der Schlange in Gen 3 wollen religionsgeschichtliche Erkundungen nicht recht weiterhelfen.[16] Die Funktion der Schlange beim Fall ergibt sich einzig aus der im Endtext von Gen 2 vorausgesetzten Konstellation. Die Schlange (*nāḥāš*), ein männliches Tier, ist das klügste unter den Geschöpfen, die der Mensch bei der Suche nach einem gleichwertigen, hilfreichen Gegenüber verschmäht hat. Nun tritt die Schlange dem Menschen im Gespräch – ein erstmaliges Geschehen im bisherigen Schöpfungsgeschehen – gegenüber, nicht dem Mann, der sie verschmäht hat, sondern der Frau, dem vom Mann intuitiv erwählten Geschöpf und, darin impliziert, der ungewollten Rivalin der Schlange. Die Schlange ist durch ihre Klugheit prädestiniert, der Frau | zum Gespräch gegenüberzutreten. Dabei versteht es die Schlange, das Gespräch zielstrebig auf den Baum in der Mitte des Gartens und auf die Todesandrohung hinzulenken. Zweimal macht sie in ihrer entscheidenden Antwort in 3,4f. von dem Verb *ydʿ* „wissen, erkennen" Gebrauch, zum einen als angeblicher Kenner des Wissens Gottes und zum anderen (aufgrund der Einsicht in Gottes Wissen) als kompetenter Deuter des Geheimnisses vom Baum der Erkenntnis des Guten und des Bösen: Die Enthüllung bringt in der Frucht des Baumes die Gottgleichheit zum Greifen nahe. Wie könnten der Enthüllung der klugen (*ʿārûm*, 3,1) Schlange die nackten (*ʿêrom/ʿārôm*, Plural *ʿarummîm*) Menschen gewachsen sein, die sich nicht einmal ihrer Nacktheit bewußt und deshalb den Künsten von Verstellung und Enthüllung hilflos ausgeliefert sind – es sei denn, daß sie dem göttlichen Verbot blindlings gehorchen. In der li-

---

[15] Besonders hingewiesen sei auf den Beitrag von P. A. BIRD, Genesis 3 in der gegenwärtigen biblischen Forschung: JBTh 9 (1994) 3-24.

[16] An religionsgeschichtlichem Material herrscht kein Mangel (vgl. L. W. HANDY, Art. Serpent [Religious Symbol]: AncBDictionary 5 [1992] 1113-1116). Schon im alten Orient ist der Befund so vielseitig, daß die Schlange aus diesem Umfeld keine klare Zeichnung erhält.

stigen Klugheit der Schlange schlummert Gefahr für die träumende Liebe der bewußt- und erkenntnislos Glücklichen in ihrer „schamlosen" Nacktheit.

Es wäre jedoch unangemessen, die Schlange unter den Geschöpfen Gottes als das Untier par excellence zu beurteilen. Die Erzählung verlöre an Binnenlogik und Dynamik, wäre nicht für die Frau glaubwürdig, daß die Schlange ein Wissen hat, welches nur aus einem engen Verhältnis zu Gott selbst resultieren kann. Die Schlange in ihrer Nähe und Ferne zu Gott ist ein genauso ambivalentes Geschöpf wie der Satan im Hiobbuch, mit dem die Endfassung von Gen 2f. das geistige Milieu teilt. Die Schlange ist Mäeut des Übergangs des Menschenpaares vom Status der Potentialität in den der Realität, hinsichtlich der Wahl ihrer Mittel und des verfolgten Ziels gar nicht nach Gottes Willen, hinsichtlich des Vorantreibens der Schöpfung von der Potentialität in die Realität doch wohl gar nicht gegen Gottes Willen. Was nützte die beste Idealität der Schöpfung, wenn sie sich in keine Realität vermitteln ließe!

Der Übergang von der Möglichkeit der Schöpfung in die Wirklichkeit vollzieht sich als Krisis der Geschöpflichkeit des Menschen(paares). Im Begehren der Frucht vom verbotenen Baum greift die Frau nach der dem Geschöpf vorenthaltenen Option der Gottgleichheit und des Wissens um gut und böse. Der Mann, der die Frucht von ihr empfängt, vollbringt damit die letzte Tat in träumender Einheit mit der Frau. Alles Weitere ist Ankunft in der Existenz der geöffneten Augen[17], Individuation, Gegenüber-Sein nicht nur nach der hilfreichen, sondern auch nach der feindseligen Seite, Erkennen nicht als Ordnung von gut und | böse, sondern als Enthüllung, die der schamhaften Verhüllung bedarf. Enthüllung und Verhüllung bestimmen inskünftig alles: die Liebe, die Erkenntnis und das Gottesverhältnis. Das folgende Gespräch zwischen Gott und Menschenpaar steht nicht von ungefähr ganz im Zeichen von Verbergen und Entdecken, von Verführung und Verantwortung, von Scham, Furcht, Schuldbewußtsein und mangelnder Schuldfähigkeit. Die Schöpfung ist in der Wirklichkeit angekommen.

Diese Ankunft ist nicht nur Schmälerung, sondern auch Verwirklichung der Schöpfung. Die Ambivalenz darf nicht übersehen werden. So deutlich in Gen 3 der Riß in der Schöpfung beleuchtet wird, sosehr wird bewußt mancherlei unterlassen, was den Eindruck einer allein negativen Wertung befördern könnte. Der Übergang, der hier mit der Tradition Fall genannt wird, bleibt in Gen 3 namenlos. Nur die Frau spricht von Verführung (*nšʾ* hi. „betrügen, täuschen", 3,13) durch die Schlange, nicht der Mann von Verführung

---

[17] Zur Metapher der „geöffneten Augen" im positiven Sinne vgl. einerseits das sumerische Rätsel, dessen Lösung das Tafelhaus als Ort der Öffnung der Augen bzw. überhaupt erst der Ausstattung mit Augen ist (TUAT III/1, 1990, 44 Nr. 4a Z. 4-6), und andererseits äthHen 90,35, wo sie ein Signum der Umkehr sind (89,28.41.44; 90,9f; vgl. K. MÜLLER, Apokalyptik/Apokalypsen III: TRE 3, 1978, 202-251, 212-215).

durch die Frau.[18] Ebensowenig ist von Sünde und Schuld die Rede, wenngleich das Phänomen des Schuldbewußtseins zweifellos existiert. Aber Schuld ist hier nichts anderes als Verantwortung in statu nascendi. Bezeichnenderweise kann die Frau aufgrund mangelnder Schuldfähigkeit Gottes Frage „Was hast du da getan?" nur mit dem Hinweis (von sich weg) auf die Verführung durch die Schlange beantworten. Erst Kain kann auf Gottes Frage „Was hast du getan?" und auf die Verfluchung mit der Erkenntnis antworten: „Zu groß ist meine Schuld/Strafe (*'āwon*), als daß ich sie tragen könnte" (4,10-13). Das erste Menschenpaar erlebt hingegen den Übergang als Depotenzierung erträumter Möglichkeiten: kein Erkennen von Gut und Böse, sondern Erkennen der eigenen Nacktheit und Bewußtwerden des eigenen Gestelltseins zwischen Gut und Böse, keine Einheit der Liebenden, sondern liebende Vereinigung von zwei Individuen, die definitiv getrennt bleiben in Scham und Schuld, keine Gottgleichheit, sondern begrenzte und verführbare Geschöpflichkeit.

Realisierte Schöpfung im Sinne der Ankunft in der Wirklichkeit und der Erkenntnis der gesetzten Grenzen und verspielten Möglichkeiten des Menschen ist nicht allein gut oder gar sehr gut, wie Gen 1 sagt, sondern besteht im verschlungenen Zusammensein von Gut und Böse. Gen 1 erfährt durch Gen 2f. eine Korrektur. Gottes gute schöpferische Potenz ist erfahrbare und in Grenzen erkennbare Wirklichkeit nur in der Ambivalenz von Gut und Böse, in die die Menschen verführt und verantwortlich zugleich hineinmüssen, soll das Gegenüber-Sein untereinander und schließlich auch im Verhältnis zu Gott nicht im Modus schöpferischer Möglichkeit und damit zugleich wirklichkeitsfremd verharren. Das gefahrvolle Ineinander von Gut und Böse in der Schöpfung kann nur der Gott heilsam auf Distanz halten, der die Dinge zum Guten führen will, wo Menschen es böse meinen, wie Gen 50,20 nicht | allein im Rückblick auf die Josephsnovelle, sondern auch auf Gen 2f. (und natürlich 6,5; 8,21) konstatiert. Im Zeichen der Korrektur von Gen 1 stehen auch die in 3,14-24 erzählten Folgen des Falls, die dem Schöpfungssegen von Gen 1 den Fluch beigesellen - wie der Segen von Gott selbst proklamiert.

4. Die Ambivalenz nach dem Fall (Gen 3,14-24)

Es mag auf den ersten Blick unangemessen erscheinen, auch in den Folgen des Falls eine Ambivalenz erkennen zu wollen, da die Flüche in unheilvoller Eindeutigkeit klare Verhältnisse zu schaffen scheinen. Indessen ist zu Recht häufig betont worden, daß die Flüche nicht gleichmäßig alle am Fall beteiligten Geschöpfe treffen. Zu den direkt Betroffenen gehören die Schlange und

---

[18] Seit dem zweiten Jahrhundert v. Chr. ist die Verbindung des Sündenfalls gerade mit der Frau durch Sir 25,24 dokumentiert.

darüber hinaus der Erdboden ($^a d\bar{a}m\bar{a}h$), zu den indirekt Betroffenen Frau und Mann. Diese Differenzierung impliziert nicht, daß Frau und Mann von den Flüchen verschont blieben. Vielmehr sind sie ganz und gar in die konstituierte Fluchsphäre hineingenommen. Aber die unterschiedlichen Auswirkungen der Fluchsphäre sind bedeutungsvoll – nicht zuletzt im Blick auf die durch sie etablierte Schöpfungswirklichkeit.

Bei dem die Schlange treffenden Fluch ist die als demütigend empfundene Fortbewegung auf dem Bauch nur die erste Auswirkung. Die anderen beiden Auswirkungen sind von weitreichenderer Bedeutung: Staub als Nahrung für die Schlange und Feindschaft zwischen Schlange und Frau sowie ihren Nachkommen. Staub ist die Materie der Vergänglichkeit, dem '$\bar{a}d\bar{a}m$ bei der Erschaffung aus der $^a d\bar{a}m\bar{a}h$ eher unauffällig beigemischt, die nun aber, bedingt durch den Fall, aus der Latenz heraustritt und ihre Wirkmacht entfaltet. Die Schlange muß alle Tage ihres Lebens Staub fressen. Im Verweis auf die Lebenszeit soll die Begrenzung des Lebens gehört werden. Am Ende der Tage wird, so darf man vermuten, die Schlange zu dem, was ihr Lebensmittel gewesen ist: zu Staub. Der Fluch macht die Lebensgrenze bei dem Geschöpf wirklich, das aufgrund eines besonderen Gottesverhältnisses vielleicht am geringsten der Bedrohung durch die Vergänglichkeit ausgesetzt war[19], das aber als erstes die Möglichkeit des Gottesverrates | in der Verführung hat wirklich werden lassen und deshalb als erstes die Härte der Vergänglichkeit erleidet.

Schließlich bewirkt die Verführungstat die Wandlung der Rivalität zwischen Schlange und Frau zur Feindschaft. Es gibt – wie durch die Ablehnung der Tiere als adäquates Gegenüber des Menschen in 2,19f. nicht anders zu erwarten – weder eine Harmonie zwischen allen Geschöpfen noch allein die behütende und bewahrende Herrschaft des Menschen über die Tiere unter Gottes Schöpfungssegen (vgl. 1,28). Dieser hat vielmehr im Gottesfluch mit der Folge der Feindschaft zwischen Menschen und bestimmten Tieren sein Gegengewicht. Es ist, wie die weitere Etablierung der Fluchwirklichkeit lehren wird, eine abgründige Feindschaft, weil sie den Tod des anderen Geschöpfes will, obwohl durch die Wirkmacht Staub das Todesgeschick bereits über beide verhängt ist. So ist der Tod nicht mehr nur schärfster Ausdruck der Vergänglichkeit, sondern auch fluchbeladenes Instrument eigenmächtiger Lebensvernichtung.

---

[19] Im Blick auf Gen 3 hat einzig die Schlange im Gilgameschepos, die Gilgamesch das Lebenskraut stiehlt und sich nach dem Genuß durch Häutung verjüngt, eine gewisse Evidenz (XI,266-296, vgl. TUAT III/4, 1994, 737f.), zumal das Problem von Vergänglichkeit und Unsterblichkeit den Kontext bestimmt. Hingegen hat die Konstellation des Adapa-Mythos (vgl. The Context of Scripture I, hg. von W. W. HALLO/K. L. YOUNGER, JR., 1997, 449) für Gen 3 nur geringen Erkenntniswert.

Daß mit der sich in Gen 3,14ff. ausbreitenden Fluchwirklichkeit die Segenswirklichkeit von Gen 1 nicht aufgehoben ist, wird bei den Folgen des Falls für die Frau in 3,16 deutlich. Es ist ganz unwahrscheinlich, daß mit der Reihenfolge von Schlange, Frau und Mann eine Steigerung der verhängten „Strafen" – von denen explizit sowenig gesprochen wird wie von Schuld – beabsichtigt ist. Vielmehr werden die Geschöpfe in der Folge in den Blick genommen, in der sie am Geschehen des Falls beteiligt gewesen sind. Das Wort über die Frau, das kürzeste und ohne direkten Fluch, ist gleichwohl ganz in die Fluchwirklichkeit eingebettet, wie bereits die Todfeindschaft zwischen Schlange und Frau gezeigt hat. Aber bei den speziell über die Frau verhängten Folgen des Falls – Mühsal bei Schwangerschaft und Geburt sowie das Unverhältnis von weiblichem Liebesbegehren und männlicher Herrschaft – wird wohl bewußt nicht von Verfluchung gesprochen, sowenig die unheilvolle Bedeutung des Wortes in Zweifel stehen kann. Indessen ist es in einer patriarchal geprägten Welt offensichtlich undenkbar, die Geburt von Söhnen – bezeichnenderweise werden nur sie erwähnt – in direkte Beziehung zu einem Fluch zu setzen. Dasselbe gilt für die Herrschaft des Mannes. Wo Liebe nicht mehr traumwandlerisch „von meinem Fleisch" „zu einem Fleisch" findet (vgl. 2,23f.), sondern schuldhaft geöffnete Augen Liebe durch libidinöse Verobjektivierung bedrohen (vgl. 3,7), da muß Herrschaft die Libido – und nicht nur sie – begrenzen. Die Rollenverteilung der Libido auf die Frau und die Herrschaft auf den Mann in 3,16 erklärt und legitimiert patriarchale Verhältnisse. Zugleich ist jedoch unübersehbar, daß diese Verhältnisse im Kontext der Fluchsphäre verankert sind, die die Wirklichkeit des Schöpfungssegens von Gen 1 durchdringt und so die Ambivalenz schafft, in der Menschen und alle Kreaturen leben in Lust und Leid. Das Wort über die Frau ist nicht von patriarchalem Imponiergehabe bestimmt. Es enthält in sich die Spannung zwischen Affirmation | der patriarchalen Gemeinschaft und der Irritation an ihrer Selbstverständlichkeit, geboren aus der leidvollen Asymmetrie von Liebe und Herrschaft.

Auch das Wort über den Mann in 3,17-19 ist nicht von ungebrochenem patriarchalem Bewußtsein geprägt. Trifft ihn der Fluch ebensowenig direkt wie die Frau, ist doch eine viel größere Nähe zur Fluchsphäre hergestellt. Die Verfluchung der *ʾ*dāmāh* geschieht nämlich „um deinetwillen" (*baʿbûrœkā*, 3,17b); die *ʾ*dāmāh* erleidet den Fluch anstelle des *ʾādām*, der ihn eigentlich verdient hätte.[20] Die Folgen der Verfluchung der *ʾ*dāmāh* ketten indessen den *ʾādām* unheilvoll an sein Schöpfungselement und verbinden ihn zugleich mit dem Fluch über die Schlange und der Fluchsphäre der Frau. Was für die Frau die Mühsal (*ʿiṣṣābôn*, 3,16a.17b) der Schwangerschaft und Geburt ist, wird für den *ʾādām* die *ʾ*dāmāh* als (Lieferatin der) Lebensmittel sein – „alle Tage deines Lebens" (3,14b.17b). Wie bei der Schlange klingt die Begrenzung des

---

20 Der Kausalsatz in 3,17a läßt wie in 3,14 eine direkte Verfluchung erwarten.

Lebens als Wirkung des Fluches an. Nicht daß der *ʾādām* vor dem Fall unsterblich gewesen wäre. Aber die Sterblichkeit war vor dem Fall integraler Bestandteil der Geschöpflichkeit, nicht, wie nach dem Fall, notvolle Vergänglichkeitserfahrung und drückende Lebenslast. Ging in der alten, vorexilischen Schöpfungserzählung der von der *ᵃdāmāh* genommene *ʾādām* nach Vollendung des Schöpfungsgeschehens im urzeitlichen Garten Eden an sein Werk, nämlich an die Kultivierung der *ᵃdāmāh* (vgl. 2,5-7; 3,23), knüpft die nachexilische Aufweitung der Erzählung in 3,19a an die Formulierung in 3,23 an und kehrt die positiv gestimmte, in Gottes Schöpfertat gründende Kulturätiologie ins Negative. Nun nimmt der Fluch das Genommensein von der Erde, die mühselige Lebensfristung und die Rückkehr zur Erde unter sein Joch. Die jüngste Fortschreibung in 3,19b, die den Staub als Wesen und Ziel des Menschen apostrophiert, sagt dasselbe, schwächt aber eher den Einfluß von Fall und Fluch ab, indem sie auf den Staub, Ingrediens der Vergänglichkeit, als Element bereits des Schöpfungsaktes rekurriert (*ʿāpār* in 2,7). Der Mensch ist eine Mischung aus der fruchtbaren Potenz der *ᵃdāmāh* und dem Vergänglichkeitselement des *ʿāpār*. Was die Fluchsphäre des Mannes an den Tag bringt, ist von Anfang an im Menschen angelegt: die Ambivalenz von schöpferischer Kulturfähigkeit und Vergänglichkeit, die jeden Schritt voran als einen Schritt zurück zum eigenen Ausgangspunkt erweist – und dies alles in der Ambivalenz vom Willen des Schöpfers und eigenwillig verspielter Möglichkeiten. Wo hat eine patriarchale Gemeinschaft ihre Stellung in der verwirklichten Schöpfung je ähnlich gebrochen wahrgenommen?

Der Schluß der Schöpfungserzählung in der Endgestalt (3,20-24) bringt alle Elemente in äußerster Verdichtung und Apostrophierung ihrer Ambivalenz zusammen: Eva, die Frau, die trotz der Begrenzung der Lebenszeit (*kål-yᵉmê ḥayyœkā*, 3,14.17) und der Mühsal von | Schwangerschaft und Geburt „alles Leben" (*kål-ḥay*, 3,20) weitergibt; der fürsorgliche Gott, der es nicht bei den untauglichen, selbstgemachten Schurzen des gefallenen Menschenpaares beläßt (3,7), sondern eigenhändig schützende Kleidung fertigt (3,21); und zugleich der seine Souveränität wahrende, die erwachten Omnipotenzgelüste des Menschen begrenzende Gott, der die Unausdenklichkeit des Gewährenlassens folgerichtig im Anakoluth von 3,22 erwägt und Adam und Eva aus dem Ursprungsort Eden und damit aus dem Ort des Lebensgeheimnisses der Schöpfung verweist (3,23f). Entsandt (3,23) und vertrieben (3,24) geht das notwendig und willentlich erwachte Menschenpaar in die wirkliche Welt hinaus.

Fazit: die Ambivalenz verwirklichter Schöpfung

Gen 2 und 3 gehören als Schöpfungserzählung zusammen. Geht man diesem exegetischen Allerweltssatz auf den Grund, werden abgründige theologische Konsequenzen unausweichlich. Schöpfung und Fall gehören zusammen. Das gilt bereits im Blick auf die literarische Genese der beiden Kapitel. Die große nachexilische Aufweitung durch die Erzählung vom Fall und seinen Folgen ist nicht an die alte Schöpfungserzählung angehängt, sondern mitten in sie hineingestellt worden. Und das gilt folgeweise auch inhaltlich. Der Fall ist Teil der Schöpfung. Die Schöpfung vor dem Fall ist Schöpfung in ihrer Potentialität. Die Schöpfung nach dem Fall ist Schöpfung als erfahrbare Realität. Nicht daß Gott den Fall gewollt hätte. Die Potentialität der Schöpfung hätte andere Aktualisierungen der Schöpfung zugelassen. Was der Schöpfergott aber auf jeden Fall gewollt hat, ist die Verwirklichung seiner Schöpfung durch das Menschenpaar, dem er die Möglichkeit zur Entscheidung einge-stiftet und damit die Verwirklichung notwendig aufgegeben hat.

Aktualisierung der Schöpfung ist mit und gegen den Willen des Schöpfers möglich – beides zugleich. Schöpfung als erfahrbare Realität ist immer das ambivalente Ineinander von göttlich verwirklichter und menschlich verwirk-ter Möglichkeit der Schöpfung. Verwirklichte Schöpfung gibt es nur als ge-fallene Schöpfung – nicht einfach als Herausfallen aus guter Schöpfungsord-nung, sondern als ein bestimmt und verschuldet geschehendes Hineinfallen in die Verwirklichung der Schöpfung, in ihre vom Menschen geschaffene und erlittene ambivalente Wirklichkeit, eine Schöpfungswirklichkeit von und ge-gen Gott.

Betrachtet man Erkenntnis und Bewußtsein als notwendige Charakteristika des Menschen, macht der Fall ihn allererst zum wirklichen Menschen. Der wirkliche Mensch in der verwirklichten Schöpfung partizipiert in herausge-hobener Weise an der Ambivalenz der Wirklichkeit. Er ist Geschöpf zwi-schen Segen und Fluch, zwischen Begabung und | Begrenzung, zwischen Liebe und Herrschaft, zwischen Erkenntnis und Lüge, zwischen Neugier und Angst, zwischen Lust und Leid, zwischen Gebären und Sterben, zwischen kultureller Kreativität und krimineller Energie. Verwirklichte Schöpfung zentriert sich in der Konstitution der Ambivalenzen, die der Mensch als gott-gewollt zur Entscheidung fähiges Wesen in sich hat. Der wirklich gewordene Mensch hat mit seinen Ambivalenzen den Weg zum wahren Menschen noch vor sich. Deshalb könnte die verwirklichte Schöpfung keinen Augenblick ohne den Gott existieren, der die Ambivalenzen durch die Priorität seines Segens (1,22.28; 2,3) zu (er)tragen gewillt ist. Die prima creatio ist auf die liebevolle und barmherzige creatio continua angewiesen.

5. „Die ganze Erde ist seiner Herrlichkeit voll"
Pantheismus im Alten Testament?[1]

1. Das Problem

Das Alte Testament gibt in der Vielzahl und Vielfalt seiner Schriften Zeugnis von der monotheistischen Jahwereligion. Gott und Volk, Jahwe und Israel, haben einander gesucht und gefunden. Zunächst vielleicht gleichzeitig an verschiedenen Orten und beide, Gott und Volk, womöglich auch unter verschiedenen Namen. Aber schließlich sind beide nach längerer Zeit des Kennenlernens wenn auch nicht zur Einheit, so doch zur Einigkeit gelangt: ein Gott, ein Volk, ein Land und, wiederum nach längerer Zeit, ein Heiligtum. „Höre, Israel! Jahwe, unser Gott, Jahwe ist einer allein" (Dtn 6,4). Was sich Israel im Deuteronomium von „Mose" mit allen die Einigkeit wahrenden Konsequenzen einschärfen läßt, bringt bei Deuterojesaja Jahwe selbst immer wieder nachdrücklich in Erinnerung: „Ich bin Jahwe, und keiner sonst; außer mir gibt es keinen Gott" (Jes 45,5 u.ö.).[2]

Dieser, einmal von Vorstufen abgesehen, klare monotheistische Anspruch grenzt, so könnte man vermuten, Gotteserfahrung jenseits des abgesteckten Rahmens im Alten Testament aus. Jahwe wartet nicht auf Israels Bereitschaft zur Gotteserkundung, sondern eilt dem Volk kündend entgegen, in Wort und Tat, durch Retter und Richter, durch Priester und Propheten. Deshalb muß man präzisieren: Haben Jahwe und Israel einander gesucht und gefunden, so zuvörderst dadurch, daß Jahwe Israel gesucht und gefunden hat[3] – und sich | seitdem nicht mehr überall finden lassen will, wo Israel und vielleicht auch der eine oder die andere heute ihn gerne suchen möchten.

Die durch den monotheistischen Anspruch errichtete Grenze erweckt nicht unbedingt und überall Freude. Damals nicht, und heute nicht. Damals, etwa nach der Zerstörung Jerusalems als dem scheinbar offenkundigen Ohnmachtserweis Jahwes, bedauerten es Judäer und Judäerinnen, die

---

[1] In verkürzter Form als Antrittsvorlesung gehalten in Zürich am 29. Januar 1990.

[2] Zum Monotheismus im Alten Orient und im Alten Testament vgl. O. KEEL (Hg.), Monotheismus im Alten Israel und seiner Umwelt (Biblische Beiträge 14), 1980; B. LANG (Hg.), Der einzige Gott, 1981; E. HAAG (Hg.), Gott, der einzige (Quaestiones disputatae 104), 1985.

[3] Zu den Metaphern des Suchens und Findens im theologischen Kontext vgl. W. KRÖTKE, Gott auf der Suche nach dem Menschen. Erwägungen zu einer biblischen Metapher (ZThK 86, 1989, 517-532).

Himmelskönigin nicht beständig verehrt zu haben (vgl. Jer 44,15ff.). Heute stoßen solche und ähnliche Bedenken aus anderen Gründen zuweilen auf Verständnis. Die angeblich patriarchale monotheistische Jahwereligion habe angeblich matriarchale religiöse Erfahrungsdimensionen zunächst perhorresziert und schließlich liquidiert und damit Religion im wahrsten Sinne des Wortes unnatürlich werden lassen.[4]

Dabei lautet heute die Alternative nicht so sehr Monotheismus – Polytheismus, sondern vielmehr Monotheismus – Pantheismus oder Panentheismus. „Jedes Stück dieser Erde ist heilig und wird von meinem Volk geehrt."[5] Nicht selten vermag heute jenes „fünfte Evangelium"[6], die Rede des Häuptlings Seattle, religiös sensible und theologisch bewegte Gemüter eher zu begeistern als derjenige, der der „Heilige Israels" heißt, der sich ein heiliges Volk und ein Heiligtum erwählt hat, der aber nie allgemein die Erde heilig nennt oder nennen läßt. Bezeichnenderweise gibt es selbst für die Rede von Israel als Heiligem Land im hebräischen Alten Testament nur die denkbar schmalste Basis, nämlich einen Beleg (Sach 2,16; vgl. 2Makk 1,7; Weish 12,3).

Man könnte einwenden: dann eben im Alten Testament kein Heiliges Land im besonderen und auch keine heilige Erde im allgemeinen. Aber wenn die ganze Erde seiner Herrlichkeit voll ist, wie der Titel dieser Studie mit den Worten Jesajas lautet, sagen dann nicht andere Worte dennoch dasselbe wie der Häuptling Seattle? Herrlichkeit hin, Heiligkeit her – teilt das Alte Testament hier nicht auf seine Weise das Wissen von Gottes Allgegenwart in der Welt, ja mehr noch: von Gottes Einswerden mit der Welt, sofern seine Herrlichkeit | nichts anderes als vollgültige Präsenzanzeige seiner selbst ist? Und müßte dann die Antwort auf die Frage „Pantheismus im Alten Testament?" nicht lauten: wohl kaum in allen seinen Stimmen, aber in manchen, sehr gewichtigen durchaus? Wer hier über Spekulationen hinauskommen will, muß in den Text hineinhören, der die Überschrift geliefert hat: Jes 6.

---

[4] Vgl. z. B. G. WEILER, Das Matriarchat im Alten Testament, 1989; als kritische Stimmen aus unterschiedlichen Perspektiven seien genannt: S. HEINE, Wiederbelebung der Göttinnen? Zur systematischen Kritik einer feministischen Theologie, 1987; E. S. GERSTENBERGER, Jahwe – ein patriarchaler Gott? Traditionelles Gottesbild und feministische Theologie, 1988; F. STOLZ, Feministische Religiosität – Feministische Theologie. Religionswissenschaftliche Perspektiven (ZThK 86, 1989, 477-516), 484ff.

[5] Die Wunden der Freiheit. Selbstzeugnisse, Kommentare und Dokumente aus dem Kampf der Indianer gegen die weiße Eroberung..., 1976², 144.

[6] Jedenfalls „so eine Art ‚fünftes Evangelium'" (P. MUSALL [Hg.], Gottes Schöpfung – uns anvertraut, 1986, 5); kritisch in dieser Hinsicht P. R. GERBER, Der Indianer – ein homo oekologicus? (in: F. STOLZ [Hg.], Religiöse Wahrnehmung der Welt, 1988, 221-244; zur Problematik der „Seattle-Rede" vgl. 225ff.).

2. Jesaja 6: Herrlichkeit zwischen Enthüllung und Verhüllung

(1) Im Todesjahr des Königs Usija sah ich den Herrn auf einem hohen und erhabenen Thron sitzen. Der Saum seines Gewandes füllte den Tempel. (2) Seraphen standen über ihm. Ein jeder hatte sechs Flügel. Mit zweien bedeckte er sein Gesicht, mit zweien bedeckte er seine Füße, und mit zweien flog er. (3) Einer rief dem anderen zu und sprach: „Heilig, heilig, heilig ist Jahwe Zebaoth. Die Fülle der ganzen Erde ist seine Herrlichkeit!" (4) Die Türschwellen bebten vor der lauten Stimme, während der Tempel mit Rauch gefüllt war. (5) Und ich sprach: „Weh mir, ich bin verloren! Denn ich bin ein Mensch mit unreinen Lippen und wohne inmitten eines Volkes mit unreinen Lippen. Denn meine Augen haben den König Jahwe Zebaoth gesehen" (Jes 6,1-5).

Die Beauftragungsvision Jesajas[7] läßt durch das klare Votum zu Beginn und am Schluß des Textes an der prophetischen Schau des Gottkönigs scheinbar keinen Zweifel. Den präzisen Rahmensätzen stehen jedoch im mittleren Teil des Berichtes Aussagen gegenüber, die die Frage aufdrängen, was tatsächlich Inhalt der Vision Jesajas gewesen sei. Der Tempel, gefüllt mit Gewandsaum (V. 1b) und zudem in theophanen Rauch gehüllt (V. 4b), die Seraphen, mit zwei Flügeln ihr Gesicht bedeckend (V. 1b), deutet dies alles nicht darauf hin, daß hier gegen das Zeugnis der Rahmensätze Vision eher verhindert als ermöglicht werden soll? Muß man nicht sogar sagen, daß das, was den Seraphen offenbar nicht gebührt – nämlich Gott zu schauen –, einem Menschen schon gar nicht zukommt, und sei er auch Prophet?

Diese Fragen haben Gewicht, aber natürlich ebenso die klare Aussage, Jesaja habe den König Jahwe Zebaoth gesehen. Eine tragfähige Erklärung wird diese inhaltliche Spannung nicht nur berücksichtigen, sondern geradezu in den Mittelpunkt stellen müssen. D. h.: Sie wird die Spannung als beabsichtigt im Dienste einer zentralen theologischen Aussage zu begreifen haben. |

Unter dieser Voraussetzung gewinnt die Vision in ihrer vordergründigen Unschärfe theologische Tiefenschärfe. Sie besagt: Da, wo Gott sich *enthüllt* – nicht vor aller Welt, sondern vor einem Propheten –, tut er es nur, indem er sich zugleich *verhüllt*: in theophanem Rauch, in der Füllung des Tempels mit seinem Gewandsaum, in der Reaktion der Seraphen und schließlich in der Reaktion des Propheten selbst, der sich durch die Gottesschau nicht über alles Irdische hinaus in himmlische Höhen emporgehoben fühlt, sondern sich gera-

---

[7] Vgl. R. KNIERIM, The Vocation of Isaiah (VT 18, 1968, 47-68), und O. H. STECK, Bemerkungen zu Jesaja 6 (1972; in: DERS., Wahrnehmungen Gottes im Alten Testament [TB 70], 1982, 149-170). Die Darstellung der neueren Forschungsdebatte kann in diesem Zusammenhang unterbleiben, vgl. O. KAISER, Das Buch des Propheten Jesaja. Kapitel 1-12 (ATD 17), 1981[5], 120ff.

de durch die Gottesschau in der Tiefe individueller und kollektiver Schuld verstrickt sieht.[8]

Darin liegt noch einmal eine Steigerung gegenüber der Reaktion der Seraphen, die lediglich Israels normalen religiösen Bewußtseinsstand teilen, nach welchem jeder, der Gott schaue, sterben müsse (vgl. Gen 32,31; Ex 33,20; Ri 6,22f. u.ö.). Die bei Jesaja in der Reinheit der Gottesschau eröffnete Erkenntnis der eigenen Unreinheit und Verlorenheit enthält das theologisch vernichtendere Urteil. Jesaja darf nicht die im Augenblick größter Gottesnähe eröffnete Erkenntnis der unüberbrückbaren Gottesferne mit in den Tod nehmen, sondern muß damit leben: muß leben an seinem Ort (vgl. *yšb* in V. 5) als Entsühnter unter Schuldigen, von Gottes Ort (vgl. *yšb* in V. 1) unerreichbar entfernt, welcher eben nicht im Tempel ist. Dieser faßt mit Jahwes Gewandsaum allenfalls eine göttliche „Randerscheinung". Bezeichnenderweise wird nirgendwo gesagt, daß Jesaja seine Vision im Tempel gehabt habe. Ist dies gleichwohl vorauszusetzen, wird der Tempel bewußt nicht als Erscheinungsort apostrophiert, weil der Text nicht auf diesen Topos, sondern auf die „Utopie" der Gottesnähe hinauswill.

Mitten in der Gottes Distanz wahrenden Vision hört Jesaja ein Wort, das gar nicht recht zu dem abweisenden Ton des Kontextes passen will. Die Seraphen rufen einander verhüllten Hauptes zu: „Heilig, heilig, heilig ist Jahwe Zebaoth. Die ganze Erde ist seiner Herrlichkeit voll" (Jes 6,3). Wörtlicher: „Die Fülle der ganzen Erde ist seine Herrlichkeit."

Die Seraphen, die mit dem Trishagion den Gottkönig Jahwe Zebaoth rühmen, beziehen in das Gotteslob die ganze Erde ein, nicht etwa so, daß sie im Lichte der Heiligkeit Jahwes auch die Erde heiligsprächen, aber auch nicht so – was angesichts der Vision naheläge –, daß sie im Lichte der Heiligkeit Jahwes die heillose Distanz der Welt zu Gott proklamierten. Ist auch Heilig|keit für die Welt als ganze keine mögliche Korrelation zu Gott, so doch Herrlichkeit, und diese sogleich in einer theologisch ganz zentralen Funktion. War die Gottesschau geprägt von dem Bemühen, alles im Himmel und auf Erden zur heiligen Souveränität Jahwes auf Distanz zu halten, so ist dieser heilige Gott selbst nach der Proklamation der Seraphen tief in die Welt eingegangen. So tief, daß er jedem, der hören und sehen will, in seiner der

---

[8] „Es ist Schau des Unschaubaren... in jener unnahbaren Höhe ist Gott, der Heilige, in seiner Absolutheit Ruhende, von aller Welt Getrennte, ein so verzehrender Glanz, der auch für Feuerwesen unzugänglich bleibt, daß sie sich davor verhüllen, und doch ihre gegenseitige Mitteilung in nichts anderem bestehen kann als in der unaufhörlichen Aussage des Unsagbaren" (H. U. v. BALTHASAR, Herrlichkeit. Eine theologische Ästhetik, Bd. III, 2,1, 1967, 228).

Welt eingestifteten Herrlichkeit, die ihre Fülle ausmacht, d. h. die Welt erst zur Welt macht, zugänglich ist.[9]

Jahwe Zebaoth ist nach dem Zeugnis von Jes 6,3 ganz in der Welt da, ist Gott in Welt und macht Welt zum Ort der Gottesherrlichkeit, welche für Gott selbst steht. Wenn überhaupt irgend etwas, ist dann nicht dies Pantheismus?

Angesichts der unbestreitbaren Identifikation von weltlicher Fülle und göttlicher Herrlichkeit erscheint es nicht ratsam, dies mit ängstlich beschwörenden Gesten abzuweisen und das Überraschende schnell ins alttestamentlich Gewohnte einzuebnen. Ja, mehr noch: Es kann nicht übersehen werden, daß die Seraphen das Trishagion und die Proklamation der göttlichen Herrlichkeitsfülle der Welt nicht für Jesajas Vision komponiert haben. Vielmehr stimmen sie dieses unerwartete Gotteslob trotz des widerständigen, auf Distanznahme Gottes zur Welt zielenden Charakters der Vision an, weil es eben seit eh und je zur Tradition und Theologie des Ortes gehörte, der in Jesajas Vision nur im Hintergrund sichtbar wird: der Jerusalemer Tempel. Zu ihm wird man sich durch die entsprechenden Texte führen lassen müssen, soll Gottes Herrlichkeit in der Welt deutlichere Gestalt annehmen.

3. Psalm 24: der König der Herrlichkeit

Hebt, Tore, eure Häupter,
erhebt euch, ihr ewigen Pforten,
daß der König der Ehren einziehe![10]

Wer sich auf den Weg in den Jerusalemer Tempel macht, befindet sich in bester Begleitung. Nach der gerade zitierten Stelle Ps 24, 7(-10) ist es der *mlk hkbwd* „Ehrenkönig, König der Herrlichkeit", selbst, der zu seinem Hei|ligtum unterwegs ist. Hatte dieser Gottkönig nach Jes 6 in den Seraphen einen himmlischen Hofstaat, der das Gotteslob anstimmte, so stehen an ihrer

---

[9] Auf diesem Hintergrund erhält der Verstockungsauftrag unerbittliche Schärfe: „Hört, ja hört, aber versteht nicht! Seht, ja seht, aber erkennt nicht!" (Jes 6,9b). Im Duktus der Beauftragungsszene heißt das: Die Betroffenen werden auf Jahwes Entschluß hin sehend blind und hörend taub für die offenkundige göttliche Herrlichkeitsfülle der Welt.

[10] Vgl. zum Folgenden H. SPIECKERMANN, Heilsgegenwart. Eine Theologie der Psalmen (FRLANT 148), 1989, v.a. 196ff. (Literatur), und O. LORETZ, Ugarit-Texte und Thronbesteigungspsalmen. Die Metamorphose des Regenspenders Baal-Jahwe (UBL 7), 1988 (tatsächlich 1989), 249ff. (Literatur). Nach LORETZ „rettete ein Schreiber und Kenner der Literatur" Ps 24,7-10 in nachexilischer Zeit „aus dem alten Tempelkult durch Anfügung an einen verwandten Text (V. 3-6), dem Eigentumsdeklaration und Schöpfungsaussage vorangestellt sind". Die Position von V. 7-10 ist ein „zufälliger Ort der Bewahrung" (268f.). Demgegenüber der Versuch einer theologischen Wahrnehmung des ganzen Psalms bei SPIECKERMANN.

Stelle in Ps 24 ungenannte Sprecher, die die *ptḥj ῾wlm*, die „Pforten der Ewigkeit", zu einem respektvollen Aufmerksamkeitsgestus auffordern. Wer den
„Pforten der Ewigkeit" etwas gebieten darf, den Tempeltoren also, denen
Gott an seiner eigentlich nur ihn auszeichnenden Eigenschaft der Ewigkeit
Teilhabe schenkt, der ist von der Stellung der Seraphen nicht weit entfernt,
wenn es sich nicht ohnehin um denselben Kreis guter dienstbarer Geister aus
der Gottesnähe unter welchem Namen auch immer handelt.[11] Immerhin gip-
felt die hymnische Namenskundgabe Gottes durch die namenlosen Eminen-
zen in Ps 24 in der Bezeichnung Jahwe Zebaoth, mithin dem Namen, dem die
Seraphen in Jes 6 das Trishagion zurufen.

Die Verwandtschaft von Jes 6 und Ps 24 in den inhaltlichen Grundvor-
stellungen zeigt sich jedoch nicht nur an diesem einen Punkt. Jahwe Zebaoth
zieht nach Ausweis des Psalms als *mlk hkbwd*, als „Herrlichkeitskönig", in
den Tempel ein. Diese Bezeichnung bringt Jahwe gleichsam aus der Welt in
den Tempel mit. Hat Gott sich diesen Titel in der Welt erworben, so daß er
ihn nun bei seiner Heimkehr in den Tempel als ruhmreiche Auszeichnung
mitbrächte? Dies wohl kaum. Versucht man das theologische Fundament zu
erkennen, auf dem die konkrete Textgestalt des Psalms mit ihrer partiellen
Realisierung des theologischen Ganzen ruht, so wird man sagen müssen, daß
Gott bereits als Herrlichkeitskönig vom Tempel aus in die Welt gegangen ist,
um die Welt an seiner Herrlichkeit teilhaben zu lassen, gleichwie die Tempeltore an seiner Eigenschaft der Ewigkeit partizipieren. Der König der Herrlichkeit ist schenkender Gott. Ein eigentümlich schenkender Gott, ein Gott,
der gibt, indem er zugleich nimmt, in Besitz nimmt:

Jahwes ist die Welt und ihre Fülle,
der Erdkreis und seine Bewohner.

Der der Welt seine Herrlichkeit schenkende Gott dokumentiert mit seinem
Geschenk sein bleibendes Eigentumsrecht: am Geschenk selbst und an den
Be|schenkten. Wer den gerade zitierten Eingangsvers von Ps 24 in seiner
theologischen Komplexität verstehen will, muß in dem Eigentumsanspruch
Jahwes auf die Welt und ihre Fülle Jes 6,3 mithören, wonach die Fülle der
Welt nicht dieses und jenes ausmacht, was es auf der Welt gibt, sondern das,
was Jahwe der Welt gibt - als Anteilgabe an seinem innersten Wesen: seine
Herrlichkeit. „Die ganze Erde ist seiner Herrlichkeit voll" (Jes 6,3).

Es hat seinen guten Sinn, daß Ps 24 bei der Konkretisierung der Fülle der
Welt die Menschen nennt: „Jahwes ist ... der Erdkreis und seine Bewohner."
Die Menschen als Teil der Welt gelten in Texten, die in den Umkreis von Ps

---

[11] Zu den notwendigen ikonographischen Unterscheidungen vgl. O. KEEL, Jahwe-
Visionen und Siegelkunst. Eine neue Deutung der Majestätsschilderungen in Jes 6, Ez 1 und
10 und Sach 4 (SBS 84/85), 1977, 70ff.

24 gehören, zu den von Gott bevorzugt Beschenkten. Sie sind es, denen er wenig von sich selbst vorenthielt, denen er vielmehr durch Krönung mit Herrlichkeit (*kbwd*) und Hoheit (*hdr*) größte Nähe gewährte (vgl. Ps 8,6; 104,23f.).[12]

Adel jedoch verpflichtet, auch in der Theologie. Die reichlich vom Herrlichkeitskönig Beschenkten sind zugleich diejenigen, die er besonders nachdrücklich als sein Eigentum bestimmt und deshalb ebenso nachdrücklich mit seinem Anspruch konfrontiert.

Das kommt im mittleren Teil von Ps 24 klar zum Vorschein, der dem Verhältnis von Gott und Mensch gewidmet ist. Zugleich in Nähe und Distanz zur Beauftragungsvision Jesajas steht als leitender Gedanke die Vorstellung von Jahwes Heiligkeit im Hintergrund. Den herrlichkeitsbegabten Menschen zieht es zum Herrlichkeitskönig hin, das Eigentum zu seinem Eigentümer. Und der Mensch weiß, wohin er sich wenden muß: zu Jahwes (Tempel-)Berg, zum Ort seiner Heiligkeit (*mqwm qdšw*, 24,3). Anders als in Jes 6,3, wo die Heiligkeitsprädikation gerade den Unterschied zur göttlich durchwalteten Welt zu markieren schien, gehört in Ps 24,3 auch die Heiligkeit zu den Gotteseigenschaften, an denen er Anteil schenkt: nicht dem Menschen, aber seinem Wohnsitz – ähnlich wie den Tempeltoren an der Ewigkeit. In Ps 24 schenkt Jahwe (von) sich noch viel freigiebiger als in Jes 6.

Indessen hängt im Blick auf den Menschen auch in Ps 24 – und darin Jes 6 ähnlich – die Wahrnehmung der Distanz Gottes mit der Vorstellung der Heiligkeit zusammen. Auf den Berg, der Jahwes Wohnsitz ist und den er an seiner Heiligkeit teilhaben läßt, darf nur der, der in seinem Handeln („unschuldige Hände"), Denken („reines Herz") und Reden („der nicht falsch geschworen | hat") sich so verhalten hat, daß die Heiligkeitssphäre des Tempelberges und damit die Heiligkeit Jahwes selbst nicht tangiert wird (vgl. 24,3f.*).

Dieser Weg des Menschen zu Gott, der Weg gleichsam aus der Herrlichkeitsfülle der Welt (zu der der Mensch selbst gehört) zur Heiligkeit Jahwes auf dem Tempelberg, ist in der Sicht von Ps 24 – und dies wiederum im Unterschied zur späteren prophetischen Rezeption in Jes 6 – menschenmöglich. Ja, der Mensch darf sich sogar auf seinem Weg zum Tempel(berg) von dem Gott begleitet wissen, der als Herrlichkeitskönig, aus der Welt als seinem Eigentum kommend, ebenfalls in sein Heiligtum will, um sich dort preisen zu lassen (vgl. Ps 24,7-10) und zugleich selbst noch einmal (und immer wieder)

---

[12] CH. GESTRICH spricht im Blick auf den Menschen „vom Wunder und von der Schönheit der Existenz des notvollsten Geschöpfes im Kosmos" (Die Wiederkehr des Glanzes in der Welt. Die christliche Lehre von der Sünde und ihrer Vergebung in gegenwärtiger Verantwortung, 1989, 28). Die Nähe dieser Sichtweise zu Ps 8 ist unverkennbar. Der Alttestamentler fühlt sich bei diesem systematischen Werk wie selten zum Dialog ermuntert.

zu schenken: Segen und Gerechtigkeit Gottes (vgl. V. 5), beides Gaben, ohne die selbst der herrlichkeitsbegabte Mensch heillos bliebe. Der in seinem Tempel noch einmal wieder großzügig schenkende Gott macht den Menschen nicht heilig, aber heil, erweist sich als „Gott seines Heils" (*ʾlhj yšʿw*, vgl. V. 5).

Ist die Theologie, die Ps 24 zugrunde liegt, als pantheistisch zu bezeichnen? Durchaus, wenn man darunter versteht, daß Gott in unterschiedlicher Weise, aber immer substantiell und konstituierend der Welt, dem Menschen, dem Tempel je nachdem durch seine Herrlichkeit, Heiligkeit und Ewigkeit Anteil an sich selbst gibt. Davon wissen auch andere Psalmen aus dem Umkreis des (Jerusalemer) Tempels zu reden, welcher in Ps 93,5 wegen seiner Gottestransparenz „heilig-schön" genannt wird.[13] Ps 29 fängt mit dem reich facettierten Herrlichkeitslob für Jahwe durch die Göttersöhne, die hier die Stellung der Seraphen einnehmen, an (vgl. V. 1f.) und endet mit der Herrlichkeitsakklamation für den in seinem Tempelpalast ewig thronenden Gottkönig durch „die Seinen alle" (vgl. V. 9b.10), durch sein Eigentum, welches auch und gerade die Menschen sind. Weder die einen noch die anderen wüßten das Lob der Herrlichkeit Jahwes anzustimmen, wenn sie nicht alle selbst zu seinen Herrlichkeitsbegabten gehörten.

Nach Ps 19,2 ist der Himmel imstande, von Gottes Herrlichkeit (*kbwd ʾl*) zu künden, und in Ps 89,6 wird derselbe Himmel aufgefordert, Jahwes Wunder und Treue (*plʾ* und *ʾmwnh*) „in ecclesia sanctorum" (Vulgata iuxta LXX et Hebr.) zu preisen, welche keine anderen als die bereits aus Ps 29,1 bekannten Göttersöhne sind (vgl. Ps 89,7f.). Der Himmel vermag diese Aufgabe zu übernehmen, weil er wie die Erde mit ihrer (Herrlichkeits-)Fülle Gottes Eigentum (geworden) ist, wie Ps 89,12 in modifizierender Adaption von Ps 24,1f. sagt. Nennt Ps 89 auch nicht (mehr) die Herrlichkeit als Medium von Gottes Anteil|gabe, so doch Gerechtigkeit und Recht, sogleich interpretiert als *ḥsd wʾmt* „Gnade und Treue", Wesenheiten (aus) seiner Nähe (vgl. V. 15), die er nicht bei sich behalten will, sondern in dieser und ähnlicher Gestalt, Leben und Loben ermöglichend, weitergibt. In der terminologischen Modifikation weist Ps 89 allerdings schon auf eine spätere Entwicklung hin, deren Voraussetzungen noch untersucht werden müssen.

Als pantheistisch wäre die skizzierte Theologie durchaus *nicht* zu bezeichnen, wollte man darunter eine Selbstentäußerung Gottes in die Welt im Sinne einer Selbstauflösung verstehen, bei der alles göttlich wird und deshalb Gott nicht mehr Gott bleibt. Den Theologen der göttlichen Herrlichkeitsfülle in der Welt ist diese Gefahr offensichtlich bewußt gewesen, weshalb sie in dieser Hinsicht mißverständliche Formulierungen vermieden haben. In Ps 24 wird

---

[13] Vgl. SPIECKERMANN (s. Anm. 10), 180ff.; B. JANOWSKI, Das Königtum Gottes in den Psalmen (ZThK 86, 1989, 389-454), v.a. 398ff., LORETZ (s. Anm. 10), 274ff., der bei der herkömmlichen Übersetzung bleibt („Deinem Hause kommt Heiligkeit zu").

nicht gesagt, daß der Herrlichkeitskönig in der Herrlichkeitsfülle der Welt präsent sei, was im Vorstellungsrahmen des Psalms durchaus denkbar gewesen wäre. Um gefährliche Identifikationen auszuschließen, prädiziert der Psalmdichter Jahwe im Blick auf die Welt und ihre Fülle allein als Eigentümer und Schöpfer, im Bewußtsein darum, daß der Herrlichkeitskönig mit der Fülle der Welt zwar in mittelbarem Zusammenhang steht, er aber nicht Teil, sondern Herr und Stifter dieser Beziehung ist. Und bei aller Apostrophierung des Herrlichkeitskönigs hat Ps 24 seinen Höhepunkt nicht in der Nennung dieses Gottesnamens, sondern im Namen Jahwe Zebaoth (vgl. V. 10)[14], den in Jes 6,3 das schützende, jede Identifikation ausschließende Trishagion umgibt, ehe die göttliche Herrlichkeitsfülle der Welt gepriesen wird.

So ist in der Anteilgabe Gottes an seiner Herrlichkeit gerade in einigen Psalmen ein Theologumenon präsent, das sich klar von anderen und in der Regel dominanteren theologischen Konturen im Alten Testament abhebt und im Unterschied zu ihnen eine Affinität zu pantheistischen Vorstellungen hat. Israel hat diese Vorstellungen nicht selbst erdacht, sondern von den Kanaanäern übernommen, an deren Tempeln und in deren Theologie Israel im Kulturland heimisch geworden ist. Mit dieser kanaanäischen Herkunft hängt es zusammen, daß der Vorstellung von der Herrlichkeitsfülle eine tiefe theologische Krise nicht erspart geblieben ist. |

4. Psalm 33 und 89: Gottes Gerechtigkeit und Gnadenfülle

(1) Jubelt, ihr Gerechten, Jahwe zu!
   Den Redlichen ziemt Lobgesang.

   . . .

(4) Denn redlich ist Jahwes Wort,
   all sein Werk ist wahr.

(5) Der Gerechtigkeit und Recht liebt –
   von Jahwes Gnade (ḥsd) ist die Erde voll.

(6) Durch Jahwes Wort wurde der Himmel gemacht,
   durch den Hauch seines Mundes sein ganzes Heer.

(7) Der wie einen Damm die Wasser des Meeres versammelt,
   der Fluten in Kammern legt.

---

[14] Zu Jahwe Zebaoth vgl. T. N. D. METTINGER, In Search of God. The Meaning and Message of the Everlasting Names, 1988, 123ff.

Könnten in Ps 29 Göttersöhne und „die Seinen alle" Jahwe nicht den *kbwd*, „die Ehre, Herrlichkeit", geben, wenn sie damit nicht zuvor von ihm beschenkt worden wären, so blieben in dem gerade zitierten Ps 33 die Gerechten und Redlichen Gott gegenüber stumm, hätte sie nicht zuvor der in seinem Wort Redliche und die Gerechtigkeit Liebende zu Redlichen und Gerechten und deshalb zu Gott Lobenden gemacht. Der aus der Herrlichkeitstheologie bekannte schenkende Gott gibt also auch hier. Aber die Geschenke und die Beschenkten sind andere geworden. Vielleicht auch der Schenkende selbst?

Jedenfalls kommt bei der Begabung die Herrlichkeit (*kbwd*) überhaupt nicht mehr vor. Steht Ps 33 bereits darin dem aufschlußreichen Ps 89 nahe, so tritt die Verwandtschaft der Texte (bei aller offenkundigen Unterschiedlichkeit) noch deutlicher dadurch hervor, daß dieselben Theologumena in je eigener Gewichtung den leeren Platz der Herrlichkeit eingenommen haben: Gottes Wahrheit (*'mwnh*), seine Gerechtigkeit (*ṣdq/ṣdqh*), seine Gnade (*ḥsd*) und sein Handeln als Schöpfer. Hätte Gottes Herrlichkeitspräsenz auf Erden nicht ebenfalls gut in dieses Ensemble gepaßt, zumal doch die Aussage von der Fülle der Erde/des Erdkreises beiden Psalmen vertraut (geblieben) ist (vgl. 33,5; 89,12)? Wieso fehlt die Herrlichkeit?

Für Ps 89 läßt sich die Frage beantworten und daraus eine plausible Folgerung für Ps 33 herleiten. Ps 89 ist in der dürftigen Zeit des Exils und nicht aus der reichen Erfahrung göttlicher Herrlichkeitsfülle auf Erden geschrieben worden.[15] Darüber hinaus war diese Herrlichkeit in ihrer pantheistischen Ten|denz zunehmend polytheistisch mißbraucht worden, so daß sie der exilischen Generalabrechnung mit den Werken und Werten des theologischen Ancien régime zum Opfer gefallen war.

Diese Abrechnung hat der Verfasser von Ps 89 bereits vor Augen und im Kopf, zugleich jedoch den Wunsch auf dem Herzen, die offenen Wunden der (teilweise) lokal und (allesamt) geistlich exilierten Judäer mit alt-neuen theologischen Mitteln zu heilen. Dazu taugt der nachhaltig diskreditierte Gedanke von Gottes Herrlichkeit auf Erden nicht, wohl aber ein Vorstellungskreis aus seiner Nähe. Hatten sich bereits die exilischen Hermeneuten des Gerichts, die Deuteronomisten, auf ihre Art um den Nachweis der Gerechtigkeit Gottes –

---

[15] Zu Ps 89 vgl. T. VEIJOLA, Verheißung in der Krise. Studien zur Literatur und Theologie der Exilszeit anhand des 89. Psalms (AASF B 220), 1982, wobei im Blick auf die Rezeption von Tradition und den Stellenwert deuteronomistischer Theologie einige Umakzentuierungen als erwägenswert erscheinen. In mancher Hinsicht ähnlich G. RAVASI, Il libro dei Salmi, Bd. II (51-100) (Lettura pastorale della Bibbia 14), 1988⁴, 821ff, der die Endfassung des Psalms in die exilisch-nachexilische Zeit datiert und ebenfalls als erste Stufe in V. 6-19 einen Hymnus erkennt, „pre-esilico senza possibilità di dubbio" (831). Ist dies keineswegs so unzweifelhaft, so doch die späte Datierung der Endfassung, welche in diesem Zusammenhang allein von Interesse ist.

allerdings der gerecht strafenden – bemüht[16], so nimmt der Psalmdichter den Gedanken auf und rühmt nun auf seine Art Gottes Gerechtigkeit und Recht, nämlich als Stützen seines Throns (vgl. V. 15a). Das ist jedoch die theologische Redeweise des Ancien régime (vgl. 97,2)[17], nun aber in einseitiger und im Blick auf die Deuteronomisten entgegengesetzter Deutung: Gottes Gerechtigkeit als Gnade (ḥsd) und Treue (ʾmt, vgl. 89,15b), natürlich zu niemand anderem als seinem gestraften Volk.

Anstelle von Gottes Herrlichkeitspräsenz auf Erden seine Gerechtigkeit im Sinne seiner Gnade(ntaten) (ḥsd und ḥsdym) und seiner Wahrheit (= Verläßlichkeit, Beständigkeit, ʾmwnh, vgl. V. 1, aber auch V. 2f.6.9.25.34) wieder glaubwürdig und lobenswert zu machen, ist die Absicht des Dichters von Ps 89. Aber er scheitert daran, denn der Hymnus gerät zur bitteren Klage: „Wo sind deine Gnadentaten von ehedem, Herr, die du David bei deiner Wahrheit (ʾmwnh) zugeschworen hast?" (V. 50). „Du aber hast verstoßen, hast verworfen, bist im Zorn entbrannt gegen deinen Gesalbten" (V. 39, vgl. V. 40ff.), welcher das Gottesvolk selbst ist (vgl. V. 51f.).[18]

Wahrscheinlich ist dieses Scheitern am Gotteslob theologisch kalkuliert. Die Diskrepanz zwischen Wollen und Vollbringen soll Jahwe zum Handeln bewegen. Wo die Gnadentaten von ehedem unkenntlich (vgl. V. 50) und in der Gegenwart nicht die Herrlichkeitsfülle, wohl aber der Hohn (t. emend.) der Völker und die Gotteslästerung der Feinde erfahrbar sind (vgl. V. 51f.), da steht | der Vorsatz zum ewigen Lob der Gnadentaten (vgl. V. 2) auf unsicheren Füßen, da ist der schenkende Gott dringlich nach erneuter Zuwendung gefragt.

So sehr dies vom Ausgang von Ps 89 her zu betonen ist, so sehr von seinem Anfang her aber auch das andere: Wo Gott mit alt-neuen Worten in seiner universalen Schöpfungsfülle (V. 10-14) – nun allerdings ohne jeden pantheistischen Anklang – und in seiner Gerechtigkeitsfülle als Gnade und Treue wieder gepriesen werden kann (V. 15) und wo das Volk seliggepriesen wird, das sich aufs Gotteslob versteht, weil es sich in der Gerechtigkeit und im Schutz dieses Gottes geborgen weiß (V. 15-19), ja an sich selbst sogar wieder den Abglanz Gottes wahrnehmen kann (vgl. V. 18a, tpʾrt, nicht kbwd, auch dies ohne jeden pantheistischen Klang), da ist wieder der Weg zum Gotteslob aus der Ahnung der Gottesfülle heraus eröffnet, selbst wenn er für die Pioniere dieses Gotteslobes noch einmal an der Klagemauer endet.

---

[16] Vgl. L. PERLITT, Anklage und Freispruch Gottes. Theologische Motive in der Zeit des Exils (ZThK 69, 1972, 290-303), 298ff.

[17] Vgl. H. H. SCHMID, Gerechtigkeit als Weltordnung. Hintergrund und Geschichte des alttestamentlichen Gerechtigkeitsbegriffes (BHTh 40), 1968, 78ff.

[18] Vgl. VEIJOLA (s. Anm. 15), 113ff. 133ff.

Auf dem in Ps 89 eröffneten Weg hat der Dichter von Ps 33 weitergehen können.[19] Seine Aufforderung zum Gotteslob, das nicht mehr in der Klage, sondern in der Bitte endet (vgl. V. 22), begründet er sogleich mit dem, was für ihn und seine Adressaten feststeht: daß Jahwes Wort und Werk redlich und wahr (= verläßlich) sind (vgl. V. 4). Diese Überzeugung ist von vergangener und wieder neuer, gegenwärtiger Erfahrung getragen, wobei letztere – dominierend vorangestellt – geprägt ist von Gottes Gerechtigkeitsliebe, manifest nicht – noch nicht wieder – in der Herrlichkeitsfülle, wohl aber in der göttlichen Gnadenfülle der Erde: „Der Gerechtigkeit und Recht liebt – von Jahwes Gnade ist die Erde voll" (V. 5).

Die Brüchigkeit der Syntax läßt noch die theologische Anstrengung ahnen, die hinter diesem Satz steht. War in Ps 89 die Fülle der Erde kommentarlos auf Gottes Schöpferhandeln zurückgeführt (vgl. V. 12) und dann ohne inhaltliche Verbindung damit Gottes Gerechtigkeit als Gnade und Treue gedeutet worden (vgl. V. 15), so ist beides in Ps 33,5-7 theologisch vermittelt und sachlich gewichtet worden: Gottes Gerechtigkeit als göttliche Gnadenfülle der Erde, erkennbar und erfahrbar im generisch einheitlich verstandenen urgeschichtlichen und heilsgeschichtlichen Schöpfungs- und Rettungshandeln – von Anbeginn an und immer wieder bis heute (beachte die Partizipien in V. 5 und 7).

Dabei wird jeder pantheistische Anklang vermieden. Die identifizierende Herrlichkeitsprädikation im Nominalsatz von Jes 6,3 („Die Fülle der Erde *ist* seine Herrlichkeit") ist in der Gnadenprädikation von Ps 33,5 verbal-stativisch ohne identifizierenden Unterton modifiziert worden („Die Erde ist voll *von* | Jahwes Gnade"). Und die Gnade erweist sich nicht in Herrlichkeitspräsenz, sondern in Gottes Gerechtigkeitsliebe und Gottes kreativem, gebieterischem Wort (vgl. V. 5-7). Sie ist ferner keine habituelle gratia infusa, sondern kontingent-aktueller Zuspruch durch Gottes verläßliches Wort und Werk (vgl. V. 4)[20] und deshalb immer zugleich Hoffnungsgut:

(18) Siehe, Jahwes Auge (ruht) auf denen, die ihn fürchten,
       die auf seine Gnade hoffen.

Und in Übereinstimmung damit in der abschließenden Bitte:

---

[19] Für die nachexilische Datierung vgl. stellvertretend aus der älteren und jüngeren Kommentierung F. BUHL, Psalmerne, 1918[2], 220, und G. RAVASI, Il libro dei Salmi, Bd. I (1-50) (Lettura pastorale della Bibbia 12), 1988[4], 596f.

[20] Wohl kaum adäquat C. WESTERMANNS Deutung (Ausgewählte Psalmen, 1984, 151): „Gottes Wirken (die Geschichtsbücher) und Gottes Worte (sic, H. S.) (Propheten und Gesetz) machen miteinander das aus, was Gott für die Welt, sein Volk, für den einzelnen Menschen bedeutet..."

(22) Deine Gnade, Jahwe, sei über uns,
       gleichwie wir auf dich hoffen!

Der scheinbare Widerspruch dieser Aussagen zur Prädizierung der göttlichen Gnadenfülle auf Erden ist absichtsvoll. Darin findet die Spannung zwischen dem Schon und Noch nicht der gnädigen Zuwendung Gottes ihren Ausdruck, welche nur immer wieder neu von Gott zugesprochen und von den Menschen erbeten werden kann. Der Dichter von Ps 33 weiß und hält in der Disposition seines Hymnus fest, daß Leben in Gottes Gnadenfülle auf Erden zugleich immer dialektisch spannungsvoll Leben im Warten, Leben auf Hoffnung hin ist, d. h. Warten und Hoffen auf den gnädigen Gott als Hilfe und Schild (vgl. V. 20 und Ps 89,19) in der Welt des Todes und des vielfältigen Hungers (vgl. Ps 33,19).[21]

Weil die dialektische Spannung zwischen lobenswerter Wirklichkeit der Gottesnähe und ihrer hoffnungsvoll erwarteten Verwirklichung nicht angemessen durch die identifikationsgefährdete Vorstellung der Herrlichkeitsfülle zu realisieren war, hat der Dichter Gottes Gnade in ihrem Schon und Noch nicht zum geheimen Thema von Ps 33 gemacht. Dieser Gott der dialektisch erkennbaren und erfahrbaren Gnaden- und Schöpfungsfülle gibt nichts anderes und ist kein anderer als der Gott der Herrlichkeitsfülle. Aber die Vorstellung göttlicher Herrlichkeitspräsenz auf Erden – von Anfang an pantheistisch identifikationsgefährdet und tatsächlich polytheistisch mißbraucht – konnte in nachexilischer Zeit nicht einfach wiederbelebt werden, als wäre nichts geschehen. Ihre von der deuteronomistischen Theologie vorgenommene Disqualifikation hat jedoch eine Entwicklung angestoßen, in der Gottes Präsenz in der | Welt unter Wahrung seines Gottseins vielfältig neu gesagt wird. Wo immer Gottes Gegenwart in der Welt mit der Vorstellung der Fülle verbunden bleibt, da schenkt er, was von ihm ist und zu ihm führt: Gnade und Gebot(e) (Ps 119,64), Gotteserkenntnis (Jes 11,9), Rettung als „Gegengabe" zum Gotteslob aus der Tiefe (Ps 50,15, deutlich getrennt vom Gedanken der Fülle in V. 12) und in letzter theologischer Zuspitzung das Gotteslob selbst (Hab 3,3).

5. Die Renaissance der Herrlichkeitsfülle

Ist im Gefolge der theologischen Auseinandersetzung der Exilszeit das Theologumenon von Gottes Herrlichkeitsfülle ganz und gar aufgegeben worden? Durchaus nicht. Aber wie und wo immer es wiederaufgenommen worden ist, sind die Spuren der exilischen Zeit, die die Grenze zwischen Gott und

---

[21] WESTERMANN (a.a.O. 154) beurteilt in Ps 33 V. 20f. und V. 22 als Nachträge und raubt damit dem Psalm die theologisch konstitutive innere Spannung.

seiner pantheistisch mißverständlichen Herrlichkeitsfülle in der Welt markieren, sichtbar geblieben.

Das wird deutlich in der theologisch subtilen und zugleich aporetischen Modifikation von Jes 11,9 in Hab 2,14. Hier wird gesagt, die Erde sei gefüllt (*mlʾ* ni.), *um* die Herrlichkeit Gottes zu erkennen. Wagt der Verfasser also auch wieder, von der Herrlichkeit Gottes zu reden, so trennt er sie doch klar von der Fülle der Erde, ohne sagen zu können, ob und gegebenenfalls wie sich diese zur Herrlichkeit Gottes verhalte[22].

Auf derselben Traditionslinie, aber in einem sichtlich fortgeschrittenen Traditionsstadium liegt die Schlußdoxologie des zweiten Davidpsalters in Ps 72,18f.[23] Darin heißt es:

(19) Gepriesen sei sein herrlicher Name in Ewigkeit!
Es fülle sich mit seiner Herrlichkeit die ganze Erde!

Die Konstruktion des Verbs im Nifal mit dem doppelten Akkusativ ist ernst zu nehmen. Die Herrlichkeit kommt weder als grammatisches noch logisches Subjekt der Erde in Frage. Die Herrlichkeit ist nicht mehr Fülle der Erde, sondern der *Wunsch* lautet, die Erde möge *mit* Herrlichkeit gefüllt werden. Von wem? Darüber läßt das Passivum divinum nicht im Zweifel, nennt Ihn aber in der ersten Vershälfte bewußt nicht mit Namen, sondern spricht vom *šm kbwdw*, vom „Namen seiner Herrlichkeit", damit Verbindung zur Füllung der Erde mit Herrlichkeit schaffend und zugleich jede pantheistische Identifizie|rung der entstehenden Herrlichkeitsfülle mit Gott selbst verwehrend. Gott ist aus souveräner Distanz Herr dieser Handlung.

Es ist sogar zu bestimmen möglich, welcher Art die von Gott erbetene Füllung der Welt mit Herrlichkeit sein soll. Im vorhergehenden Vers wird der „Gott Israels" nämlich als derjenige gepriesen, „der allein Wunder tut" (V. 18). Das für Wunder gebrauchte Wort, *nplʾwt*, bezeichnet aber gerade in recht jungen Psalmen zuweilen das heilsgeschichtliche Handeln eben jenes „Gottes Israels", welcher unter diesem Namen im Psalter kein häufiger Gast ist (vgl. Ps 78,4.11.32; 105,2.5; 106,7.22; 111,4; 136,4 u.ö.). Daß die erwartete Füllung der Welt mit Herrlichkeit Hoffnung auf Gottes erneutes heilsgeschichtliches Handeln ist, läßt sich auch Ps 72 selbst entnehmen, dessen abschließenden Teil die redaktionell angefügte Doxologie nun bildet. Nicht von ungefähr schien späteren Psalteraditoren diese Stelle als besonders geeignet, hat doch in Ps 72 das Volk Israel die einstige Stellung des Königs als Segensempfänger und Segensmittler in heilsgeschichtlicher Perspektive eingenommen. Die

---

[22] Von der „Herrlichkeit des Gottesreiches" ist eindeutig nicht die Rede (gegen W. RUDOLPH, Micha-Nahum-Habakuk-Zephanja [KAT XIII 3], 1975, 223).

[23] Vgl. E. JENNI, Zu den doxologischen Schlußformeln des Psalters (ThZ 40, 1984, 114-120).

fiktive Relation Gott-König ist von Anfang an transparent für die intendierte Relation Gott-Volk („„dein Volk" = Gottes Volk, vgl. V. 2), in welcher dieses im Rückblick auf Gen 12,1-3 mit heilsgeschichtlichem Selbstbewußtsein sich selber wünscht: „Sein Name sei in Ewigkeit... In ihm sollen sich Segen holen (und) ihn glücklich preisen alle Völker" (V. 17). Ihn, den König, gemeint ist aber das Volk.[24] Hier war es an der Zeit, den herrlichen Namen dessen zu preisen, der die Wunder der Heilsgeschichte gewirkt hat (V. 18) und von dem erneutes Herrlichkeitshandeln (welches den Wunsch von V. 17 einschließt!) erbeten werden darf (V. 19).

Fragt man nach Anknüpfungspunkten in der Tradition für die Verbindung von Heilsgeschichte und Gottes Füllung der Welt mit Herrlichkeit, so ist zunächst auf Num 14,21 hinzuweisen, zugehörig zu einer spätdeuteronomistischen Version der Kundschaftergeschichte[25] mit fast wörtlicher Entsprechung zur Formulierung in Ps 72,19, ohne daß ein direktes literarisches Abhängigkeitsverhältnis wahrscheinlich wäre. Mag die Aussage, die Erde werde gefüllt mit Gottes Herrlichkeit, in deuteronomistischem Kontext zunächst Verwunderung auslösen, so läßt ihre „uneigentliche" kontextuelle Funktion alles erklärlich werden. Stilistisch und inhaltlich hart ist die Aussage Teil der Selbst|verfluchung in Jahwes Schwur geworden, alle Angehörigen der Exodus- und Wüstengeneration, „die meine Herrlichkeit und meine Zeichen gesehen haben", nicht ins Land zu bringen (Num 14,21-23). In beiderlei Hinsicht könnte es deutlicher nicht sein: Gottes Herrlichkeit erweist sich in seinen Zeichen, nämlich im heilsgeschichtlichen Handeln. Und selbst da, wo Deuteronomisten die Füllung der Welt mit Gottes Herrlichkeit – formal und isoliert betrachtet – einmal positiv erwähnen, steht sie – kontextuell betrachtet – im Dienste von Gottes Nein im Gericht.

Wären bei weiterer traditionsgeschichtlicher Durchleuchtung der deuteronomisch-deuteronomistischen Literatur auch Texte zu finden, die – wie es sich für diese Theologie gehört – die Segensfülle des verheißenen Landes rühmen[26], so würde doch nur noch einmal mehr deutlich, wie bewußt dabei der Gedanke an die Herrlichkeitsfülle der Erde aus dem Spiel gelassen wird.

---

[24] Vgl. J. BECKER, Die kollektive Deutung der Königspsalmen (ThPh 52, 1977, 561-578), 570f. 576f. Anders O. LORETZ, Die Königspsalmen. Die altorientalisch-kanaanäische Königstradition in jüdischer Sicht, Teil 1 (UBL 6), 1988, 107ff., der einen vorexilischen Königspsalm von einer auf die nachexilische Gemeinde übertragenen Fassung meint unterscheiden zu können.

[25] Vgl. E. AURELIUS, Der Fürbitter Israels. Eine Studie zum Mosebild im Alten Testament (CB.OT 27), 1988, 130ff.

[26] Vgl. Dtn 6,10ff.; 33,16.23. Zur deuteronomisch-deuteronomistischen Landtheologie vgl. L. PERLITT, Motive und Schichten der Landtheologie im Deuteronomium (in: G. STRECKER [Hg.], Das Land Israel in biblischer Zeit [GTA 25], 1983, 46-58 [dort weitere Literatur]); zu den Stammessprüchen im Mosesegen vgl. A. D. H. MAYES, Deuteronomy (NCeB Commentary), 1979, 396ff.

Nicht im Zusammenhang mit der Fülle der Erde (weder in der deuterono-misch-deuteronomistischen Literatur noch jenseits ihrer Grenzen), sondern im Zusammenhang mit dem Tempel hat Gottes Herrlichkeit in spätexilisch-nachexilischer Zeit ihre Renaissance erlebt.

Diese Renaissance gewinnt erste Gestalt in der Theologie des Ezechielbu-ches. Hatte nach der vorliegenden Komposition der Prophet wenige Jahre vor der Zerstörung Jerusalems (vgl. Ez 8,1) in einer großen Vision geschaut, wie die Herrlichkeit Gottes im Tempel zunächst heimatlos wurde (vgl. 9,3.7; 10,4) und ihn schließlich ganz verließ (vgl. 10,18f.; 11,22f.), so sieht er nach Aussage des letzten Teils des Buches die Herrlichkeit Gottes in den neuen Tempel wieder zurückkehren (vgl. 43,4).[27] Bezeichnenderweise leuchtet auf ihrem Wege dorthin die Erde *mkbdw*, „von seiner Herrlichkeit" (V. 2), und erinnert damit an ihre einstige Herrlichkeitsfülle. Diese jedoch wohnt ihr nicht mehr inne, sondern ist nur noch im Tempel zu finden (V. 5; vgl. 44,4).[28]|

Anläßlich des großen Ereignisses der Überführung der Lade darf sogar einmal im deuteronomistischen Geschichtswerk die Fülle der Gottesherrlichkeit im geschützten Raum des Tempels anwesend sein (1Kön 8,11b). Dieser Entschluß hat den Verfasser sichtlich Mühe gekostet. Erst nachdem die Füllung des Tempels mit der Wolke undurchdringliche Distanz gewährleistet (1Kön 8,10.11a), darf die Gottesherrlichkeit den Tempel füllen – ohne Rücksicht darauf, wie die eine und die andere Fülle zusammen denkbar seien. Nicht auf die Vorstellung, sondern auf die Sicherung der Gottesherrlichkeit im kultisch abgeschirmten Raum kommt es an.

Die kultische Separierung der Gottesherrlichkeit durch die Wolke ist auch in der Priesterschrift von Bedeutung; sie hat beides sogar in ein wohldurch-dachtes Verhältnis gebracht: Diese bedeckt das Begegnungszelt (*'hl mw'd*), während allein die Gottesherrlichkeit die Wohnstätte (*mškn*) füllt (Ex 40,34). Nach Ex 40,35 schließt die Herrlichkeitsfülle im Heiligtum sogar den Zutritt des Gottesfreundes Mose aus – dies zu weiteren priesterschriftlichen Aussa-gen (vgl. etwa Lev 9,23) nicht im Widerspruch, sondern in konsequenter Durchführung ihrer Intention.

---

[27] Vgl. B. JANOWSKI, „Ich will in eurer Mitte wohnen". Struktur und Genese der exilischen *Schekina*-Theologie (JBTh 2, 1987, 165-193), 168ff.

[28] Die Menschen haben bei Ezechiel auf ihre Weise dem Mangel göttlicher Herrlichkeitsfülle auf Erden abgeholfen: durch eigenständige und eigenhändige Füllung mit Blut, Gewalttat (*ḥms*) und Erschlagenen (*ḥll*) (vgl. 7,23; 8,17; 9,9; 11,6; 30,11). Gott entspricht der Totalität des Frevels auf phantasielos furchtbare Weise: mit der Verunreinigung seines eigenen Tempels durch die Füllung der Vorhöfe mit Erschlagenen (9,7). An das vom Propheten gegeißelte Füllen der Erde und Gottes Gerichtshandeln wird man sich bei der Priesterschrift erinnern müssen.

Über die kultische Abschirmung der Gottesherrlichkeit vergißt die Priesterschrift jedoch nicht ihr Hauptanliegen: In der sinaitischen Kultstiftung sagt Gott in seiner Herrlichkeit(sfülle) – vollgültige Erscheinungsform seiner selbst – seine Gegenwart auf Erden zu. Um dieses Zieles willen, nämlich in Form seiner Herrlichkeit(sfülle) Gott in der Nähe zu sein, wahrt er im strikten kultischen Reglement seine Unnahbarkeit.

Gott in der Nähe in zweierlei Hinsicht: aus der Mitte der konzentrischen Anlage der Priesterschrift heraus zunächst im Blick auf den Israelkreis, dann auf den Schöpfungskreis. Der Blick auf den Israelkreis weist nach vorn: Das Volk darf auf seinem weiteren Weg der kultisch vermittelten Gottesnähe in Gestalt der Herrlichkeit (der „Sinai auf der Wanderung"[29]) gewiß sein – im Guten wie im Bösen (vgl. Ex 29,43; Lev 9,23; Num 14,10; 16,19; 17,7; 20,6).

Das eher Unerwartete ist jedoch der Blick zurück auf den Schöpfungskreis. Tatsächlich kennt die Priesterschrift etwas, was man als Schöpfungsfülle bezeichnen kann. Ergeht im priesterschriftlichen Schöpfungsbericht an die Menschen der Auftrag „Seid fruchtbar und mehret euch, füllt die Erde und macht sie euch untertan..." (Gen 1,28; vgl. bereits V. 22), so wäre ein Verständnis allein im quantitativen Sinne verkürzend. Um eine ansehnliche Bevölkerungsstatistik geht es hier allenfalls als Voraussetzung für die Übereignung einer | Qualität. Gott weist den Menschen mit der Aufgabe, die Erde zu füllen, die Qualifikation zur Herrschaft über die Erde zu. Ihnen, die selbst die Fülle der Erde sind (vgl. Ps 24,1: Fülle der Erde = ihre Bewohner), kommt in besonderem Maße die verantwortungsvolle Aufgabe der Weltgestaltung zu.[30] Dabei ist das Gebot, Fülle zu sein, nichts anderes als Erfüllung des göttlichen Schöpfungssegens, der allem menschlichen Tun vorausläuft (vgl. wiederum Gen 1,22).

Dem Schöpfungsauftrag an die Menschen zur Füllung der Erde, der in Gen 9,1 nach der Sintflut bewußt wiederaufgenommen und in Ex 1,7 auf den Israelkreis appliziert wird, entspricht nun in der priesterschriftlichen Kultstiftung am Sinai Gottes eigene Tat, in der er der irdisch-menschlichen Fülle seine eigene Herrlichkeitsfülle am heiligen Ort zugesellt. Erst durch seine kultisch gewährte und gesicherte Herrlichkeitsfülle gibt Gott der Schöpfungsfülle Mitte und Ziel.

So hat die Gottesherrlichkeit in nachexilischer Zeit durch die Theologie der Priesterschrift zwar nicht noch einmal in der Fülle der Erde, wohl aber im zweiten Tempel eine Heimat gefunden. Zu dieser Zeit liegt jeder Gedanke an irgendeine pantheistische Identifikation weit zurück. Und müßte man sich

---

[29] JANOWSKI (s. Anm. 27), 185, vgl. 184ff., und M. KÖCKERT, Leben in Gottes Gegenwart. Zum Verständnis des Gesetzes in der priesterschriftlichen Literatur (JBTh 4, 1989, 29-61), 56ff.

[30] Eine Aufgabe, die sie zunächst verfehlen. Der Entschluß zur Sintflut fällt in der Priesterschrift, weil die Erde voll von Gewalttat ist (*ḥms*, Gen 6,13; vgl. V. 11).

allein auf das Urteil von Hag 2,7-9 verlassen, wonach die künftige Herrlichkeit des zweiten Tempels größer sein werde als die des ersten Tempels, könnte man den Eindruck gewinnen, Herrlichkeitsfülle habe es nie anders als innerhalb der sicheren Sphäre der Tempelmauern gegeben.

Indessen enthält Hag 2,7-9 auch einen versteckten Hinweis auf eine andere Entwicklung. Der Vergleich der früheren und der zukünftigen Herrlichkeit richtet sich nicht mehr auf die *Gottes*herrlichkeit, sondern Gott verheißt im Vergleich mit der früheren neue, größere *Tempel*herrlichkeit, nicht als splendid isolation Gottes, sondern als Ausgangspunkt von Gottes neuer Gabe an die Welt, nämlich von *šālōm*, „Friede" (V. 9).

Nichts kann jedoch darüber hinwegtäuschen, daß die Verbindung von Gottes Herrlichkeit zum Tempel bei Haggai deutlich gelockert ist. Sollte sich darin nicht nur noch einmal mehr die exilische Distanznahme manifestieren, sondern vielleicht auch das wachsende Bewußtsein Ausdruck verschaffen, daß die Vorstellung von der Gottesherrlichkeit jedwede weltliche Verwaltung zu sprengen droht? |

6. Gnadenfülle und Gottesfülle

(8) Mein Herz ist bereit, „Jahwe',
     mein Herz ist bereit.

     Ich will singen, ich will spielen!
(9) Wach auf, meine Seele (wörtlich: meine Herrlichkeit, *kbwdj*)!

     Wach auf, Psalter und Harfe,
     ich will das Morgenrot wecken!
     . . .[31]

(11) Denn groß ist deine Gnade bis zum Himmel,
     bis zu den Wolken deine Treue.

(12) Erhebe dich „Jahwe', über den Himmel hin,
     über die ganze Erde deine Herrlichkeit!

Mit dem Abschluß der Individualklage Ps 57 mit ihrer herrlichkeitsorientierten Korrespondenz von Selbstermunterung zum Gotteslob und Bitte an Jahwe zum Gegenwartserweis scheint man ganz an den Ausgangspunkt der hier

---

[31] V. 10 ist wahrscheinlich erst sekundär aus Ps 108,4 übernommen worden. Das legt sich inhaltlich nahe – die Präsenz der Völker ist in Ps 57 überraschend, in Ps 108 unabdingbar – und wird durch die Beobachtung unterstützt, daß dem Tetragramm von Ps 108,4 in 57,10 nicht – wie im elohistischen Psalter zu erwarten – das Appellativum, sondern die im ganzen spätere Bezeichnung Adonaj entspricht.

vorgeführten theologischen Entwicklung zurückversetzt zu sein, nämlich in den Bereich der vorexilischen (Jerusalemer) Tempeltheologie, in deren Zentrum der Herrlichkeitskönig Jahwe als an seiner Herrlichkeit Anteil gebender, schenkender Gott steht. Tatsächlich wird sich der Psalm am ehesten dieser theologischen Sphäre verdanken. Dafür spricht schon die Herrlichkeitsbegabung des Beters („meine Herrlichkeit" [V. 9] = meine mir von Gott geschenkte Herrlichkeit), die ihn instand setzt, durch das Gotteslob aus der Nacht der Bedrohung heraus die Zeit des Morgens, nämlich die Zeit der heilvollen Zuwendung Jahwes, herbeizusingen.[32] Dieser von Gott verliehenen, wahrhaft herrlichen Fähigkeit steht dialektisch die Bitte um Gottes herrlichen, nämlich rettenden Gegenwartserweis gegenüber (V. 12). Der Beschenkte kann und soll von seinem Geschenk zwar Gebrauch machen, aber nur im Wissen darum, daß beide – Beschenkter und Geschenk – bleibend einen größeren Eigentümer haben. |

Hat diese theologische Figur auch in der vorexilischen Tempeltheologie ihren genuinen Ort, so sind doch die Modifikationen unübersehbar, die ihr Ps 57 zufügt. Gottes Herrlichkeit ist zwar im Menschen (vgl. Ps 8,6), aber sie ist nicht mehr die Fülle der Erde. Vielmehr ist sie vollgültiger Gegenwartserweis Jahwes „über die ganze Erde hin", so wie er selbst „über den Himmel hin" gegenwärtig ist (57,6 = 57,12). Deutet sich hier bereits eine vorsichtige Grenzziehung gegenüber pantheistischen Vereinnahmungen der Herrlichkeit an? Soll hier bereits in vorexilischer Zeit implizit gesagt werden: Gottes Herrlichkeit steht zwar uneingeschränkt für ihn selbst und ist auf Erden und beim Menschen als sein Geschenk gegenwärtig, aber so, daß der Mensch immer nur zugleich um ihre wirklichkeitssprengende Vergegenwärtigung bitten kann (V. 12)? Soll hier nicht angedeutet werden: Gottes Herrlichkeit geht nur so in die Wirklichkeit ein, daß sie zugleich unvorstellbar und unverfügbar über sie hinausgeht? Und nicht nur seine Herrlichkeit, sondern ebenso seine Gnade (*ḥsd*) und Treue (*'mt*, vgl. V. 11).

Der Gott des Himmels und der Erde in Ps 57 ist derselbe wie der Gott der Herrlichkeitsfülle auf Erden in der klassischen Jerusalemer Tempeltheologie. Aber jener – in diesem einen Punkt dem Jahwe Zebaoth der Jesajavision verwandt – bewahrt bereits in vorexilischer Zeit gegenüber diesem besser seine Unverfügbarkeit – niemand anderem als dem Menschen zugut, der gerade in Jahwes Gnade und Treue, die sich himmelwärts strecken, den Grund für sein Gotteslob aus der Tiefe erkennt (V. 11).

Diese bereits in vorexilischer Zeit eingeleitete Entwicklung findet – von einem in dem Volksklagelied Ps 108 genau faßbaren exilischen Zwischensta-

---

[32] Vgl. B. JANOWSKI, Rettungsgewißheit und Epiphanie des Heils. Das Motiv der Hilfe Gottes „am Morgen" im Alten Orient und im Alten Testament, Bd. 1 (WMANT 59), 1989, 180ff.

dium abgesehen[33] – ihre Aufnahme in dem deutlich nachexilischen, Lehre und Hymnus vereinigenden Ps 36:

(6) Jahwe, im Himmel ist deine Gnade,
    deine Treue (reicht) bis an die Wolken.

(7) Deine Gerechtigkeit ist wie die Berge Gottes,
    dein Recht ‚wie‘ die große Flut.[34]

    Mensch und Vieh rettest du, Jahwe;
(8) wie kostbar ist deine Gnade!

    Götter und Menschenkinder –
    im Schatten deiner Flügel bergen sie sich. |

Alles, was Jahwe eigen ist und woran er nach überkommener, hier allerdings nicht wiederholter Zusage zu eigen gibt, scheint seine welthafte Beziehung verloren zu haben. Die Gnade ist im Himmel (vgl. hingegen die als bekannt vorauszusetzende Aussage Ps 57,11a), die Treue (nicht mehr wie in 57,11b *'mt*, sondern *'mwnh*, wie seit der Exilszeit zunehmend) streckt sich dorthin, und Gerechtigkeit und Recht sind nur angemessen in „überweltlichen“, mythologischen Vergleichen zu würdigen. Die Herrlichkeit aber fehlt ganz, selbst im Zusammenhang des in 36,9(f.) erwähnten Tempels.

Was ist geschehen? Hat sich Gott mit seinen Gaben aus der Welt zurückgezogen, um seine Fülle – von keiner unangemessenen Vermischung und Identifizierung bedroht – in fernen himmlischen Regionen zu sammeln?

Mag sich im Fehlen der Herrlichkeit auch ihr in der Exilszeit vollzogener Rückzug widerspiegeln, dokumentiert Ps 36 doch alles andere als Gottes Gegenwartsentzug. Im Gegenteil: Der Ausweitung der göttlichen Eigenschaften ins Universale folgt das vom Vertrauen getragene Bekenntnis, daß dieser Gott rettet und schützt, Menschen und Vieh, Götter sogar, wie V. 8 der universalen Dimension des Psalms gemäß sagt und dabei keine polytheistische Bedrohung mehr fürchten muß. „Wie kostbar ist deine Gnade!“ Kostbar, weil ihre weltübergreifende, jede Vorstellung sprengende Wirklichkeit ihre je und je neue „weltliche“ Verwirklichung in Rettung und Bewahrung ermöglicht und trägt und sie gerade in dieser Dialektik von Unvorstellbarkeit und Erfahrbarkeit eine Abschattung Gottes selber ist. Kein Wunder, daß dieser Psalmdichter eine Formulierung findet, die jenseits pantheistischer Gefahren Gottes all-

---

[33] Bekanntlich ist Ps 108 aus Ps 57,8-12 und 60,7-14 zu einer neuen Einheit geformt worden. Exilischer Erwartung gemäß soll die Gnade „vom Himmel her“ wirken (vgl. 108,5 mit 57,11). Und der Aufforderung zum Herrlichkeitserweis in 108,6 entspricht nun – ebenfalls gut exilisch – die Bitte um Jahwes Hilfe gegen die Feinde in 108,13f.

[34] Die Vergleichspartikel wird im masoretischen Text durch Haplographie ausgefallen sein.

umfassende Wirklichkeit und seine Nähe in jedem einzelnen prägnant zu-
sammenbringt: „In deinem Lichte sehen wir das Licht" (V. 10b).[35]

Auf ganz überraschende Weise formuliert ein ziemlich junger Text im
Jeremiabuch – Kap. 23 – das Problem der Gegenwart Gottes im
Spannungsfeld der Vorstellung(en) vom nahen und fernen Gott:

> (23)   Bin ich denn ein Gott aus der Nähe, Spruch Jahwes,
>   und nicht (vielmehr) ein Gott aus der Ferne?
>
>   ...
>
> (24b) Den Himmel und die Erde –
>   bin ich es nicht, der (sie) füllt, Spruch Jahwes?[36] |

Kein Gott aus der Nähe, sondern ein Gott aus der Ferne! Nachgerade
indigniert klingt Gottes rhetorische Frage, als ob niemand darüber je hätte im
unklaren sein müssen. Der jahrhundertealte religiöse Erfahrungsreichtum und
die ebenso lange gedankliche Bemühung um das Wo und Wie der
Gottesgegenwart – man denke nur an die im Vorangehenden partiell
gewährten Einblicke zurück – werden hier von dem „Gott aus der Ferne"
nachdrücklich auf Distanz gehalten. Er ist weder der gute Mensch noch der
gute Gott von nebenan und schon gar nicht derjenige, der sich in oder mit
irgendwelchen Befindlichkeiten oder Vorfindlichkeiten identifizieren ließe.

Der auf seine Nichtidentifizierbarkeit und Souveränität bedachte „Gott aus
der Ferne" fügt der ersten rhetorischen Frage aber noch eine weitere hinzu, in
der er ebenso selbstverständlich seine Gegenwart im Himmel und auf Erden
in Gestalt der Fülle bekannt macht.

Kein Gott aus der Nähe also, auch nicht (mehr) ein Gott der Herrlichkeits-
oder Gnadenfülle, sei es auf Erden oder im Himmel, und schon gar nicht
(mehr) ein Gott des Tempels (vgl. auch 1Kön 8,27; Jes 66,1), wohl aber ein
Gott der Gottesfülle im Himmel wie auf Erden, der vollgültigen
Gottesgegenwart von weit her und deshalb über jede Vorstellung und
Verfügbarkeit hinaus. Die Rede von der Fülle ist jedoch altehrwürdiges
Traditum. Und sie hat nun sogar eine Füllung erhalten, von der ältere Texte
nichts geahnt haben, nicht einmal zu träumen gewagt hätten. Gott selbst ist
die Fülle, allerdings als Gott aus unverfügbarer Ferne. Nichts vermag (mehr)
seine Gegenwart zu repräsentieren, nicht einmal die Gaben, in denen er sich
selbst gibt.

---

[35] Hinter V. 10b steht somit gediegene theologische Reflexion; dazu F. DELITZSCH, nicht
gerade „von göttlicher Erkenntnis erleuchtet": „Nachdem der D[ichter] einige Blicke in das
Chaos des Bösen geworfen, webt er hier in den seligen Tiefen heiliger Mystik..." (Die
Psalmen, 1894[5] [Nachdruck 1984], 288).

[36] Vgl. R. P. CARROLL, Jeremiah (OTL), 1986, 463ff; W. MCKANE, A Critical and
Exegetical Commentary on Jeremiah, Vol. 1 (ICC), 1986, 584ff.

Hier stößt das Alte Testament nicht zeitlich, aber gedanklich an eine Grenze. Wo Gott nur als „Gott aus der Ferne" seine Gegenwart in namenloser
Fülle zusagen kann, da stellt sich die Gefahr theologischer Sprachlosigkeit
ein, die nur noch die Zusage der Fülle wiederholen, den Menschen aber nicht
mehr ihr beneficium namhaft machen kann. Der „Gott aus der Ferne" droht
zum Gott in der weiten Ferne der Sprach- und Beziehungslosigkeit zu werden.

Was müßte geschehen, daß Gott unter Wahrung seiner Souveränität und
Unverfügbarkeit zum „Gott aus der Nähe" würde, zu erfahren in nennbarer
Fülle? Denkbar ist manches, als geschehen bezeugt ist eines:

Und das Wort ward Fleisch und wohnte unter uns,
und wir sahen seine Herrlichkeit,
eine Herrlichkeit als des eingeborenen Sohnes vom Vater,
voller Gnade und Wahrheit (Joh 1,14).

6. Die Stimme des Fremden im Alten Testament[1]

„Einen Fremdling sollst du nicht bedrücken. Ihr wißt, wie dem Fremdling zumute ist; ihr seid doch auch Fremdlinge gewesen im Lande Ägypten." (Ex 23,9) Glücklich das Volk, das – hoffentlich ohne Anmaßung – von sich sagen kann, es wisse, wie einem Fremdling zumute ist. Oder noch etwas näher am Hebräischen von Ex 23,9: Israel kenne die Seele des Fremdlings. Wieso? Weil in Israels eigenen Ursprung die Erfahrung, Fremde zu sein, tief eingeschrieben ist. Israel hat die Jahrhunderte hindurch von sich selber vor allem immer dies betont: An unserem eigenen Anfang hat die Erfahrung der Unterdrückung in der Fremde gestanden. Israel hat diese Erfahrung der Unterdrückung und des Fremdseins beharrlich und stolz als Bestandteil der eigenen Ursprungserfahrung festgehalten und allen nachfolgenden Generationen als identitätsstiftende Schlüsselerfahrung eingeschärft. Es dürfte gar nicht leicht sein, neben Israel ein weiteres Volk zu nennen, das die eigenen glanzlosen Anfänge so wenig zu vertuschen versucht hat. Und es dürfte etwas ganz Seltenes sein, daß sich ein Volk mit so negativer Erfahrung in der Fremde wie Israel beständig die Mahnung vorhält: „Rühmen soll dich ein Fremder (*zar*), doch nicht dein Mund, ein Ausländer (*nokrî*), doch nicht deine Lippen" (Prov 27,2).

Diese Reaktion Israels auf die Begegnung mit dem Fremden bleibt selbst dann aller Beachtung wert, wenn im folgenden davon die Rede sein muß, daß Israel hinnieden nicht wesentlich anders Gottesvolk gewesen ist, als wir selbst und andere es sind: auf unverkennbar mangelhafte Weise. Was Israel im Umgang mit dem Fremden jedoch auszeichnet, ist die Entschlossenheit, die eigene identitätsstiftende Ursprungserfahrung und die Erfahrung des Fremden nicht beziehungslos nebeneinander stehenzulassen, sondern das eine nicht ohne das andere sein lassen zu wollen. Gerade in der Erfahrung des Fremden Gott wahrzunehmen, eröffnet Israel die Chance, das Fremde selbst weithin anders zu werten, als es die altorientalische Umwelt vorgelebt hat, und zugleich die eigene Erfahrungsvielfalt mit dem Fremden aus einem tieferen Zusammenhang heraus zu verstehen. Dieser Zusammenhang soll im folgenden in drei Schritten zum Vorschein gebracht werden. |

---

[1] Überarbeitete Fassung eines Vortrags, der unter dem Titel „Fern ist der Grund der Dinge. Die Stimme des Fremden im Alten Testament" auf der 4. Nordelbischen Woche für Theologie und Neue Musik am 28. Oktober 1992 in Hamburg-Blankenese gehalten worden ist.

1. Israels Haltung zu den Fremden

Israels Haltung zu den Fremden ist zunächst einmal die altorientalisch normale. Hinter Fremden und Fremdem wird das Bedrohliche erkannt, das mit dem Unwesen von Feinden ineinsgesetzt werden kann. „Euer Land ist verwüstet, eure Städte sind mit Feuer verbrannt; Fremde (*zarîm*) verzehren eure Äcker vor euren Augen; alles ist verwüstet wie beim Untergang Sodoms." (Jes 1,7) In diesem Vers aus dem programmatischen Eingangskapitel der Verkündigung Jesajas sind Fremde und Feinde identisch. Vor Fremden muß man sich hüten, nicht nur militärisch, sondern auch sittlich und religiös. Wenn der Prophet Hosea dem Nordreich den „Geist der Hurerei" (Hos 5,4) vorwirft, dann konkretisiert er den Treuebruch Israels mit dem Bild von der Geburt „fremder Söhne" (*banîm zarîm*, 5,7), also von Bastarden, nach Hosea ein Akt zugleich religiöser und nationaler Selbstzerstörung.

Dafür steht im Alten Testament auch das Bild der ‚fremden Frau' (*zara* oder *nokrijja*, vgl. Prov 2,16; 5,3.20; 6,24; 7,5 u. ö.), die nicht einfach die verführerische Frau Nachbarin ist, sondern eine lebensfeindliche Macht repräsentiert, deren Schritte ins Totenreich führen (vgl. 5,5). Zugleich verweist die Metapher aber auf ganz konkrete Agentinnen dieser Todesmacht, z. B. auf die vielen ausländischen Frauen Salomos, die bei ihm angeblich verheerenden religiösen Schaden angerichtet haben: „Und als er nun alt war, neigten seine Frauen sein Herz anderen Göttern zu, so daß sein Herz nicht ungeteilt bei dem Herrn, seinem Gott, war..." (1 Kön 11,4). Der Schritt von den fremden Frauen zu den fremden Göttern gilt als klein und unvermeidlich. Wahrscheinlich versteht man die strikte Ablehnung des Fremden in diesen Texten nur angemessen auf dem Hintergrund der in diesem Zusammenhang realisierten religiösen Gefahr.

Die Ausgrenzung des Fremden in religiöser Hinsicht zeitigt indessen ganz praktische Konsequenzen: „Alle sieben Jahre sollst du ein Erlaßjahr halten. So aber soll's zugehen mit dem Erlaßjahr: Wenn einer seinem Nächsten etwas geborgt hat, der soll's ihm erlassen und soll's nicht eintreiben von seinem Nächsten oder von seinem Bruder... Von einem Ausländer (*nokrî*) darfst du es eintreiben..." (Dtn 15,1-3). So wird über die Fremden auch in Israel verfügt. In rechtlicher Hinsicht gilt, daß ihre Stellung schlechter war als die der Sklaven. Jedenfalls zeigt die Regelung der Beteiligung am Verzehr der Opfergaben in Lev 22,10f., daß der Fremde in die unterste soziale Schicht eingeordnet wird: „Kein Fremder (*zar*) soll von dem Heiligen essen noch des Priesters Beisasse noch sein Tagelöhner. Wenn aber der Priester einen Sklaven für Geld kauft, so darf der davon essen. Und der Sklave, der ihm in seinem Haus geboren wird, der darf auch von seiner Speise essen." Die Fremden selbst haben auch in Israel keine Stimme, mit der sie ihre eigene Sache vertreten könnten. Wo einmal – selten genug – von der Stimme der Fremden die Rede ist, da ist es wieder der Mund | fremder Frauen, der als eine tiefe Grube gilt, in die Gott stürzen läßt, wem er zürnt (vgl. Prov 22,14).

Bei den Fremden, von denen bisher die Rede gewesen ist, handelt es sich eindeutig um Ausländer (*zar, nokrî*).[2] Will man die offenkundige Distanz zu Ausländern angemessen beurteilen, wird man berücksichtigen müssen, daß alle zitierten Texte wahrscheinlich aus einer Zeit stammen, in der Israel bereits schlechte Erfahrungen mit fremden Völkern und ihren Göttern gemacht hatte. Ungefähr seit dem 8. Jahrhundert v. Chr. hatte der Alte Orient – und so auch Israel – die Herrschaft von Großmächten erlebt: zuerst die Assyrer, dann die Babylonier, schließlich die Perser und die Griechen mit ihren Nachfolgern. Israel wußte, wovon es redete, wenn es in später Zeit von Gott die Beendigung des Tobens der Fremden erhoffte (vgl. Jes 25,5). Dies spielt in der Ausgrenzung des Fremden womöglich die größere Rolle als das Bewußtsein, ein heiliges Volk zu sein, von Gott als Eigentum aus allen Völkern auf Erden erwählt (vgl. Dtn 7,6).

Indessen ist es gerade das Buch, in dem Erwählungsgedanke und Abgrenzung von den Völkern besonders scharf artikuliert sind, das Deuteronomium, das auch im Blick auf die Fremden eine im Alten Orient analogielose Sichtweise hat. Sie betrifft nicht die Fremden generell, sondern die *gerîm*, zur Unterscheidung von anderen hebräischen Begriffen meistens mit Fremdling oder Schutzbürger übersetzt.[3]

Über den *ger* gibt es unter den Fachleuten keine Einigkeit, weil der alttestamentliche Befund nicht ohne Probleme ist. Klar ist nur soviel, daß der Begriff *ger* im Verlauf seiner Geschichte einen erheblichen Bedeutungswandel erfahren hat.[4] Die Grundfrage, die sich stellt, lautet: Kann der *ger* auch | der

---

[2] Vgl. R. MARTIN-ACHARD, Art. *zar*, in: THAT, Bd. 1, 1971, 520-522; DERS., Art. *nekar*, in: THAT, Bd. 2, 1976, 66-68; vgl. ferner mit jeweils unterschiedlichen Akzentuierungen L. A. SNIJDERS, Art. *zûr/zar*, in: TWAT, Bd. 2, 1977, 556-564; B. LANG, Art. *nkr*, in: TWAT, Bd. 5, 1986, 454-462; B. LANG-R. KAMPLING, Art. Fremder, in: Neues Bibel-Lexikon, Bd. 1, 1991, 701-703; C. T. BEGG, Art. Foreigner, in: The Anchor Bible Dictionary, Bd. 2, 1992, 829f.

[3] Nicht hilfreich scheint die von F. A. SPINA (Israelites as *gerîm*, ‚Sojourners', in: Social and Historical Context, in: The Word of the Lord Shall Go Forth, FS D. N. Freedman, 1983, 321-335) vorgeschlagene Übersetzung ‚Immigrant' zu sein, weil sie den Bedeutungsspielraum der alttestamentlichen Belege zu sehr einengt.

[4] Der Bedeutungswandel, als These zusammengefaßt von C. VAN HOUTEN, The Alien in Israelite Law (JSOT.SS 107), Sheffield 1991, 164: „In summary, the legal status of the alien has changed dramatically over time. What began as legislation pertaining to a stranger needing hospitality and justice in the Covenant Code changed in Deuteronomy to legislation dealing with a class of vulnerable, landless people and created a system of support which gave them economic stability. It encouraged the Israelites to be just in their social dealings, but did not encourage them to allow the outsider to join the community. This was also the case for the first level of redaction in the Priestly laws. However, in the second level, in addi-

Ausländer sein (also bedeutungsidentisch mit *zar* und *nokrî*), oder handelt es sich zumindest in der ursprünglichen Bedeutung um den in bestimmten Verhältnissen als fremd betrachteten Israeliten? Während die meisten Forscher die erstgenannte Möglichkeit bevorzugen[5], vertritt *C. Bultmann* in der neuesten Arbeit zum Thema die These, „daß in dem Begriff *ger* selber kein Aspekt von Fremdheit im Sinne ausländischer Herkunft liegt". In dem deuteronomischen Gesetz, wo man sich bei der Deutung auf einigermaßen sicherem Boden befindet, wird der *ger* nirgends als Fremder in Israel charakterisiert, „sondern als Fremder im lokalen Milieu, als fremd im Verhältnis zum einzelnen jeweiligen Ort seines Aufenthalts".[6]

Wie auch immer man hier entscheiden mag, etwas Selbstverständliches ist die dem *ger* zuteilwerdende Aufmerksamkeit unter keinem Betracht. Im 7. Jahrhundert v. Chr., einer Zeit großer äußerer Bedrohung und beträchtlicher innerer Spannungen, in der normalerweise jedem das eigene Hemd am nächsten sitzt, wird der *ger* zusammen mit Waisen, Witwen und Leviten im Deuteronomium | immer wieder als einer in Erinnerung gerufen, der als Grundbesitzloser auf die Fürsorge der Besitzenden angewiesen ist. *Ger*, Waise und Witwe dürfen nach jeder Ernte Nachlese halten (vgl. Dtn 24,19-21). „Denn du sollst daran denken, daß du Knecht in Ägyptenland gewesen bist..." (24,22). Sie sollen zusammen mit den Leviten alle drei Jahre am Zehnten beteiligt werden (vgl. 14,28f.). Alle sollen an den großen Erntefesten teilnehmen (vgl. 16,9-15), und im Dekalog wird der *ger* ausdrücklich in das Ruhegebot des Sabbats einbezogen (vgl. 5,12-14). „Denn du sollst daran denken, daß auch du Knecht in Ägyptenland warst und der Herr, dein Gott, dich von dort herausgeführt hat mit mächtiger Hand und ausgerecktem Arm..." (5,15)

Dabei sollte man sich von der im deuteronomischen Gesetz adressierten Wirklichkeit keine idealen Vorstellungen machen. Das verhindert das Gesetz selbst. Beispiel: „Ihr sollt kein Aas essen; dem *ger* in deiner Stadt darfst du's geben, daß er's esse oder daß er's einem Ausländer (*nokrî*) verkaufe..." (14,21). Hier hat man die soziale Stufenleiter gut vor Augen (vgl. auch 15,3;

---

tion to the laws which treated aliens as outsiders and inferiors, there was also legislation allowed the outsider to join the community and be on equal terms with the Israelite."

[5] Vgl. etwa F. CRÜSEMANN (Fremdenliebe und Identitätssicherung, in: WuD 19/1987, 11-24) 14: „Der *ger* ist jemand, der sich längerfristig bzw. auf Dauer aufhält, wo er von Haus aus nicht hingehört, also keine Verwandtschaft und keinen Grundbesitz hat. Das kann sowohl der Angehörige eines anderen Volkes (z.B. Jes 14,1) wie der eines anderen israelitischen Stammes sein (z.B. Ri 17,7)."; vgl. ferner mit unterschiedlichen Akzentuierungen R. MARTIN-ACHARD, Art. *gûr*, in: THAT, Bd. 1, 1971, 409-412; D. KELLERMANN, Art. *gûr*, in: TWAT, Bd. 1, 1973, 979-991; J. R. SPENCER, Art. Sojourner, in: The Anchor Bible Dictionary, Bd. 6, 1992, 103f.

[6] C. BULTMANN, Der Fremde im antiken Juda. Eine Untersuchung zum sozialen Typenbegriff >*ger*< und seinem Bedeutungswandel in der alttestamentlichen Gesetzgebung (FRLANT 153), Göttingen 1992, 22.

23,21). Unter dem *ger* steht noch der Ausländer. Aber die niedrige soziale Einstufung des Ausländers verbindet sich auch im Deuteronomium | nicht mit einer pauschalen Diffamierung. Vielmehr wird nach einzelnen Völkern unterschieden. Der scharfen Ablehnung der Ammoniter und Moabiter (vgl. 23,4-7) steht das ganz andere Verhältnis zu den Edomitern und Ägyptern gegenüber: „Den Edomiter sollst du nicht verabscheuen; er ist dein Bruder. Den Ägypter sollst du auch nicht verabscheuen, denn du bist ein *ger* in seinem Lande gewesen" (23,8). Das ist in einer Zeit geschrieben, in der generelle Fremdenfeindlichkeit – den Ägyptern gegenüber allemal – nähergelegen hätte.

Hinsichtlich der *gerîm* als einer sozial schwachen Gruppe des eigenen Volkes und vielleicht darüber hinaus werden im Deuteronomium alle Einzelregelungen vorweg unter hohen theologischen Anspruch gestellt. In einer lobpreisenden Beschreibung Gottes wird abschließend gesagt, Gott sei derjenige, „der den Waisen und Witwen Recht schafft und der den *ger* liebt, daß er ihm Speise und Kleider gibt". Daran wird sofort angeschlossen: „Darum sollt auch ihr den *ger* lieben, denn *gerîm* seid ihr in Ägyptenland gewesen." (Dtn 10,18f.) Oder theologisch noch schärfer an einer Stelle aus späterer Zeit, in der der *ger* nicht mehr primär in ethnisch-sozialer, sondern in sakralrechtlicher Hinsicht von Bedeutung ist: „Wenn ein *ger* bei euch wohnt in eurem Lande, den sollt ihr nicht bedrücken. Er soll bei euch wohnen wie ein Einheimischer unter euch, und du sollst ihn lieben wie dich selbst; denn ihr seid auch *gerîm* gewesen in Ägyptenland. Ich bin der Herr, euer Gott." (Lev 19,33f.)

Den *ger* nicht nur nicht bedrücken, sondern lieben wie dich selbst: Dies wird nicht mit bestimmten sittlichen Maximen begründet, sondern mit Gottes liebevoller Parteinahme für die Fremdlinge. Gott gebietet im Blick auf die Fremdlinge Entsprechung zu sich selbst. Das liegt in Dtn 10,18f. auf der Hand. Und indem Gott Israel im Blick auf die Fremdlinge mit dem hohen Gebot der Nachfolge in seiner eigenen Liebe konfrontiert, fordert er nichts Menschenunmögliches, sondern Widerhall und Widerschein der Liebe, die Israel zuallererst von ihm empfangen hat: „Nicht weil ihr zahlreicher als die anderen Völker wäret, hat euch der Herr ins Herz geschlossen und euch erwählt – denn du bist das kleinste unter allen Völkern – , sondern weil der Herr euch liebt und weil er den Schwur hält, den er euren Vätern geleistet hat, deshalb hat der Herr euch mit starker Hand herausgeführt und euch aus dem Sklavenhaus freigekauft." (Dtn 7,7f.) Gottes Liebe ist kein realitätsferner und unverbindlicher Grundsatz, sondern eine Tat – die existenzgründende Tat an seinem Volk überhaupt, die Befreiung aus Ägypten. Dabei ist es völlig gleichgültig, ob diese Vorstellung der Existenzgründung Israels nach historischen Maßstäben wahrscheinlich ist. Hier ist nur eines entscheidend: daß Israel seinem eigenen Zeugnis nach diese Befreiungstat aus Ägypten als unerwartete und ungeschuldete Existenzgründung durch Gott bleibend erkannt

und geglaubt hat. Israel versteht sich als ein Volk, das aus Fremde und Unterdrückung von Gott befreit worden ist und sich deshalb unter der bleibenden
Verpflichtung weiß, in Dankbarkeit | gegen die eigene Befreiung aus der
Fremdlingschaft Fremdlingen (*gerîm*) in der eigenen Heimat zu begegnen.
„Denn ihr seid auch *gerîm* in Ägyptenland gewesen." Diese mit Penetranz
wiederholte Begründung begleitet bereits die älteste Bezeugung des Verbots,
den Fremdling zu unterdrücken (vgl. Ex 22,20) und hat sich bis in die jüngste
Bezeugung durchgehalten. Wo Gottes Liebe erfahren worden ist, können die
Empfangenden nicht lieblos bleiben. In dieser Hinsicht hat sich Israel gegen-
über dem Anspruch Gottes keine Ermäßigung erlaubt, so sehr auch die Haltung zu den verschiedenen Gruppen von Fremden den (zumeist erlittenen)
Wechselfällen der Geschichte unterworfen war.

Ein letztes ist in dieser Hinsicht von Belang. Nach Israels Selbstzeugnis
war der Gott, der Israel in Ägypten Rettung verheißen hat, ein Fremder. Israel
hat sich auf die Stimme dieses Fremden eingelassen und wurde befreit, ja
wurde durch diese Befreiung allererst zu Israel. Die Fremdlinge in Ägypten
hat ein Fremder zu Israel gemacht. Die Stimme der Fremdlinge in Ägypten,
der Schrei aus der Unterdrückung, hat die Stimme des Fremden auf den Plan
gerufen: „Ich habe das Elend meines Volkes in Ägypten gesehen und ihr Ge-
schrei über ihre Bedränger gehört. Ich kenne ihr Leid. Ich bin herabgestiegen,
um sie aus der Hand der Ägypter zu entreißen." (Ex 3,7f.) Hier hat eine Geschichte angefangen, eine Liebesgeschichte. Aus diesen Anfängen in der
Fremde mit einem fremden Gott hat Israel die positiven Kräfte in seinem
Verhältnis zu den Fremden gewonnen – und selbst Kraft geschöpft, als es sich
unter veränderten Bedingungen wieder mit dem Status des Fremdlings konfrontiert sah. Bevor es jedoch dazu gekommen ist, muß ein anderer wichtiger
Aspekt bedacht werden.

2. Die Stimme des fremden Gottes

Aus der Stimme des fremden Gottes in der Fremde ist die Stimme des vertrauten Gottes im eigenen Land geworden. Israel hat sich eingerichtet, nicht
nur politisch, sondern auch religiös. Das ließe sich auf vielerlei Weise dokumentieren. Der aaronitische Segen diene als Beispiel:

Der Herr segne dich und behüte dich;
der Herr lasse sein Angesicht leuchten über dir und sei dir gnädig,
der Herr erhebe sein Angesicht über dir und gebe dir Frieden.[7]

---

[7] Zum aaronitischen Segen vgl. K. SEYBOLD, Der aaronitische Segen, Neukirchen-Vluyn
1977.

Folgende Grundüberzeugung hat in dieser Segensformel Gestalt gewonnen: Israel kann nur leben im Angesicht Gottes, d.h. in Gottes Gegenwart. Diese Gegenwart Gottes wird – das ist nicht explizit gesagt, sondern vorausgesetzt – kultisch vermittelt, also an den Tempeln im Land, allen voran und | je später, desto ausschließlicher am Jerusalemer Tempel. Dort stehen Priester – Aaroniden – im Dienst der Vermittlung der Gottesgegenwart. Sie sind verantwortlich für den Kult, d.h. vor allem für den Ritus in Wort und Tat, also für die Gebete, Opfer, Feste und die vielen rituellen Hilfestellungen im täglichen Leben. Alle kultischen Handlungen sind von dem Bewußtsein bestimmt, daß es für Israel nur da Leben gibt, wo Gott hinschaut – gnädig, wie der aaronitische Segen bittet. Frieden, *schalom*, als seine letzte und größte Bitte ist der umfassendste Ausdruck dafür, was Gottes Hinschauen bewirken kann: das Heilsein und Heilwerden des einzelnen und der Gemeinschaft.

Israel hat sich seiner Lebensgrundlage häufig wohl eher schlecht als recht vergewissert. Prophetische Kritik ist deshalb früh zu Israels ständiger Begleiterin geworden. Nun liegt es nahe, Propheten als moralisch-religiöse Instanz oder als Gewissen des Volkes zu betrachten. Prophetische Botschaft wäre dann ein in vielen Formen ergehender Appell zur Umkehr. Doch genau dieses Verständnis ist äußerst fraglich. Prophetische Botschaft ist in erster Linie und im Kern Ansage von Gottes Gericht und keine Mahnrede zur Umkehr mit drohendem Unterton.[8] Die prophetische Wahrnehmung Israels ist von schneidender Schärfe, und die im prophetischen Wort bezeugte Konsequenz Gottes aus dieser Wahrnehmung ist von schroffer Kompromißlosigkeit. Hier findet kein ordentliches Gerichtsverfahren nach menschlichen Maßstäben statt. Hier gibt es kein Abwägen zwischen straferschwerenden und strafmildernden Umständen. Hier läßt der in der Liebe zu seinem Volk enttäuschte Gott sein Urteil verkünden. Und Liebe ist parteiisch, die enttäuschte zumal.

Alttestamentliche Prophetie präsentiert sich in ihren unterschiedlichen Vertretern und in den unterschiedlichen geschichtlichen Herausforderungen in einer größeren Vielfalt, als hier angedeutet werden kann. Aber wenn man nach dem inneren Movens der Prophetie fragt, dann scheint es am ehesten die kompromißlose Gerichtsbotschaft zu sein, menschlicherseits nicht prognostizierbar aus sorgfältiger Situationsanalyse, von Gott her keine Umkehrforderung und kein Erziehungsprogramm.

Daß diese Einschätzung nicht verfehlt ist, läßt sich auch daran verdeutlichen, daß die Vorstellung von der Fremdheit zwischen Gott und seinem Volk unversehens ihre vehemente Sprengkraft entfalten kann, nachdem Israel nicht ohne Grund hoffen konnte, daß Gott ihm längst kein Fremder mehr sei. Hosea zerschlägt im Namen Gottes diese gewachsene Sicherheit mit einem Wort:

---

[8] Vgl. H. W. WOLFF, Die eigentliche Botschaft der klassischen Propheten (1977), in: DERS., Studien zur Prophetie – Probleme und Erträge (TB 76), München 1987, 39-49.

Mehrte Ephraim (= das Nordreich) die Altäre,
waren sie ihm zur Sünde. |
Schrieb ich ihm zehntausendfach meine Weisungen auf
galten sie ihm als etwas Fremdes (*zar*).
Schlachtopfer voller Gier opfern sie...
der Herr hat kein Gefallen daran.
Jetzt gedenkt er ihrer Schuld
und ahndet ihre Vergehen:
Sie müssen zurück nach Ägypten! (Hos 8,11-13[9])

Es wäre sicherlich nicht sachgemäß, wollte man den Israeliten unterstellen, sie betrieben den Kult – Bau von Altären, das Hören auf die priesterlichen Weisungen, die Darbringung von Opfern – in der Absicht, Gott damit vor den Kopf zu stoßen. Gewiß ist das Gegenteil der Fall gewesen. Vor den Kopf gestoßen werden vielmehr die Israeliten durch die Worte Hoseas, denen er ohne jede Einleitung (etwa durch die Botenformel) die Gestalt der direkten Gottesrede gibt – formales Indiz für einen kaum überbietbaren Anspruch auf Autorität. Der Inhalt des Prophetenwortes: Alles, was ihr tut, um euch der Gegenwart Gottes zu versichern, bewirkt das Gegenteil. Es weckt Gottes Zorn. In allem, was ihr tut, sucht ihr nicht Gott, sondern euch selbst. Ihr behandelt seine Weisung (*tôra*), ungezählte Male klar und eindeutig aufgeschrieben, als etwas Fremdes (*zar*), als etwas euch Feindliches, das ihr so lange interpretiert, bis es euch paßt. Gott jedoch wartet eure gelehrte Urteilsbildung nicht mehr ab. Er hat sich sein Urteil über euch gebildet. Ihr seid „unfähig zur Unschuld" (Hos 8,5). Deshalb nimmt Gott *alles* zurück: Ihr müßt zurück nach Ägypten.

Zurück nach Ägypten, wörtlich: „Sie müssen nach Ägypten umkehren" (8,13). Das ist die Umkehr, die Gott den Israeliten durch Hosea ankündigen läßt. Kein Besserungsversuch, sondern erneut die alte Existenz in der Fremde, ohne den bekannt gewordenen Gott, weil die Beziehung eine große Täuschung war. Gutwilligkeit oder Böswilligkeit Israels zählen bei Gottes Urteil über Israel nicht. Es zählt das Resultat: Gott, der als guter Bekannter ein Fremder bleiben soll, weil nur der auf Distanz gehaltene Gott die Selbstverwirklichung nicht stört.

Was Gott durch Hosea bei den Israeliten verurteilt – die „Verfremdung" seiner Weisung, nicht, um sie neu und besser hören zu können, sondern um sich Gott nicht zu nahe kommen zu lassen –, das kündigt Jesaja als eigene Tat Gottes an: Er selbst wird sein Tun fremd, feindlich machen, nicht einfach als Revanche, sondern als furchtbare Entsprechung zum Verstehenshorizont der Israeliten. Bei Jesaja kommt wie bei kaum einem anderen die Abgründigkeit alttestamentlicher Gerichtsprophetie zum Vorschein. Jede Ermäßigung, sei es durch Moralisierung, sei es durch Historisierung, sei es durch Psychologisie-

---

[9] Zu Hos 8,11-13 vgl. J. JEREMIAS, Der Prophet Hosea (ATD 24/1), Göttingen 1983, 103ff.

rung, ist deplaziert. Der Verkündi|gungsauftrag, den Jesaja bei seiner Beru-
fung erhält, hat die Verstockung Israels zum Ziel: „Geh hin und sprich zu
diesem Volk: Höret und verstehet's nicht; sehet und merkt's nicht." (Jes
6,9[10]). Gott ist den Israeliten auf Schritt und Tritt nahe. Nicht, wo sie ihn nahe
wähnen: „Wenn ihr kommt, mein Angesicht zu ‚sehen' – wer fordert denn
von euch, daß ihr meine Vorhöfe zertretet? ... Breitet ihr eure Hände aus, ver-
hülle ich meine Augen vor euch, und betet ihr auch viel, höre ich nicht hin..."
(Jes 1,12.15). Und wo die Israeliten Gott weder suchen noch finden wollen,
da ist er ihnen hautnah, ohne daß die Verstockten es merken: „Weh denen, die
des Morgens früh auf sind, dem Saufen nachzujagen, und sitzen bis in die
Nacht, daß sie der Wein erhitzt, und haben Harfen, Leiern, Pauken, Flöten
und Wein in ihrem Wohlleben, aber sehen nicht das Werk des Herrn und
schauen nicht auf das Tun seiner Hände." (5,11f.)

Das Naheliegende, das „Tun seiner Hände", wird vernebelt und übertönt
durch alle Formen menschengemachter Narkotisierung und Ekstase, durch
Rausch und Musik. Die Israeliten ertragen die Nähe Gottes nicht da, wo Gott
nahe sein will, in ihrem Leben Tag für Tag. Sie schaffen sich die Illusion der
Gottesferne und lassen im Stolz über ihren vermeintlichen Erfolg dem Spott
freien Lauf: „Er lasse eilends und bald kommen sein Werk, daß wir's sehen;
es nahe und treffe ein der Ratschluß des Heiligen Israels, daß wir ihn ken-
nenlernen" (5,19[11]). Und dies alles nicht nur vom Propheten gegeißelt als
bedrückende Verirrung des Volkes, das die Schuld lustvoll mit Ochsenstrik-
ken und die Sünde mit Wagenseilen herbeizieht (vgl. 5,18), sondern – wie Jes
6,9f. unmißverständlich sagt – als bewußte Verblendung, als Verstockung
durch Gott.

Der auf Distanz gebrachte und sich zugleich bewußt selbst distanzierende
Gott – wer vermag dieses Zusammensein von Schuld und in der Schuld sich
bereits ereignendem Gericht ganz zu verstehen! – rückt aus der Nähe in die
Ferne. Die Ferne Gottes ist nicht Metapher für seine reduzierte Erfahrbarkeit,
sondern für das Ende von Gottes Heilsgegenwart. Gottes ausgestreckte Hand
will nicht mehr führen, sondern vernichten (vgl. 9,11.16.20; 10,4). Gottes
Werk „von ferne" ist Heimsuchung und Verderben (vgl. 10,3). Die Funktio-
näre der politischen und religiösen Betriebsamkeit (vgl. 22,1-14) werden mit
dem Gott konfrontiert, „der es von ferne her schafft" (22,11). Dieses Un-
heilswerk Gottes aus der Ferne begleitet Jesaja nicht in rechthaberischem
Tonfall. Vielmehr ist der prophetischen Wahrnehmung | dieses Tuns Gottes

---

[10] Zur Deutung des Verstockungsauftrages bei Jesaja vgl. R. KILIAN, Der Verstockungsauftrag Jesajas, in: Bausteine biblischer Theologie, FS G. J. Botterweck (BBB 50),
Köln/Bonn 1977, 209-225; DERS., Jesaja 1-39 (EdF 200), Darmstadt 1983, 112-130.
[11] Zu Jes 5,11ff. vgl. W. WERNER, Studien zur alttestamentlichen Vorstellung vom Plan
Jahwes (BZAW 173), Berlin/New York 1988, 11-32.

noch das Grauen abzuspüren: „feindlich (*zar*) sein Werk ... fremd (*nokrijja*) seine Tat" (28,21).

Wieso dieses Erschrecken bei Jesaja? Hat der Prophet mit dem Feuer gespielt, und bekommt er nun Angst, wo es brennt? Wohl kaum. Vielmehr scheint es so zu sein, daß der Prophet über Gott selbst zutiefst erschrickt, der sich in seinem Werk an Israel von einem Bekannten wieder zu einem Fremden macht. Nun aber nicht zu demselben Fremden wie seinerzeit bei den Fremdlingen in Ägypten, sondern zu einem Fremden, der Distanz nimmt zu seinem eigenen Wesen, Distanz zu seiner erklärten Liebe zu Israel. Das ist es, was den Propheten erschrecken läßt. Das feindliche Werk, die fremde Tat Gottes betrifft nicht Israel allein, sondern Gott selbst, der zu einem Gott „von ferne" wird, dessen Stimme Nähe und Vertrautheit verliert.

Dabei entschwindet Gott keineswegs in die Unverbindlichkeit. Im Jeremiabuch – charakteristischerweise in einer Rede über die Perversion der Prophetie als einer der vormals verläßlichsten Stützen des Gotteswortes – schärft Gott Israel in schneidenden rhetorischen Fragen ein, was sich Israel anscheinend immer noch zu verstehen weigert:

Bin ich denn ein Gott aus der Nähe, Spruch des Herrn,
und nicht ein Gott aus der Ferne?
Kann sich etwa einer so heimlich verbergen,
daß ich ihn nicht sehe, Spruch des Herrn?
Sind es nicht Himmel und Erde,
die ich fülle, Spruch des Herrn?
...
Ist mein Wort nicht wie Feuer, Spruch des Herrn,
wie ein Hammer, der Felsen zerschmettert? (Jer 23,23f.29[12])

Gott aus der Ferne, aber gleichwohl hautnah: einerseits auf nicht näher bestimmte Weise (also nicht durch den Kult), andererseits durch sein Wort – „Spruch des Herrn" wird in diesen wenigen Versen geradezu eingehämmert –, das eigenmächtig konstruierte Wirklichkeit vernichtet.

Wie kann Israel vor einem solchen Gott weiterhin leben? Kann man hier nicht nur noch das Zerrüttungsprinzip anwenden und jeder Seite empfehlen, sie möge ihrer Wege gehen?

3. Israels Stimme in der Fremde vor Gott

Israel hat die Krise seines Gottesverhältnisses, die weder historisch punktuell noch theologisch mit nur einer bestimmten Problemkonstellation verbunden

---

[12] Vgl. H. SPIECKERMANN, „Die ganze Erde ist seiner Herrlichkeit voll", ZThK 87/1990, 435f. (= s. o. 62-83)

vorzustellen ist, nicht verleugnet. Israel hat aus der neuen Fremdheit Gottes nicht die Konsequenz gezogen, daß das Verhältnis zu diesem | Gott keine Zukunft mehr habe. Vielmehr hat Israel an dem Gott aus der Ferne festgehalten und in Klage und Reflexion versucht, sein Verhältnis zu Gott neu zu bestimmen. Einige dieser Versuche stellen den Gedanken der Fremdheit und Ferne zwischen Gott und Mensch (nicht mehr nur Israel!) in den Mittelpunkt. Es sind theologische Gratwanderungen, die alle in dem Milieu unternommen wurden, in dem man theologische Probleme seit jeher ungeschminkt wahrnahm, aushielt und weitertrieb: in der Weisheit. Auf drei Beispiele sei in diesem Zusammenhang hingewiesen.

Das erste Beispiel ist Psalm 39.[13] Es ist einer der abgründigsten Texte des Alten Testaments. Sein Thema ist der Mensch unter den Aspekten der Vergänglichkeit und der Schuld. Des Menschen Leben, das ist eine Handbreit von Tagen, das ist Hauch, das ist groteskes Anhäufen, ohne zu wissen, wer einsammelt, das ist Züchtigung durch Gott. Das Bedrückendste aber ist, daß der Mensch eigentlich nicht darüber reden kann, sondern zum Schweigen verurteilt ist: wegen der Frevler und wegen Gott. Beide – welch eine unheilige Allianz! – könnten vom Reden des Beters falschen Gebrauch machen. Gleichwohl muß der Beter reden, weil er den Schmerz in diesem notvollen, zerrissenen Leben nicht aushalten kann. Er bäumt sich auf, schreit die Not des Menschseins hinaus – und verstummt wieder, „denn du hast es getan" (39,10), Gott nämlich, der alles ist, Not und einzige Hoffnung. Wenn schon der leidende Mensch eigentlich nur schweigen kann, dann soll wenigstens Gott zu diesem Leiden nicht schweigen. Dieser Bitte läßt der Beter am Ende des Psalms noch zwei Zeilen folgen, die den Abgrund definitiv aufreißen:

Denn ein Fremdling (*ger*) bin ich bei dir,
ein Beisasse wie alle meine Väter.
Schaue weg von mir, daß ich fröhlich werde,
ehe ich dahingehe und nicht mehr bin. (Ps 39,13*.14)

Der Beter – ein *ger*, ein Fremdling bei Gott wie die Väter, also wie Israel insgesamt. Das ruft Ägypten in Erinnerung, ohne daß Ägyptenerinnerung realisiert würde. Denn dies ist Ägyptenerinnerung ohne Hoffnung auf einen Exodus. Der Beter glaubt nur noch fröhlich werden zu können, *wenn Gott wegschaut*. In Gottes Gegenwart zu leben, ist unerträglich geworden. Das ist eine Ungeheuerlichkeit, wenn man an den aaronitischen Segen zurückdenkt, der dem Menschen Lebensmöglichkeit nur im Angesicht, also in der Gegenwart, im Hinsehen Gottes zuzusagen vermag. Nach Ps 39 hat der Mensch bei Gott keine Heimat mehr. Er ist ein Fremdling bei ihm, und er kann nur wün-

---

[13] Zu Ps 39 vgl. F. STOLZ, Psalmen im nachkultischen Raum (ThSt 129), Zürich 1983, 39-42.

schen, daß ihm Gott noch fremder werde, damit er sich der Handbreit Lebens erfreuen kann, die ihm ohnehin nur zugestanden ist. |

Es sei noch einmal betont: ein abgründiger und schwer zu deutender Text. Steckt in dem Fremdlingsstatus des Menschen noch ein Funken Hoffnung? Er ist immerhin kein Ausländer bei Gott! Ist die Bitte um Gottes Wegschauen als Provokation Gottes oder als Resignation des Menschen zu verstehen? Wie auch immer hier zu deuten sein mag, eines ist klar: Am Ende von Psalm 39 steht Hiob mit seiner Gotteserfahrung, von der nun als zweitem Beispiel die Rede sein muß.

Das Hiobproblem liegt nicht mehr allein in der Erfahrung, bei Gott keine Heimat zu haben, Fremdling bei ihm zu sein.[14] Das Wort *ger* kommt in diesem Sinne im Hiobbuch kein einziges Mal vor. Das Hiobproblem hat sich vielmehr dahin zugespitzt, daß Hiob Gott als seinen Feind erlebt, der ihn unberechenbar und grausam attackiert – grundlos. „In seinem Zorn zerreißt er, er feindet mich an, knirscht gegen mich mit den Zähnen; mein Feind schärft seine Augen gegen mich" (Hi 16,9). Gott und Satan machen gegen Hiob gemeinsame Sache. Was ist angesichts dieser Koalition für Hiobs Gottesverhältnis noch zu erhoffen?

Das Problem spitzt sich in Hi 19 zu. Die Feindschaft Gottes, die Hiob erleidet, hat für ihn zur Folge, nicht einmal das zu haben, was auch ein Feind normalerweise an seiner Seite hat: Vertraute. Bei Hiob gibt es keine Vertrauten mehr. Gott reiht sie alle in seine gegen Hiob aufgebotenen Truppen ein (vgl. 19,12ff.). Selbst die im eigenen Haus aufgenommenen und beschützten Fremdlinge (*gare betî*) behandeln ihn als Fremden, als Ausländer und Feind (*zar, nokrî*, 19,15), so daß Hiob ihnen und allen anderen nur entgegenschreien kann: „Warum verfolgt ihr mich wie Gott..." (19,22) – Gott, der Hiobs Hoffnung ausgerissen hat wie einen Baum (vgl. 19,10).

Und dieser von Gott und seinen Spießgesellen grundlos geschundene Mensch, er läßt Gott nicht los. Er hofft mit entwurzelter Hoffnung weiter:

Ich aber weiß: Mein Erlöser (*gôᵃlî*) lebt.
Als letzter wird er sich erheben über dem Staub.
Nachdem meine Haut so zerschunden ist,
werde ich ohne mein Fleisch Gott schauen.
...
Meine Augen werden schauen – keinen Fremden (*lô᾿ zar*). (Hi 19,25f.27*[15])

---

14 Über Wege der Hiobdeutung informiert H.-P. MÜLLER, Das Hiobproblem (EdF 84), Darmstadt 1978; in der Konturierung des Hiobproblems stehen die folgenden Ausführungen G. VON RAD, Weisheit in Israel, Neukirchen-Vluyn 1970, 267ff. nahe.

15 Die Übersetzung birgt viele Probleme in sich; die Begründung für die meisten hier getroffenen Übersetzungsentscheidungen ist am besten bei K. BUDDE, Das Buch Hiob (HK II, 1), Göttingen 1913, 102ff. nachzulesen.

Wer kann begreifen, was hier geschieht! Hoffnung eines Zugrundegerichte-
ten, Hoffnung | auf den Gott als Erlöser, der ihn und seine Hoffnung entwur-
zelt hat. Der in die körperliche und geistliche Heimatlosigkeit Gestoßene
hofft jenseits der irdisch denkbaren Möglichkeiten auf Gottesschau, auf das
Sehen des Gottes, der ihm Fremder und Feind war und ihm nun wieder
Freund werden soll, Erlöser. Wieder evoziert ein Wort Ägyptenerinnerung,
gô'el, nun jedoch im Sinne eines neuen Exodus, eines Exodus in ein neues
Gottesverhältnis.[16] Hiob nimmt die Feindschaft Gottes nicht hin. Er drängt zu
Gott hin, dringt auf ihn ein, nicht wimmernd, sondern stolz „wie ein Fürst",
mit der Anklageschrift auf dem Rücken und der unterschriebenen Unschuld-
serklärung als Krone auf dem Haupt (vgl. 31,35-37). Könnte Hiob die Kraft
dazu finden, wenn er nicht tief in sich die Gewißheit hätte, daß der Gott, dessen Wegsehen er zunächst erbittet (vgl. 7,19), nicht im Wesen ein Fremder
und ein Feind (geworden) ist, sondern der Gott des gnädig und segnend
leuchtenden Angesichtes, der Gott der heilvollen Gottesschau, der Erlöser-
Gott?

Als drittes Beispiel muß Qohelet in den Blick genommen werden. Qohelet
ist ein Weiser aus der Spätzeit des Alten Testaments, der auf Chancen und
Abgründe des Gottesglaubens in Israel nüchtern zurückschaut.[17] Die Ferne
Gottes zur Wahrung seiner Souveränität, um die in Jer 23 noch gekämpft
wird, ist für Qohelet zum selbstverständlichen Ausgangspunkt seines Denkens geworden: „ ...Gott ist im Himmel, und du bist auf Erden, darum mache
nicht viele Worte" (Qoh 5,1). Aus dieser Einsicht folgert für Qohelet kein
Selbstverständnis als Fremdling vor Gott, auch keine Glaubenskrise, in der
das Fernsein Gottes als menschenfeindlicher Akt erfahren würde. Solche an
Psalm 39 und Hiob orientierten Vorstellungen kommen bei Qohelet überhaupt nicht vor. Qohelet weiß sich vom Wirken des fernen Gottes überall
umgeben; aber er leidet daran, daß Gott dem Menschen keine Einsicht in sein
Tun gewährt, obwohl Gott dem Menschen die Ewigkeit ins Herz gegeben hat
(vgl. 3,11).[18] Leben in der Wirklichkeit dieses hautnah fernen Gottes, heißt
anerkennen, daß alles Wissen, welches diesen Namen verdient, dem Menschen nicht offensteht. Das Beste, was der Mensch haben könnte, ist so fern
wie Gott selbst. Diese Erkenntnis ist nach Qohelet unausweichlich und zugleich so schwer zu akzeptieren, daß es ihn umtreibt:

---

[16] *Gô'el* ist in Hi 19,25 bewußt mit „Erlöser" und nicht mit dem Rechtsterminus „Löser"
übersetzt worden, weil der Sprachgebrauch von Deuterojesaja für Hiob von entscheidender
Bedeutung ist (vgl. Jes 41,14; 43,14; 44,24; 48,17; 49,26; 54,5.8 und besonders 48,20f.; 51,9-
11).

[17] Zur Datierung von Qohelet vgl. D. MICHEL, Qohelet (EdF 258), Darmstadt 1988, 112-
114.

[18] Zur Deutung von Qoh 3,10f. vgl. D. MICHEL, Untersuchungen zur Eigenart des Buches Qohelet (BZAW 183), Berlin/New York 1989, 59-65.

Das alles habe ich versucht mit der Weisheit.
Ich dachte, ich will weise werden,
sie aber blieb ferne von mir. |
Fern ist alles, was (geschehen) ist,
tief, tief, wer kann's finden! (Qoh 7,23f.[19])

Fern die Weisheit – fern der „Grund der Dinge", wie *Jakob Hausheer* in der
Zürcher Bibel Qoh 7,24 (Zürcher Bibel: 7,25) nicht unproblematisch, aber
genial übersetzt hat. Weisheit und der „Grund der Dinge" gehören zusammen,
beide unerreichbar fern, unüberbrückbar wie die Distanz zwischen Gott im
Himmel und dem Menschen auf Erden, abgründig, tief. Man muß hier genau
hinschauen. Qohelet redet weder von der Gottesferne als Grund der Anfech-
tung noch von der Möglichkeit der Gotteserkenntnis in der Tiefe als Chance.
Das Werk Gottes umgibt den Menschen ganz und gar. Nur kann der von
Ewigkeit zu Ewigkeit immer gleich vom Wirken Gottes umgebene Mensch
nichts davon erkennen. Gottes Werk ist für den Menschen trotz der ihm gewährten Ewigkeit im Herzen zu groß und deshalb zu fern und zu tief.

Wie kann der Mensch leben im undurchschaubaren Werk des fernen Gottes? Möglich ist es nach Qohelet, „denn besser ein lebender Hund als ein toter
Löwe" (9,4). Das ist bissig formuliert, aber nicht zynisch gemeint. Qohelet
hält an der Gottesfurcht als einzig möglicher Richtschnur im undurchschaubaren Leben fest. Aber die Richtschnur ist dünn, leicht zu verfehlen und gewährt nur bedingt Halt. Qohelets Rat:

Sieh an das Werk Gottes.
Denn wer kann das gerade machen, was er krümmt?
Am guten Tage sei guter Dinge,
und am bösen Tage bedenke:
Auch diesen hat Gott gemacht wie jenen,
damit der Mensch nichts finden kann von dem, was nach ihm kommt.
Dies alles habe ich gesehen in den eitlen Tagen meines Lebens:
Da ist ein Gerechter, der geht zugrunde an seiner Gerechtigkeit,
und das ist ein Gottloser, der lebt lange durch seine Bosheit.
Sei nicht allzu gerecht und nicht allzu weise;
warum willst du dich zugrunde richten?
Sei nicht allzu gottlos und sei kein Tor,
damit du nicht stirbst vor deiner Zeit.
Gut ist es, wenn du an dem einen festhältst
und auch von dem anderen nicht läßt.
Denn wer Gott fürchtet, der entgeht dem allen. (Qoh 7,13-18[20])

---

[19] Zu Qoh 7,23f. vgl. W. ZIMMERLI, Das Buch des Predigers Salomo (ATD 16/1), Göttingen ³1980, 207f.; J. L. CRENSHAW, Ecclesiastes (OTL), London 1988, 144f.
[20] Zu Qoh 7,13-18 vgl. W. ZIMMERLI, a.a.O., 203-206; J. L. CRENSHAW, a.a.O., 139-
142; D. MICHEL, Untersuchungen, 111-115; N. LOHFINK, Kohelet (NEB 1), Würzburg
³1986, 53-55 und dazu die Kritik von D. MICHEL, Untersuchungen 260f.

Gottesfurcht ist hier nicht mehr Anfang der Weisheit, sondern Rest der Weisheit, eher negativ als positiv bestimmt, nämlich als taugliches Mittel | zur Verhinderung von Überheblichkeit durch Erinnerung an die menschliche Begrenztheit. Das ist die dem Menschen gebliebene Lebenshilfe in der Welt, die zwar weiterhin als Werk Gottes verstanden wird, dem Weisen aber keine Heimat mehr geben kann. Welch' ein Unterschied, wenn man daran zurückdenkt, wie sich die Weisen einst in Gottes Welt gerade mit ihrem Erkenntnisdrang zuhause und Gott nahe gewußt haben![21]

Die Stimme des Fremden im Alten Testament ist in dieser Studie auf ganz unterschiedliche Weise zu Gehör gekommen: zunächst als die Stimme des israelitischen Selbstverständnisses, das die Rettung aus der Fremdlingschaft in Ägypten als eigene Ursprungserfahrung festgehalten und ihr im Schutzrecht für den Fremdling (*ger*) ein würdiges Echo geschaffen hat, dann die von den Propheten verkündete Stimme des Gottes, der als Antwort auf verweigerte Hingabe sich selbst und sein Tun erneut fremd werden läßt, und schließlich Israels vielstimmige Versuche, Fremdheit und Feindschaft zwischen Gott und Mensch nicht die Oberhand gewinnen zu lassen. Im Rückblick auf diese Stationen muß es als sehr wahrscheinlich gelten, daß Israel kaum die Kraft zur gegen sich selbst gerichteten Ehrlichkeit über sein Gottesverhältnis gefunden hätte, wenn nicht an seinem Anfang – jedenfalls seinem tradierten theologischen Selbstverständnis nach – die Begegnung des fremden Gottes mit den Fremdlingen in Ägypten gestanden hätte. Hier hat eine Liebesgeschichte begonnen, in der Gott seine Wahrheit und Israels Leben mit dem Blick der Liebe zusammengeschaut hat, auch da, wo die Fremdheit zwischen Gott und Volk die Oberhand zu gewinnen drohte.

Am Ende des Alten Testaments – nicht historisch, sondern theologisch verstanden – kann deshalb alle Erfahrung der Fremdheit noch einmal in ein neues Licht gestellt werden. In dem späten, weisheitlich geprägten Psalm 119 heißt es:

Ich bin ein Fremdling (*ger*) auf Erden;
verbirg deine Gebote nicht vor mir. (Ps 119,19)

---

[21] G. VON RAD, (Anm. 13), 228: „So spannt sich also sichtbar ein großer Bogen von den Sentenzen der älteren Erfahrungsweisheit hin zu der Lehre von der Urordnung ... Auch Israel ... kapitulierte nicht vor der oft undurchdringlich scheinenden Schauseite der Welt, sondern es ließ die Frage nach einem Sinn, nach einer in der Welt wirksamen Ordnung nicht fallen. Und was fand es? ... Es fand ein Weltgeheimnis, das ihm helfend zugekehrt ist, das sich schon auf dem Wege zu ihm befindet, ja schon vor seiner Türe sitzt und auf ihn wartet. Welch ein Heimatgefühl des Menschen in der Welt!"

Und:

Lobgesang sind mir deine Gesetze
im Haus, in dem ich Fremdling bin, |
im Haus meiner Pilgerschaft (*bet m^{e}gûraj*). (Ps 119,54) |

Der Mensch ein Fremdling auf Erden, die Erde das Haus seiner Fremdling-schaft/Pilgerschaft. Der Mensch hat hier Gastrecht, nicht Eigentumsrecht, er ist hier unterwegs. Aber der Mensch lebt nicht in der Gottesferne, sondern in der Nähe des geoffenbarten Wortes Gottes. Gemeint ist das Gesetz, das – gut jüdisch – nicht primär wahrgenommen wird als eine Sammlung von Geboten und Verboten, sondern als eine Anstiftung zum Gotteslob, weil es dem Fremdling in der Welt den Weg Gottes sichtbar macht. „Dein Wort ist meines Fußes Leuchte und ein Licht auf meinem Wege" ist in demselben Psalm zu lesen (119,105).

Behütete Pilgerschaft in der Welt, das steht am Ende des Alten Testaments. Dieses Ende hat in inhaltlicher Hinsicht nicht den Charakter eines Abschlusses. Vielmehr hat es auf unterschiedliche Weise und aus unterschiedlichem Anlaß im hellenistischen Judentum und im Neuen Testament eine Hoffnungsgeschichte freigesetzt, die die Fremdlingsexistenz in der Welt noch viel radikaler begreift. Gäste und Fremdlinge auf Erden zu sein, heißt nach Auffassung des Hebräerbriefes, das Verheißene nicht erlangt, sondern nur von ferne gesehen zu haben (vgl. Hebr 11,13). Indessen folgt hier daraus keine resignative Reflexion der Gottesferne. „Nun aber sehnen sie sich nach einem besseren Vaterland, nämlich dem himmlischen. Darum schämt sich Gott ihrer nicht, ihr Gott zu heißen; denn er hat ihnen eine Stadt gebaut" (11,16; vgl. 13,14).[22] Gott, der sich der Fremdlinge nicht schämt, sondern an die Stelle ihrer ziellosen Suche die Hoffnung auf Heimat stellt. Sollten nicht unter dem großen Spannungsbogen dieser Hoffnung, unter dem wir alle die Fremdlingsexistenz teilen, nicht auch die vielen kleinen konkreten Hoffnungen für die möglich sein, die mit der politischen Fremdlingsexistenz Tag für Tag konfrontiert sind?

---

[22] Vgl. R. FELDMEIER, Die Christen als Fremde (WUNT 64), Tübingen 1992, 60-94.

Gerechtigkeit und Leiden

7. *Ludlul bēl nēmeqi*
und die Frage nach der Gerechtigkeit Gottes

Im Ensemble der weisheitlichen Problemliteratur Mesopotamiens steht neben der „Babylonischen Theodizee" der Text *Ludlul bēl nēmeqi* aufgrund seines inhaltlichen Gewichts, seines Umfangs und seines Erhaltungszustands im Zentrum des Interesses.[1] Dieses Interesse richtet sich allerdings nur in seltenen Fällen allein auf den Text selbst. Zumeist wird er in den „Verwertungszusammenhang" der Hiob-Interpretation integriert.[2] Ist dies auch naheliegend und für das Verständnis der dem Hiobbuch vorauslaufenden Traditionen ertragreich gewesen, so ist doch unübersehbar, daß diese interessegeleitete Wahrnehmung dem genannten Text und auch anderen babylonischen Weisheitsschriften nicht immer gut bekommen ist.[3] Der ständige Seitenblick | hat

---

[1] Die Ausführungen zu *Ludlul bēl nēmeqi* basieren auf folgenden Textbearbeitungen und Übersetzungen: W. G. LAMBERT, Babylonian Wisdom Literature (= BWL), Oxford 1960, S. 21-62.283-302.343-345, Pl. 1-18.74 (vgl. R. BORGER, Handbuch der Keilschriftliteratur (= HKL), Bd. I, Berlin 1967, S. 266; Bd. II, 1975, S. 159); D. J. WISEMAN, A New Text of the Babylonian Poem of the Righteous Sufferer, AnSt 30 (1980) S. 101-107; W. VON SODEN, Der leidende Gerechte, in: TUAT Bd. III/1, Gütersloh 1990, S. 110-135.

[2] Einen guten Überblick gewährt H.-P. MÜLLER, Das Hiobproblem, EdF 84, Darmstadt 1978, S. 49-72; bei ihm sind auch Zusammenstellung und Inhaltsangabe der mesopotamischen Weisheitstexte zu finden, die bei der Hiob-Interpretation regelmäßig gemustert werden (vgl. S. 49-57). Als typisches Beispiel für die an Hiob orientierte Wahrnehmung von *Ludlul bēl nēmeqi* sei auf J. LÉVEQUE, Job et son Dieu, EtB, Bd. 1, Paris 1970, S. 20-23 verwiesen; vgl. ferner J. GRAY, „The Book of Job in the Context of Near Eastern Literature", ZAW 82, 1970, S. 251-269; H. D. PREUß, „Jahwes Antwort an Hiob und die sogenannte Hiobliteratur des alten Vorderen Orients", in: Beiträge zur Alttestamentlichen Theologie. Fs. W. Zimmerli, ed. H. Donner et al., Göttingen 1977, S. 333-336; H.-P. MÜLLER, „Keilschriftliche Parallelen zum biblischen Hiobbuch. Möglichkeit und Grenze des Vergleichs" (1978), in: Babylonien und Israel, WdF 633, ed. H.-P. Müller, Darmstadt 1991, S. 400-419; R. G. ALBERTSON, „Job and Ancient Near Eastern Wisdom Literature," in: Scripture in Context Bd. 2, ed. W. W. Hallo et al., Winona Lake 1983, S. 213-230.

[3] Eine kritische Anfrage in dieser Richtung wird man auch R. ALBERTZ, „Der sozialgeschichtliche Hintergrund des Hiobbuches und der „Babylonischen Theodizee"", in: Die Botschaft und die Boten. Fs. H. W. Wolff, Neukirchen-Vluyn 1981, S. 349-372, nicht ersparen können. ALBERTZ meint der „Babylonischen Theodizee" entnehmen zu können, „daß der Dichter ... mit seinem Werk auf eine krisenhafte soziale Entwicklung reagiert, die zu seiner Zeit wirklich stattgefunden hat" (S. 357). Die von ihm namhaft gemachten Folgen der Kassitenherrschaft sind längst als eine wichtige Ursache der weisheitlichen Problemliteratur Babyloniens erkannt worden (vgl. W. VON SODEN, „Religion und Sittlichkeit nach den Anschauungen der Babylonier" (1935), in: DERS., Aus Sprache, Geschichte und Religion

Gesicht und Gewicht der Werke selbst bisher nur unzureichend zum Vorschein kommen lassen.[4] Vor allem hat es den Anschein, daß sich die vom
Hiobbuch her aufdrängende Frage nach der Gerechtigkeit Gottes/der Götter in
den babylonischen Werken als problematisches heuristisches Prinzip erwiesen hat.

In dieser Studie soll versucht werden, ein wenig zur Besserung dieses Zu-
standes beizutragen. Zunächst soll die Komposition von *Ludlul bēl nēmeqi*
möglichst genau nachgezeichnet werden, um auf dieser Grundlage die theologische Konfiguration zu ermitteln, die diesen Text ermöglicht oder gar erfordert hat. Sodann soll die Tradition beleuchtet werden, die *Ludlul bēl nēmeqi*
vorausläuft und die von diesem Werk herkommt. Hier muß sich erweisen,
welchen Stellenwert die Frage nach der Gerechtigkeit Gottes/der Götter in
dieser Weisheitstradition hat.

Babyloniens. Gesammelte Aufsätze, ed. L. Cagni et al., Neapel 1989, S. 15f.22-27; W. G.
LAMBERT, BWL S. 13-17 u.a.). Sehr fraglich ist es allerdings, ob sich die sozialen Verwer-
fungen dieser Zeit direkt in den Weisheitstexten abschatten. Der *bēl pāni* (vgl. Z. 52.63.275;
W. G. LAMBERT, BWL S. 74f.86f.; Übersetzung: „nouveau riche"; vgl. ferner AHw S. 119a;
CAD M/I S.135b), von ALBERTZ mit „Emporkömmling", „Neureicher" übersetzt (a.a.O.
S.354; so auch W. VON SODEN, TUAT III/1 S. 144.149f.156), ist über die zweimalige Erwähnung in der „Babylonischen Theodizee" hinaus überhaupt nicht bekannt. Ihn als Repräsentanten einer Gruppe zu verstehen - „Der mächtige Böse ist der *bēl pāni*, der Emporkömmling, der arme Gerechte ist der verarmende Absteiger." (a.a.O. S. 355) -, ist deshalb ebenso
hypothetisch wie die Identifikation weiterer Gruppen (z.B. der Gerechten). Eine Gegenüberstellung solcher Gruppen ist für die „Babylonische Theodizee" wie für *Ludlul bēl nēmeqi*
ganz unspezifisch. Hier wird sozialgeschichtliche Auslegung zum Lesen im Kaffeesatz.

Wer jedoch derart in der „Babylonischen Theodizee" fündig geworden ist, wird auch im
Hiobbuch erfolgreich sein: „Der sozialgeschichtliche Vorgang nun, der hinter der Hiobdich-
tung steht, ist, daß die Gruppe der Oberschicht, welche an der traditionellen Frömmigkeit
festhielt und sich so große Verdienste um den armen Teil der Gemeinde erworben hatte,
offensichtlich zunehmend selber unter die Räder geriet, möglicherweise gerade wegen ihres
starken sozialen Engagements, während die andere Gruppe, die die wirtschaftliche Lage
clever und ohne religiöse Sentimentalitäten für sich ausnutzte, weiterhin prosperierte. Die
großen Verdienste, welche sich die fromme Oberschicht erworben hatte, hatten sich nicht
ausgezahlt. Das ist der Auslöser für das Aufbrechen des Theodizeeproblems in Israel" (a.a.O.
S. 365f.; ähnlich DERS., Religionsgeschichte Israels in alttestamentlicher Zeit, ATD Ergän-
zungsreihe 8, Göttingen 1992, S. 564-569). Das Hiobbuch, entstanden aus der Situation einer
frommen Oberschicht, deren „religiöse Sentimentalitäten" sich nicht „ausgezahlt" haben?
Das Hiobproblem ist hier so fern wie die Wahrnehmung des theologischen Grundsatzpro-
blems in der „Babylonischen Theodizee". Hier wie dort sollen den Texten in gegenseitiger
Stützung sozialgeschichtlich relevante Informationen entlockt werden, die leider nicht vor-
handen sind.

[4] Diese Kritik trifft nicht auf alle zu, die die Weisheitswerke Mesopotamiens interpretiert
haben. Im Blick auf *Ludlul bēl nēmeqi* sei ausdrücklich auf die Einleitungen von W. G.
LAMBERT, BWL S. 23-28 und von W. VON SODEN, TUAT III/1, S. 110-114 hingewiesen.

1. Komposition und Intention von Ludlul bēl nēmeqi

Ludlul bēl nēmeqi ist im mesopotamischen Vergleich eine umfangreiche Dichtung, deren Form sehr sorgfältig gestaltet worden ist. 480 Verse verteilen sich auf vier Tafeln zu je 120 Versen. Das Ebenmaß der Gestaltgebung kann angesichts des Inhalts keine Spielerei sein. Vielmehr wird hier der Darstellung des gestörten Verhältnisses zwischen Gottheit und Leidendem bewußt eine vollkommene Form gegeben, die angesichts der theologischen „Unordnung" Ordnung sichtbar werden läßt. Welches Interesse für diese Gestaltung leitend gewesen sein mag, muß zunächst noch offen bleiben.

In Übereinstimmung mit dieser fomalen Gestaltung stehen Beobachtungen zur Komposition des Werkes. Die Anfangszeile *Ludlul bēl nēmeqi*[5] „Ich will den Herrn der Weisheit preisen" leitet eine hymnische Passage ein (I,1-40)[6], die den Herrn der Weisheit, Marduk[7], in der ganzen Spannweite seines Handelns lobt. Marduk wird als ein Gott charakterisiert, der zur Nacht zürnt, am Tage aber vergibt (vgl. I,1-4). Nur extreme Gegensätze vermögen Zorn und Erbarmen Marduks angemessen zu beschrei|ben. Marduk kann den Tod bringen und wieder ins Leben zurückführen. Das eine wie das andere geschieht unberechenbar. Der unvorhersehbare Stimmungsumschwung der Gottheit bestimmt den ganzen hymnischen Passus.[8] Gegen Ende des Abschnitts wird pointiert formuliert, daß Marduk zwar in das Herz der Götter sehe, es aber keinen Gott gebe, der Marduks Wandel und Ratschluß zu kennen vermöchte (vgl. I,29-32). Und dieses göttliche Handeln in extremis wird nicht nur resignativ toleriert, sondern ausdrücklich zum Thema des Gotteslobes gemacht. Darüber will der Dichter keinen Zweifel aufkommen lassen. In lockerer Anlehnung an den Beginn des Textes formuliert er zugespitzt in I,37: „Ich will seinen Zorn preisen". Eine parallele Formulierung zum Lob des göttlichen Erbarmens, sosehr es auch in der hymnischen Passage apostrophiert wird, gibt es nicht. Ganz offensichtlich verfolgen die einleitenden Verse den Zweck, den Zorn des Marduk, von dessen Auswirkungen in der Dichtung die Rede sein soll, nicht unnötig herauszufordern.[9] Wahrscheinlich ist das, was der Dichter

---

[5] So die nach Kolophonen übliche Zitation (vgl. W. G. LAMBERT, BWL S. 32); zur Anfangszeile vgl. a.a.O. S. 343.

[6] Vgl. W. G. LAMBERT, BWL S. 343; D. J. WISEMAN, AnSt 30 S. 101-107.

[7] Vgl. I,3 (W. G. LAMBERT, BWL S.343).

[8] Das Plötzliche des Stimmungsumschwungs wird mehrfach eigens betont (vgl. I,17-19.38).

[9] W. VON SODEN (TUAT III/1 S.112) hat darauf hingewiesen, daß die nächsten inhaltlichen Parallelen in Klage- und Bußgebeten an Marduk mit starken hymnischen Elementen zu finden sind: vgl. L.W. KING, Babylonian Magic and Sorcery (= BMS), London 1896, S. 51-54, Pl. 23-25 und E. EBELING, Die akkadische Gebetsserie „Handerhebung" (= AGH), Berlin 1953, S. 72-75 (vgl. R. BORGER, HKL I S. 221; HKL II S. 124; neuere Übersetzung: J.-M. SEUX, Hymnes et prières aux dieux de Babylonie et d'Assyrie (= HPDBA), Paris 1976 S.

in seinem Werk zu thematisieren beabsichtigt, schon gefährlich genug. Die gute Ordnung wird in der vollkommenen Gestaltung des Gesamtwerkes und in der Anstimmung des Gotteslobes vor jeder (an)klagenden Äußerung affirmiert.

Der einleitenden hymnischen Passage entspricht der hymnische Abschluß der Dichtung.[10] Die Abgrenzung ist nicht ganz eindeutig, da das Gotteslob aus der vorhergehenden Restitution des Leidenden organisch herauswächst. Wahrscheinlich wird man IV,99-120 zum hymnischen Abschluß zählen müssen,[11] weil sich der Abschnitt inhaltlich komplementär zum einleitenden hymnischen Teil verhält. Hatte der Dichter dort mit dem Gelübde geschlossen, die Menschen im Lob des Marduk zu unterweisen (vgl. I,39f.), kommt das Gotteslob der Menschen in IV,99-120 in Gang: zunächst durch die Babylonier, die die Restitution des Leidenden erlebt haben (vgl. IV,99ff.), sodann durch alle Menschen, die aufgefordert werden, in das Lob des Marduk einzustimmen (vgl. IV,110ff.). Die große Klammer des Gotteslobes ist geschlossen und damit der theologisch guten und notwendigen Ordnung Geltung verschafft. Das formal vollkommene Ebenmaß des Viertafelwerkes hat sein Pendant in der hymnischen Inclusio. Beides muß ein Problem (er)tragen helfen, das für die babylonische Religion offensichtlich beträchliche Sprengkraft in sich birgt.

Worin das Problem besteht, ist der von der hymnischen Inclusio umschlossenen Komposition nicht ohne weiteres anzusehen. Zwei in etwa gleichgroße Teile werden von ihr gerahmt: Der eine Teil, I,41-III,8 (= 208 Zeilen), enthält die ausführliche | Klage des Leidenden, der andere, III,9-IV,98 (= 210 Zeilen), berichtet die bevorstehende Wende des Geschicks des Leidenden, seine persönliche Restitution und seine kultische Reintegration. Im gesamten Werk wird der autobiographische Stil durchgehalten, so daß sich von der Form her die Auffassung nahelegt, es handele sich um den Erfahrungsbericht eines Betroffenen. Der Eindruck der Homogenität wird auch dadurch noch verstärkt, daß die genannten Teile nicht durch inhaltliche oder stilistische Signale deut-

---

M. SEUX, Hymnes et prières aux dieux de Babylonie et d'Assyrie (= HPDBA), Paris 1976 S. 169-172); W. G. LAMBERT, „Three Literary Prayers of the Babylonians", AfO 19, 1960, S. 55-60, Tf. XII-XVI (neuere Übersetzungen: M.-J. SEUX, HPDBA S.172-181; K. HECKER, „Akkadische Hymnen und Gebete", in: Lieder und Gebete I, TUAT II/5, Gütersloh 1989, S. 754-758) u.ö. Diese Nähe der beiden literarischen Gattungen hat ihre theologische Folgerichtigkeit. Wird das Gotteslob als bewährt befunden, die zürnende Gottheit gnädig zu stimmen, kann ihm gleichermaßen die Kraft zugetraut werden, drohenden göttlichen Zorn aufgrund der Artikulation einer theologisch brisanten Frage zu verhindern. Hat das Gotteslob in den Klage- und Bußgebeten gleichsam eine religiös-therapeutische Funktion, so in *Ludlul bēl nēmeqi* eine religiös-prophylaktische.

[10] Im Anschluß an die Textanordnung auf Tafel IV durch W. VON SODEN (vgl. TUAT III/1 S. 111.131-135).

[11] Dem entspricht W. G. LAMBERT, BWL S. 58ff. Z. 29-50.

lich voneinander abgehoben werden. Der lange Klageteil läßt die Wende geradezu herbeisehnen, die dann auch eintritt und den Höhepunkt herbeiführt: die kultische Reintegration des Rehabilitierten, welche in das abschließende Lob von Marduk und seiner Gattin Zarpānītu einmündet. Ob bei einer solchen formalen und inhaltlichen Geschlossenheit - der Selbstbericht eines von den Göttern ins Leid Gestoßenen, der Rettung und Rückführung in die gute Ordnung erfährt - die Suche nach einem tieferen Problem nicht vergeblich sein muß?

Ein genauerer Blick in den Klageteil (I,41-III,8) festigt indessen den bereits im hymnischen Introitus geschöpften Verdacht, daß der Dichter dieses Werkes tatsächlich ein tiefer liegendes Problem thematisieren will. Zunächst einmal sind es gerade die poetische Form, die äußerst gewählte Sprache[12] und die inhaltlich und stilistisch vollkommene Gestaltung, die die rein biographische Deutung verwehren. Diese sorgfältige Kompositon ist nicht Reflex unmittelbarer Betroffenheit von einem unerklärlichen leidvollen Geschick, sondern Resultat theologischer Reflexion und ihrer poetischen Umsetzung. Dies wird weiterhin durch die Leidensschilderung selbst bestätigt. Sie ist so umfassend angelegt, daß sie die Leidensfähigkeit eines Individuums sprengt. Die Nennung des Namens Šubši-mešrê-Šakkan (III,43) ist kein Gegenargument. Es ist möglich, das in die vorauslaufende Traditionsgeschichte des Werkes ein Bericht über die Leidenserfahrung eines gleichnamigen Statthalters in der Regierungszeit des Kassitenkönigs Nazimaruttaß an der Wende vom 14. zum 13. Jahrhundert gehört.[13] In *Ludlul bēl nēmeqi* wäre der Name des Leidenden ohne weiteres auswechselbar, sosehr es auch eine Selbstverständlichkeit ist, daß das Problem des leidvollen Geschicks nur an einem Individuum konkretisiert werden kann. Wichtiger als die konkrete Person ist in *Ludlul bēl nēmeqi* ihre herausgehobene Position, die als wichtigen Aspekt des leidvollen Geschicks die Erfahrung der sozialen Deklassierung ermöglicht (vgl. I,55ff.). Ganz offensichtlich wird mit der Leidensschilderung beabsichtigt, dem Schicksal von Šubši-mešrê-Šakkan exemplarische Bedeutung zu verleihen, so daß alle, die von einem Leidensgeschick betroffen sind, sich in dieser Gestalt wiederfinden können.[14]

Nach der einleitenden hymnischen Passage, die in extremen Gegensätzen die ganze Spannweite von Marduks göttlichem Walten preist, fällt in der Leidensschilderung auf, daß Marduk mit Ausnahme von I,41f. überhaupt nicht erwähnt wird. Ein stattliches Ensemble wird für die Not des Leidenden ver-

---

[12] Bezeichnenderweise ist zu *Ludlul bēl nēmeqi* ein Wortkommentar bekannt (vgl. W. G. LAMBERT, BWL Pl. 15-17; W. VON SODEN, TUAT III/1 S. 111).

[13] Vgl. W. VON SODEN, TUAT III/1 S. 111.

[14] Diese Erklärung scheint näherliegend zu sein als diejenige W. VON SODENS: „Kein Leidender soll sagen können, daß er selbst mehr zu tragen habe als die Dulder der Dichtungen und deswegen jede Hoffnung aufgeben müsse" (TUAT III/1 S. 113).

antwortlich gemacht: persönliche Gottheiten, Schutzgenien, Palast, Stadt, Land, Bruder, Freund, Sklave, aus den Beschwörungsserien gut bekannte Dämonen u.a. Sollte die Meinung des Dichters sein, | daß Marduk die Not des Leidenden nicht verursacht hat? Das wäre nach dem einleitenden Hymnus, in dem der Zorn Marduks mit seinen Auswirkungen auf die Menschen ausdrücklich gepriesen wird, ganz unwahrscheinlich. Und so fällt bei näherer Betrachtung auch auf, daß manche der Prädikationen, die Marduk im hymnischen Introitus zuteil werden, in ähnlicher Weise in der Leidensschilderung wieder vorkommen – allerdings ohne explizite Erwähnung von Marduk.

Dafür einige Beispiele: Gleich zu Beginn der Leidensschilderung wird die Abwendung der persönlichen Gottheiten und der Schutzgenien von dem Betroffenen mitgeteilt (vgl. I,43-46). Im einleitenden Hymnus wird von Marduk gesagt, daß bei seiner Verfinsterung sich die Schutzgenien entfernen (vgl. I,15)[15] und daß er die erzürnten persönlichen Gottheiten wieder beruhigen kann (vgl. I,28). Der innere Zusammenhang der Stellen liegt auf der Hand. Dasselbe gilt für II,99-101, wo der Leidende über Schläge mit einer Peitsche voller Dornen, die den Körper durchbohren, bzw. mit einem spitzen Stab klagt. Im hymnischen Introitus heißt es, daß die spitzen Schläge Marduks den Körper durchbohren (vgl. I,21). Schließlich sagt der Leidende auf dem Höhepunkt seiner Klage, daß das Grab für ihn geöffnet sei und das Bestattungsritual noch vor seinem Tode beendet werde (vgl. II,114f.). Das kann nicht ohne Erinnerung daran gehört werden, daß Marduk in der Einleitung als ein Gott gepriesen wird, der im Zorn Gräber öffnet (*petû* Dt = Passivum divinum).[16]

Ist schon aufgrund dieser Querverbindungen kaum zu bestreiten möglich, daß Marduk in der Leidensschilderung ungenannt präsent ist, läßt sich dies durch die Analyse der Stellen, an denen Gott, Göttin oder Götter erwähnt werden, entscheidend erhärten. Der Gebrauch des Appellativums Gott, Göttin oder Götter anstelle der konkreten Nennung von Gottheiten mit ihren Eigennamen ist in der Weisheitsliteratur nicht allein Mesopotamiens durchaus typisch. Der deutlich verstärkte Gebrauch des Appellativums deutet darauf hin, daß in der Weisheit Erkenntnis vom Wesen der Götter gewonnen werden kann und deshalb die Bindung der Lehren an bestimmte Gottheiten zu kurz

---

[15] Subjekt des Verbs *ik-ke-lem-mu-ma* können sowohl Marduk als auch die Schutzgenien sein (*nekelmû* ist ult. *ī* und *ū*, vgl. *GAG* §110l). Aus kontextuellen Gründen ist Marduk als Subjekt zu bevorzugen, denn er dominiert als Handelnder in der Vier-Zeilen-Strophe I,13-16 (auch im Passivum divinum von I,13). Außerdem wäre das Abwechseln von negativer und positiver Handlung Marduks gewahrt: I,13 und 15 negativ, I,14 und 16 positiv.

[16] Soweit der Erhaltungszustand von Tafel IV Aussagen zuläßt, hat es den Anschein, daß der Leidende nach seiner Restitution als erstes der Tempeltore von Esangila dasjenige mit dem Namen „Tor des Sonnenaufgangs" durchschreitet. Er begründet es damit, daß er ins Grab hinabgestiegen war (vgl. IV,78 nach W. G. LAMBERT, BWL S. 60, IV,48 nach W. VON SODEN, TUAT III/1 S. 132; vgl. ferner IV,35f. nach BWL S. 58, IV,105f. nach TUAT III/1 S. 134). Der Rückbezug auf I,13f. und II,114f. ist allemal evident.

griffe. Diese Eigenart sollte nicht als monotheistische Tendenz der Weisheit verstanden werden. Der Wechsel zwischen appellativer Nennung der Gottheiten und Gebrauch ihrer Eigennamen ist bruchlos.

In der Leidensschilderung von *Ludlul bēl nēmeqi* werden Gott, Göttin oder Götter bis auf eine Passage auffallend selten erwähnt. In I,95 klagt der Leidende, daß derjenige, der Verleumdungen gegen ihn ausspricht, Gott (*ilu*) zu seinem Helfer hat. II,4f. fügen hinzu, daß der angerufene Gott (*ilu*) und „meine Göttin" (*ᵈištarī*) sich dem Leidenden nicht zugewandt haben. Das wird in II,112f. noch einmal durch die Klage fehlender Hilfe des Gottes (*ilu*) und ausbleibenden Erbarmens „meiner Göttin" (*ᵈištarī*) verstärkt. Man kann diese Aussagen gewiß nicht im Sinne der appellativen | Nennung der Gottheiten in der Weisheit verstehen. Allenfalls kann man sie auf die persönlichen Gottheiten beziehen (vgl. I,43f.), doch ist auch dies nicht eindeutig, denn das in I,95 und II,112f. genannte Thema der Hilfe und des Erbarmens hat unverkennbare Nähe zum einleitenden Hymnus auf Marduk, in dem seinem Zorn Hilfe und Erbarmen in vielen Variationen gegenübergestellt werden.[17]

Die ausschließliche Verbindung der Appellative mit den persönlichen Gottheiten scheitert schließlich an der Passage in der Leidensschilderung, in der von Gott, Göttin und Göttern gehäuft die Rede ist: II,12-48. Dieser Abschnitt, zumindest der Teil II,33-48, ist aus inhaltlichen Gründen in seiner zentralen Bedeutung für das Werk längst erkannt worden.[18] Allerdings fehlt bisher die genauere Beachtung seines Aufbaus und seiner Stellung in der Komposition. In der Passage II,12-48 sind drei Teile zu unterscheiden. Der erste Teil, II,12-22, besteht aus einer großen syntaktischen Periode, in der der Leidende aufzählt, wem er in seiner Not gleicht: demjenigen, der alle kultischen Verpflichtungen mißachtet hat. Gott und Göttin, hier und im folgenden mehrfach genannt, können im Ensemble dieser kultischen Aktivitäten nicht auf die persönlichen Gottheiten eingeschränkt werden. Hier will der Leidende über seine religiöse Existenz insgesamt reden. Komplementär zum „Lasterkatalog" in II,12-22 folgt in II,23-32, dem zweiten Teil, eine Art Unschuldsbekenntnis. Der Leidende, der seine religiöse Integrität durch seine strikte kultische Observanz dokumentiert, päsentiert sich zugleich als Weiser: Gebet

---

[17] Zwar wird Marduks Gattin Zarpānītu im einleitenden Hymnus nicht erwähnt, jedoch mehrfach im abschließenden Teil des Werkes (vgl. IV,89f. nach BWL S. 60, IV,59f. nach TUAT III/1 S. 133; IV,33-36 nach BWL S. 58, IV,103-106 nach TUAT III/1 S. 134). Auch deshalb ist es nicht ausgeschlossen, Gott und Göttin im vorderen Teil des Werkes bereits auf Marduk und Zarpānītu zu beziehen.

[18] Fast niemand, der sich mit *Ludlul bēl nēmeqi* beschäftigt, unterläßt es, diese Passage zu erwähnen (vgl. J. J. STAMM, Das Leiden des Unschuldigen in Babylon und Israel, Zürich 1946, S. 17f.; H. GESE, Lehre und Wirklichkeit in der alten Weisheit, Tübingen 1958, S. 53f.; W. VON SODEN, „Das Fragen nach der Gerechtigkeit Gottes im Alten Orient" (1965), in: DERS., Bibel und Alter Orient, BZAW 162, Berlin 1985, S. 66f.; J. LÉVEQUE, Job Bd. 1, S. 21 u.a.).

ist ihm Einsicht (*tašīmtu*, II,24), Verehrung Gottes und des Königs gelten ihm, wie es sich gebührt, aufs engste miteinander verknüpft (vgl. II,25.31), und schließlich weiß er um seine Aufgabe als Erzieher von Land und Leuten (vgl. II,29-32).

Wem der Dialogteil des Hiobbuches präsent ist, möchte an dieser Stelle erwarten, daß der Leidende dieses Bekenntnis mit der nachdrücklichen Betonung seiner eigenen Unschuld und Gerechtigkeit verbindet. Daß dies nicht geschieht, hat Erkenntniswert. Vielmehr folgt als dritter Teil, II,33-48, eine Reflexion über Willen und Walten der Götter in ihrem Verhältnis zu den Menschen. Niemand kann wissen, wie es um den Willen der Götter bestellt ist. Daraus folgt, daß es trotz des erstaunlichen kultischen Wissens eine große Verunsicherung in der Wertordnung gibt. Eine Divergenz in der Beurteilung von gut und schlecht zwischen Göttern und Menschen ist nicht auszuschließen. Die Menschen erfahren sich gegenüber den Göttern als „Umwölkte" (*apâti*, II,38), die nie eine Chance haben werden, Einsicht in Willen und Walten der Götter zu gewinnen.[19] |

Was in diesen Zeilen gesagt wird, ist in der babylonischen Religion durchaus nicht in jeder Hinsicht zum ersten Mal zu hören. In ihr hat das Wissen um die Unerforschlichkeit des göttlichen Willens seit jeher einen festen Platz. „The will of a god cannot be understood, the way of a god cannot be known. Anything of a god [is difficult] to find out".[20] Was der zweisprachige Weisheitsspruch sagt, kann ebenso Thema eines Šuila-Gebetes an Marduk sein: „Wer hat sich nicht vergangen, wer nicht zu wenig getan? Wer lernt den Weg Gottes kennen? Ich will (dich) rühmen, daß ich nicht in Frevel gerate".[21] Dieses Zitat läßt deutlich werden, daß die Unerforschlichkeit Gottes keinen bedrohlichen Charakter hat. Ihre Prädikation ist notwendige Folge der Einsicht, daß trotz intensiver kultischer Bemühung kein Mensch alle begangenen Sünden kennen und sühnen kann. Angesichts dieser Tatsache braucht niemand in Seelenpein zu geraten, weil das Lob der Unerforschlichkeit Gottes kompensatorisch wirkt.

---

[19] Es ist gewiß beabsichtigt, daß kognitive Terminologie – *lamādu* (II,36.38) und *ḫakāmu* (II,37) – in den rhetorischen Fragen gebraucht wird, die der Undurchschaubarkeit des göttlichen Waltens Nachdruck verleihen soll. Gerade zuvor hatte sich der Betroffene als Lehrer der Ordnungen (*mê*, II,29) Gottes und der Ehrfurcht vor dem Palast (*lamādu* Š, II,32) bezeichnet. Und welchen Wert kann angesichts der Unergründlichkeit des göttlichen Willens seine Aussage haben, daß ihm Gebet Einsicht sei (vgl. II,24)? Selbsterkenntnis in die göttlich verordnete Begrenztheit (vgl. II,33-38) und in das eigene Wesen (vgl. II,39-47)?

[20] W. G. LAMBERT, BWL S. 265f. BM 38486 Rev. 7f. (weitere Belege vgl. AHw S. 532a s.v. *lamādu* N).

[21] L. W. KING, BMS Nr. 11,10-12; Übersetzung: E. EBELING, AGH S. 73,10-12 in Verbindung mit W. VON SODEN, „Zur Wiederherstellung der Marduk-Gebete" BMS 11 und 12", Iraq 31, 1969, S.83f.

Traditionell ist die göttliche Unerforschlichkeit allerdings von der Anschauung begleitet gewesen, daß die Götter die Menschen wissen lassen, was ihrer Ordnung nach gut und böse ist. Ohne die göttliche Kundgabe dieser Wertordnung wäre alles Wissen um Schuld und ihre kultisch-rituelle Lösung nicht denkbar. Als Beispiel für diese Auffassung diene eine Passage aus einem Hymnus auf Marduk: „Was gut ist und schlecht: Gott zeigt es an. Wer seinen Gott hat, dem sind seine Vergehen weggenommen, wer keinen Gott für sich hat, dessen Sünden sind viel".[22] Die Gottesnähe, um die sich der Mensch kultisch-rituell bemühen muß, eröffnet ihm beides: das Wissen um die göttliche Wertordnung und die Sündenvergebung. Das eine gehört mit dem anderen unabdingbar zusammen. Solange diese Verbindung Bestand hat, ist für den babylonischen Menschen Leben coram deis möglich, auch da, wo die Unerforschlichkeit des göttlichen Willens erfahren wird. Sie kann im Gotteslob theologisch gut aufgehoben werden.

Dieses enge Verhältnis zwischen Wissen um die göttliche Wertordnung (und darin begründeter Möglichkeit der Sündenerkenntnis und Sündenvergebung) und menschlich erträglicher Unerforschlichkeit des göttlichen Willens ist nach dem Zeugnis von *Ludlul bēl nēmeqi* in Babylonien in der Krise der Weisheit auseinandergefallen. Die Bruchstelle ist genau bestimmbar. Die Götter enthalten den Menschen das Wissen über die Wertordnung vor. Genauer: Sie lassen bewußt Unklarheit über gut und böse zu, so daß sie die Menschen willkürlich der Schuld ausliefern, ohne ihnen zugleich weitere kultisch-rituelle Gegenmaßnahmen zur Sündenlösung an die Hand zu geben. Erst in dieser Situation wird die Unerforschlichkeit des göttlichen Willens lebensbedrohlich. Denn es sind gerade der menschenfreundliche und weisheitsliebende Gott Ea und sein Sohn Marduk, die verhüllend, aber unverkennbar mit der bedrückenden Unerforschlichkeit des göttlichen Willens in Zusammenhang gebracht werden (II,36f.).[23] Wo selbst | diese Götter ihren Willen verbergen, ist der Mensch göttlicher Willkür ausgeliefert. Dieser schwere Vorwurf wird nicht expressis verbis erhoben, er ist jedoch zweifellos gemeint. Ihn zu artikulieren, bedarf großer Vorsicht, weil die Unberechenbarkeit der Götter die Sorge nährt, göttlicher Zorn könne den mit aller Gewalt treffen, der

---

22 W. G. LAMBERT, AfO 19, S. 57,108-110; Übersetzung: K. HECKER, TUAT II/5, S. 756; vgl. J.-M. SEUX, HPDBA S. 176.

23 Zur Lesung *An-za-nun-ze-e* in II,37 anstelle von ^{d}*za-nun-ze-e* (W. G. LAMBERT, BWL S. 40) und zur Deutung des Namens auf Ea vgl. W. VON SODEN, TUAT III/1 S. 122; vgl. ferner AHw S. 1510f. In der vorausgehenden Zeile II,36 ist die Anspielung auf Marduk unverkennbar. Wird hier gefragt, wer den Willen (*ṭēmu*) der Götter im Himmel erfahren könne, drängt sich die Erinnerung an das Lob Marduks in I,29-32 (D. J. WISEMAN, AnSt 30 S. 105) auf. Dort heißt es, daß Marduk zwar in das Herz der Götter schaut, kein Gott jedoch Wandel (*alaktu*, I,30) und Willen (*ṭēmu*, I,32) des Marduk kennt. Da bleibt nur zu fragen übrig, wo je die Umwölkten – wenn schon nicht die Götter – „den Wandel des Gottes" (*a-lak-ti ili*), nämlich den Wandel Marduks, in Erfahrung bringen können (II,38).

solches niederzuschreiben oder nachzulesen wagt. So wird die massive Anklage in vollendete Form und Gotteslob gehüllt, um die Unbotmäßigkeit des
Protestes und die darin beschlossene Kritik am Verhalten der Götter, die
durch die Paralysierung der Wertordnung die Menschen zu „Umwölkten"
machen, zu verhüllen. In Übereinstimmung damit ist dieser Vorwurf an die
Götter in keiner Weise kompositionell | exponiert. Vielmehr begegnet er über-
raschend mitten in der Leidensschilderung, welche im Übergang von II,11 zu
II,12 unterbrochen und in II,49 wiederaufgenommen wird, als ob zwischen-
durch nichts Wesentliches geschehen wäre. Die Anklage gegen die Götter
wird aus Vorsicht geradezu versteckt.[24]

Der Vorwurf an die Götter bleibt aber noch aus einem anderen Grund im
Ton verhalten. War schon bei dem Bekenntnis der eigenen kultisch-religiösen
Integrität in II,23-32 aufgefallen, daß der Leidende nicht auf seine Unschuld
und Gerechtigkeit pocht, so liefert dafür der Abschluß der Grundsatzreflexion
in II,39-48 die noch ausstehende Begründung. Nach dem Vorwurf an die
Götter ist dieser Abschnitt den Menschen gewidmet. Ihrer Selbstbeurteilung
nach heben sie sich von ihren Göttern nicht auf lichtvolle Weise ab, sondern
sie sind ihnen erschreckend ähnlich. Der abrupte Wechsel zwischen Hoch-
stimmung und Niedergeschlagenheit, zwischen Hybris und Larmoyanz ist bei
ihnen genauso undurchschaubar wie die Wertordnung der Götter. Die conditio humana ist somit durch ein eigentümliches Gemisch aus von göttlicher
Willkür bestimmtem Geworfensein und nicht minder willkürlichem Selbst-
entwurf der Menschen geprägt. Sie leben auf eigene Kosten ebenso in extremis, wie der Gott Marduk undurchschaubar in extremis an ihnen handelt.

Ob auch in dieser bedrückenden Komplementarität von Göttern und Menschen ein Vorwurf an die Götter mitschwingt, ist nicht mit Sicherheit zu sagen. Auszuschließen ist es nicht, aber eine einseitige Schuldzuweisung an die
Götter ist bei der deutlichen Apostrophierung der menschlichen Selbstüberschätzung auf keinen Fall intendiert. Im Resultat ist für die Menschen jedenfalls beides fatal: die gottgewollte und die selbstgemachte Unberechenbarkeit.
Beides gründet in fehlender Erkenntnis, genauer: in vorenthaltener Gotteserkenntnis und Selbsterkenntnis. Deshalb schließt dieser Teil mit dem bitteren
Urteil, daß menschliches Erkenntnisbemühen unter diesen Voraussetzungen
erfolglos bleiben muß (verneintes *lamādu* in II,48).

Diese Bankrotterklärung weisheitlicher Theologie wie die Grundsatzreflexion insgesamt bleiben für den Fortgang des Werkes folgenlos. In der kompo-
sitionellen Binnenlogik des Werkes muß das so sein. Wäre dem Abschnitt
II,12-48 in *Ludlul bēl nēmeqi* eine entscheidende Funktion zugedacht gewesen, hätte er nicht kompositionell versteckt werden müssen. Das Versteck

---

[24] W. G. LAMBERT, BWL S. 27: „One legitimate criticism of the style is that the abun-
dance of verbiage blunts the edge of the argument." Auch dieser plerophorische Stil dient als
Vorsichtsmaßregel gegen die „blasphemic implications".

verhindert indessen wirksam die vom Inhalt her naheliegende, aber unerwünschte Exponierung, so daß die in III,9-IV,98 berichtete Wendung des Geschicks des Leidenden in traditionellen Bahnen verlaufen kann. In Träumen (III,9-47) wird dem Leidenden das *aḫulap* „Es ist genug" (III,34, vgl. III,54) angekündigt, wird ihm das Heilsorakel *lā tapallaḫ* „Fürchte dich nicht" (III,35) zuteil und läßt der erstmals wieder explizit genannte Marduk (III,42) *ittuš damqatu* „sein gutes Zeichen" (III,47) sehen. Die Heilung (III,48-~IV,45)[25] wird ganz dezidiert als Sündenlösung verstanden (vgl. III,57-60), die von Marduk selbst (III,50ff.) rituell ins Werk gesetzt wird.[26] Bei der kultischen Reintegration des Geheilten in Esangila (~IV,46-98) setzt sich die ganz und gar positive Rolle Marduks fort, so daß man zu vergessen geneigt ist, in welches Zwielicht der Gott im Klageteil geraten ist. Nur noch einmal scheint die Erinnerung auf, wenn es zum Abschluß des Werkes gerade die „Umwölkten" sind, die zum Lob des Marduk aufgefordert werden.[27] Das hat jedoch keine prägende Wirkung mehr.

Im Rückblick bleibt haften, daß ein von Göttern, Dämonen und Menschen ins Leid Gestoßener seine Not bitter beklagt. Nach der Erfahrung des Versagens aller kultisch-rituellen Gegenmaßnahmen wendet sich der Gott Marduk dem Leidenden schließlich wieder zu und läßt die sistierten Riten ihre ganze heilende Kraft entfalten. Aus dem unberechenbaren Nebeneinander von Zorn und Erbarmen in Marduks Handeln, gepriesen im hymnischen Introitus, ist das Nacheinander von Marduks Zorn und Erbarmen geworden (III,50-54), das kultisch-rituell „bewältigt" werden kann.

2. Die Frage nach der Gerechtigkeit in der babylonischen Weisheitsliteratur

Die Dominanz dieser Erinnerung ist nach Ausweis der Komposition von *Ludlul bēl nēmeqi* gewollt. Das gewählte Schema, ob man nun von einem Klageerhörungsparadigma sprechen darf oder nicht,[28] ist konventionell. Der

---

[25] Die Unsicherheit der Gliederung ergibt sich aus dem fragmentarischen Erhaltungszustand des Werkes in dieser Passage (vgl. W. VON SODEN, TUAT III/1, S. 132).

[26] Bezeichnenderweise kann allerdings von einem Sündenbekenntnis des Leidenden keine Rede sein.

[27] IV,42 nach W. G. LAMBERT, BWL S. 60, IV,112 nach W. VON SODEN, TUAT III/1, S. 135. Man denke an die Aussage über die „Umwölkten" in II,38 zurück.

[28] Vgl. H. GESE, Lehre und Wirklichkeit [siehe Anm. 18] S. 63-69. Die von H.-P. MÜLLER („Keilschriftliche Parallelen" [siehe Anm. 2] S.403-408) durchgeführte Parallelisierung mit den „gewendeten Klagen" des Psalters ist im Blick auf die spezifische Wahrnehmung von *Ludlul bēl nēmeqi* nicht unproblematisch.

sog. sumerische „Hiobtext",[29] der altbabylonische Text AO 4462[30] und vor allem der in Ugarit nach Diktat einer babylonischen Vorlage aufgeschriebene Text R.S. 25.460[31] sind ältere Exemplare desselben Schemas, das ursprünglich in Klagegattungen beheimatet war. Es ist allein | die prägende Kraft dieser Tradition, die der brisanten Grundsatzreflexion in II,12-48 mit ihrem die überkommene Krisenbewältigung hinterfragenden Impetus den unauffälligen Unterschlupf gewährt, der sie ertragbar erscheinen läßt.[32] Aber aus diesem Unterschlupf heraus hat sie ihre Wirkung gehabt. Hier wird erstmals die Frage als prinzipielles theologisches Problem wahrgenommen, welche die weisheitliche Krisenliteratur Babyloniens weiterhin beschäftigen wird: Was ist nach dem Willen der Götter gut, und wie ist das Gute den Menschen erkennbar (vgl. II,33-38)?

Es ist nicht primär die Frage nach göttlicher und menschlicher Gerechtigkeit, die in der Weisheit Babyloniens zum Problem wird, sondern die Frage nach dem Guten, das als göttliche Willenskundgabe verläßliche Lebensmaxime und Lebenshilfe der Menschen sein soll und das diese Funktion wegen schwindender Eindeutigkeit und Erkennbarkeit immer weniger wahrzunehmen imstande ist. Schon der altbabylonische Text AO 4462, seit J. Nougayrol als frühe Version vom „Leidenden Gerechten" beurteilt, läßt sich nicht in

---

[29] S. N. KRAMER, „Man and his God". A Sumerian Variation of the „Job" Motif, SVT 3, Leiden 1955, S. 170-182; Übersetzung und neuere Literatur: W. H. PH. RÖMER, TUAT III/1, S. 102-109.

[30] Erstbearbeitung durch J. NOUGAYROL, „Une version ancienne du <Juste souffrant>" RB 59, 1952, S. 239-250; Neubearbeitung durch W. G. LAMBERT, „A Further Attempt at the Babylonian ‚Man and his God'" in: Language, Literature and History. Fs. E. Reiner, ed. F. Rochberg-Halton, AOS 67, New Haven 1987, S. 187-202; vgl. die philologischen Bemerkungen von B. GRONEBERG, Rez. Fs. E. Reiner, JAOS 112, 1992, S.124f.; Übersetzung: W. VON SODEN, TUAT III/1, S.135-140.

[31] J. NOUGAYROL, „(Juste) Souffrant", Ugaritica V, 1968, S. 265-273.435 (Nr.162); Literatur und neueste Übersetzung: W. VON SODEN, TUAT III/1, S. 140-143.

[32] Die Unversöhnlichkeit zwischen traditioneller Form und Grundsatzreflexion bleibt also bestehen. Anders J. J. STAMM, Das Leiden des Unschuldigen, S.19: „Aber in dieser Tiefe hat ein Wunder der Götter eingegriffen, das den Leidenden seine Anklage vergessen und ihn in jubelnden Preis ausbrechen läßt. Dieses Wunder ist eine merkwürdige und unerwartete Bestätigung von des Dichters Erfahrung, daß der Götter Tun unerforschlich und von den Menschen nicht zu begreifen sei." Dem Menschen bleibt angesichts der Rettung, „obwohl das Rätsel des göttlichen Waltens bestehen bleibt, nichts anderes als jubelnder Dank übrig." Wiederum anders im Blick auf die Grundsatzreflexion W. VON SODEN, „Das Fragen nach der Gerechtigkeit Gottes" [siehe Anm. 18] S. 67: „Der Leidende sucht hier Trost und Selbstrechtfertigung in dem Gedanken, daß die Menschen, von ihren wechselnden Stimmungen umgetrieben, den Willen des deus absconditus nicht erkennen können und gewiß oft von Grund auf mißdeuten. Er weicht mit dieser Erwägung der Versuchung aus, den Gott zu hart anzuklagen und etwa gar jede Frömmigkeit als sinnlos zu erklären." Doch die aufgewiesene Korrespondenz von göttlicher und menschlicher Unberechenbarkeit ist inhaltlich nichts anderes als Anklage Gottes und birgt durchaus keinen Trost in sich.

dieser Weise inhaltlich charakterisieren, worauf W. G. Lambert mit guten Gründen hingewiesen hat.[33] In der Klage des Leidenden wird weder die eigene Gerechtigkeit noch die seines Gottes zum Thema,[34] wohl aber die unterschiedliche Einstellung zum Guten: Während der Leidende beteuert, das ihm geschehene Gute nicht vergessen zu haben, klagt er, daß ihm angesichts des doch wohl von ihm selbst bewirkten Guten von Gott Böses widerfahren sei.[35] Zu einem herausgehobenen Thema wird dieser Vorwurf in AO 4462 nicht. Doch die Frage ist präludiert und kann später aufgenommen werden: in *Ludlul bēl nēmeqi*, nun prinzipiell fomuliert, aber mit Bedacht nicht als zentrales Problem exponiert.

Dieses Charakteristikum der Komposition von *Ludlul bēl nēmeqi* ist ausführlich dargelegt worden. Zusammengenommen mit dem traditionsgeschichtlichen Vorlauf ist das Urteil unvermeidlich, daß der für das Werk geläufige Titel „Der leidende Gerechte" unangemessen ist.[36] Wo Götter und Menschen auf bedrückende Weise ihre Korrespondenz vor allem in ihrer Unberechenbarkeit finden, kann die Frage nach göttlicher und menschlicher Gerechtigkeit nicht zum zentralen Thema werden. Be|zeichnenderweise beginnt die Restitution des Leidenden mit von Marduk bewirkter Sündenlösung (III,60). Schuld ist angesichts der conditio humana als Grund für göttlichen Zorn immer vorauszusetzen, sosehr zugleich beachtet werden muß, daß ein Schuldbekenntnis des Leidenden fehlt. Wo der Leidende indessen – selten genug – sein Recht fordert, geschieht es nicht aus dem Bewußtsein eigener Gerechtigkeit heraus in direkter Konfrontation mit den Göttern, schon gar nicht mit dem Gott Marduk, sondern im Klagebericht über gescheiterte kultisch-rituelle Gegenmaßnahmen (II,1-11).[37] Mit dem Kontext der Beschwörungsserien ist aber das Wissen um eigene Schuld zwingend vorausgesetzt. Dementsprechend ist in II,9 von der gescheiterten Lösung (*paṭāru*) des göttlichen Zornes gegen den Leidenden durch den Beschwörer die Rede, während seine Restitution in III,50ff. mit der Besänftigung (des Zornes) Marduks und

---

[33] Vgl. W. G. LAMBERT, Fs. E. Reiner, S. 201.

[34] Das gilt ebenso für den sog. sumerischen „Hiobtext". Hier findet sich in Z. 111-113 sogar ein ausdrückliches Sündenbekenntnis des Leidenden (vgl. S. N. KRAMER, SVT 3 S. 176.180, Z. 111-113; W. H. PH. RÖMER, TUAT III/1, S. 107f.).

[35] Vgl. W. G. LAMBERT, Fs. E. Reiner, S. 190f, Z. 26f und B. GRONEBERG, JAOS 112 S. 125a.

[36] W. VON SODEN, TUAT III/1, S. 110; W. G. LAMBERT: „The Poem of the Righteous Sufferer" (BWL S. 21); R. LABAT: „Le Juste souffrant" (in: Les religions du Proche-Orient asiatique, ed. A. Caquot et al., Paris 1970, S. 328) u.a. Zur Kategorisierung des Werkes unter der Frage nach der Gerechtigkeit Gottes vgl. stellvertretend für viele W. VON SODEN, „Das Fragen nach der Gerechtigkeit Gottes" [siehe Anm. 18] S. 60ff.

[37] In II,3 wird für „Recht" das seltene Wort *išartu* gebraucht, in II,7 *dīnu*.

der Sündenlösung beginnt.[38] Allerdings steht die Passage II,1-11 direkt vor der Grundsatzreflexion II,12-48, so daß die Frage nach dem Recht des Leidenden möglicherweise bewußt in die Nähe zur verdeckten Anklage der Götter gerückt worden ist. Aber daraus wird kein Thema gemacht. Deshalb kann man allenfalls sagen, daß *Ludlul bēl nēmeqi* hart an der Grenze zur Frage nach der Gerechtigkeit Gottes steht.

Auch bei der „Babylonischen Theodizee" wird man die Frage stellen müssen, inwieweit dieses Werk einen angemessenen Titel trägt.[39] Die Frage kann in diesem Zusammenhang nicht ausführlich erörtert werden; einige Hinweise müssen genügen. Zwar ist nicht zu bestreiten, daß der Dulder im Gespräch mit seinem Freund eine Reihe von Mißständen in der Welt auf eine Weise anprangert, daß man geneigt ist, dies als Frage nach der göttlichen Gerechtigkeit zu begreifen. Allerdings wird in dem Werk selbst das verhandelte Problem nicht derart auf den Begriff gebracht. Der Dulder fragt sich vielmehr, welchen Nutzen und Ertrag es haben könne, die Götter zu verehren, wenn ihr Handeln undurchschaubar und unberechenbar (geworden) sei. Die selten gebrauchten Begriffe Gerechtigkeit und Wahrheit kommen konsequenterweise nicht in der anklagenden Frage nach der göttlichen Gerechtigkeit vor, sondern da, wo einst die Durchschaubarkeit und „Berechenbarkeit" des göttlichen Handelns beheimatet war: im Kult.[40] Wo der Kult offensichtlich keinen „Gewinn" mehr bringt (Z. 251), drängt sich dem Dulder die Frage nach seiner Sistierung auf (Z. 135). Der Dulder erwartet von den Göttern nichts mehr – und wird darin schließlich von seinem Freund auf beklemmende Weise bestärkt: In beträchtlicher Verschärfung der Grundsatzreflexion von *Ludlul bēl nēmeqi* II,33-48 zeichnet der Freund in seiner letzten Rede (XXVI, Z. 276-286) die conditio humana in einhellig düsteren Farben. Die großen Götter, unter ihnen der sonst als Menschenfreund bekannte Zulummaru = Ea (Z. 277), haben die „Umwölkten" (Z. 276) bei der Schöpfung mit „unehrlicher Rede" | (*itguru dabāba*), mit „Lügen" (*sarrātu*) und „Unwahrheit" (*lā kinātu*) „beschenkt" (*šarāku*, Z. 279f.). Die derart Beschenkten „schenken" (Z. 284) sich untereinander Gaben, die die Entsprechung zwischen Schöpfern und Geschöpfen unverkennbar machen: „Niedertracht, Gemeinheit" (*nullâtu*), „Mord" (*nērtu*) und „Böses" (*lumnu*, Z. 284f.).

---

[38] Auch auf diesem Hintergrund wird noch einmal deutlich, wie unangemessen es wäre, Gott und Göttin in II,4f. nur auf die persönlichen Gottheiten und nicht auch auf Marduk und Zarpānītu zu beziehen [s. Anm. 17]. Sie expressis verbis zu erwähnen, wäre im Blick auf den Nahkontext (II,12-48) nicht in Frage gekommen.

[39] Textbearbeitung: W. G. LAMBERT, BWL S. 63-89.302-310, Pl. 19-26 (vgl. R. BORGER, HKL II, S. 159f.); neueste Übersetzung: W. VON SODEN, TUAT III/1, S. 143-157 (Untertitel: „Ein Streitgespräch über die Gerechtigkeit der Gottheit"); s. Anm. 3.

[40] Z.42 *mīšaru* „Gerechtigkeit"; Z.79-81 *kittu* „Wahrheit", *uṣurtu* „das Vorgezeichnete, die Fügung", *kidudû* „Riten", *kīnūte mēsi* „die zuverlässigen Kulte".

Das Interessante an diesem Abschnitt ist nicht primär die ganz und gar negative Sicht der „Umwölkten", sosehr auch darin ein nicht zu unterschätzender Erkenntniswert liegt. Der Wille Gottes/der Götter, eigentlich unbegreiflich (verneintes *lamādu*, Z.256f.264, vgl. Z. 82), ist durch das Schöpfungshandeln im Blick auf die Menschen evident: „Wahrhaft (*kīniš*) erfahren (*lamādu* Gt) in der Not sind die Umwölkten" (Z. 84).[41] Wie sollte es den derart „Beschenkten" anders ergehen! Noch interessanter jedoch ist die Tatsache, daß der Freund und nicht der Dulder diese Schöpfungsbestimmung des Menschen mitteilt und daß er darüber hinaus – im Unterschied zur Grundsatzreflexion in *Ludlul bēl nēmeqi* – nichts über das Wesen der Götter sagt. Die Götter sind in einem hintergründigen Sinne unwesentlich geworden. Konsequenterweise erfährt der Dulder die letzte Rede seines Freundes als Tat der Barmherzigkeit, die in *Ludlul bēl nēmeqi* von Marduk (und anderen Gottheiten) erwartet und erfahren wurde.

Die drei letzten Zeilen der „Babylonischen Theodizee" (Z. 295-297) mit ihren Bitten an Gott, Göttin und König sind konventionell und können die vorher vollzogene Marginalisierung der Götterwelt nicht mehr ungeschehen machen. Kann angesichts der perversen Schöpfungsgaben wirklich die Frage nach der göttlichen Gerechtigkeit das Thema der „Babylonischen Theodizee" sein? Steht hier nicht vielmehr die Frage nach dem Wert strikter kultisch-ritueller Observanz angesichts ausbleibenden „Gewinns" zur Debatte (vgl. Z.28f.74.239.251)? Gewinn ist im Sinne der Tat-Folge-Entsprechung zu verstehen, die die Götter durch ihre (kultisch-rituelle) Ordnung garantieren (sollten). Wo der Bestand dieser Ordnungen nicht mehr evident ist, geraten Götter, Kulte und Werte ins Zwielicht – nicht unter der Frage nach der Gerechtigkeit, sondern unter der Frage, was im Leben Bestand gibt und worauf Verlaß ist.

Wie zentral diese Frage ist, läßt sich dem „Pessimistischen Dialog" entnehmen,[42] der integraler Bestandteil der weisheitlichen Problemliteratur ist. Dieses späte Werk aus dem 7. Jahrhundert zeigt: Wo Götter und Kult keine Ordnung mehr garantieren, tritt der Wertrelativismus ein. Wie schon in der „Babylonischen Theodizee" signalisiert die Form des „Dialogs", daß das Gespräch mit den Göttern verstummt ist und die Menschen untereinander die Frage zu klären versuchen müssen, die sie nicht klären können. Im „Pessimistischen Dialog" wird sie in Z. 80 klimaktisch als Frage nach dem Guten formuliert. Doch auf diese Frage, die in der Grundsatzreflexion von *Ludlul bēl nēmeqi* bereits im Blick auf die Undurchschaubarkeit des Willens der Götter gestellt worden war (II,33-38), gibt es im „Pessimistischen Dialog" keine

---

[41] Zur Lesung und Übersetzung vgl. CAD A/II S. 168b; CAD S S. 27b; W. VON SODEN, TUAT III/1, S.151.

[42] Textbearbeitung: W. G. LAMBERT, BWL S. 139-149.323-327, Pl. 37f. (vgl. R. BORGER, HKL II, S. 160); neueste Übersetzung: W. VON SODEN, TUAT III/1, S. 158-163.

Antwort mehr. Allein der Tod ist eindeutig und verläßlich (Z. 81-86). Dem Wertrelativismus folgt der Nihilismus auf dem Fuße. Es ist jedoch ein Nihilismus coram deis. Eine Leugnung der Götterwelt kennt der „Pessimistische Dialog" nicht. Wo jedoch im Gedankenspiel erwogen werden kann, die Gottheit durch Verweigerung der Op|fer wie einen Hund zu dressieren (Z. 58-61; vgl. bereits „Babylonische Theodizee" Z. 135), da haben die Götter als Garanten der Lebensordnung verspielt, ob man ihr Daseinsrecht bestreitet oder nicht. Solange die göttliche Gewährleistung dieser Lebensordnung gesichert und kultisch-rituell transparent ist, sind kritische Anfragen an die Götter, die zu keiner Zeit in der babylonischen Religion als sonderlich gerecht galten, möglich, ohne eine fundamentale Sinnkrise heraufzubeschwören. Zugespitzt gesagt: Um die Lebensordnung zu gewährleisten, müssen die Götter Babyloniens nicht gerecht sein, aber im wesentlichen verläßlich und durch Kult und Ritus „berechenbar". Das Zerbrechen dieser Ordnung ist in der skeptischen Weisheit Babyloniens durch die behandelten Werke dokumentiert. Sie drängen auf die Frage nach der Gerechtigkeit Gottes hin, ohne sie in Anbetracht der eigenen religiösen Voraussetzungen stellen zu können.

Als die Weisheit in Israel skeptisch wurde, waren diese Werke der babylonischen Weisheit längst abgeschlossen und auf die eine oder andere Weise in Israel bekannt.[43] Davon hat Israel – in Anknüpfung und Widerspruch – Gebrauch gemacht, als es sich im Hiobbuch anschickte, nun tatsächlich Gottes Gerechtigkeit und die des einen exemplarisch Gerechten, Hiob, aneinander zu messen. Verlauf und Ausgang dieses Streites bedürfen indessen einer eigenen Würdigung.[44]

---

[43] Der lange Traditionsweg liegt im Dunkeln; vgl. die Überlegungen von J. GRAY, ZAW 82, S. 264ff. R.S. 25.460 (s. Anm. 31) beleuchtet schlaglichtartig den Weg der skeptischen Weisheitsliteratur Babyloniens nach Westen.

[44] Vgl. meine Studie „Die Satanisierung Gottes. Zur inneren Konkordanz von Novelle, Dialog und Gottesreden im Hiobbuch.", in: I. Kottsieper u.a. (Hrsg.), Wer ist wie du, HERR, unter den Göttern?, Fs. O. Kaiser, Göttingen 1994, S. 431-444.
Leider bin ich zu spät aufmerksam geworden auf den weiterführenden Aufsatz von R. ALBERTZ, „*Ludlul bēl nēmeqi* – eine Lehrdichtung zur Ausbreitung und Vertiefung der persönlichen Mardukfrömmigkeit", in: G. Mauer, U. Magen (Hrsg.), Ad bene et fideliter seminandum, Fs. K. Deller, AOAT 220, Neukirchen-Vluyn 1988, S. 25-53. Die Auseinandersetzung, die er verdiente, kann hier nicht geführt werden. ALBERTZ' These konvergiert mit der hier vorgetragenen darin, daß die inhaltliche Distanz zwischen *Ludlul bēl nēmeqi* und der alttestamentlichen Hiobsdichtung beträchtlich ist. Die Intention von *Ludlul bēl nēmeqi* – mit ALBERTZ – in der Vertiefung der Mardukfrömmigkeit zu erkennen, um „auch extreme menschliche Leiderfahrung durch eine Erweiterung der Spannweite dieses persönlichen Gottes als zornigen und gnädigen aufzufangen" (S. 51), ist mit den hier präsentierten Überlegungen kaum vereinbar.

8. Recht und Gerechtigkeit im Alten Testament
Politische Wirklichkeit und metaphorischer Anspruch

Prolegomena

Das Thema Recht und Gerechtigkeit hat seinen Platz im Zentrum alttestamentlicher Geschichte und Theologie. Wenn ich Geschichte sage, meine ich damit nicht, daß alttestamentliche Geschichte ein leuchtendes Beispiel für Recht und Gerechtigkeit wäre. Wie allenthalben ist in dieser Hinsicht auch in Israel eher Mangel als Reichtum zu diagnostizieren. Aber in Israel wurde das Recht ernst genommen. Rechtskodizes aus verschiedenen Jahrhunderten und Rechtserzählungen, häufig mit paradigmatischem Anspruch, zeugen davon. Zudem ist Gerechtigkeit ein Schlüsselbegriff alttestamentlicher Theologie.[1] Nicht von ungefähr hat Hans Heinrich Schmid 1968 ein Buch mit dem Titel „Gerechtigkeit als Weltordnung" publiziert, in welchem er die Gerechtigkeitsvorstellung(en) des Alten Testaments als Teil eines altorientalischen Weltordnungsdenkens konturiert hat. Schließlich weise ich, ohne statistische Befunde überbewerten zu wollen, auf die Stellung der einschlägigen Begriffe der Rechts- und Gerechtigkeitsterminologie in der Tabelle der häufigsten hebräischen Wörter hin: *Mišpāṭ* „Recht" hat mit 422 Belegen den Platz Nr. 119 inne, *ṣᵉdāqāh* „Gerechtigkeit" mit 157 Belegen Platz Nr. 276 und *ṣædæq* „Gerechtigkeit" mit 119 Belegen Platz Nr. 350. Damit gehört die Rechts- und Gerechtigkeitsterminologie zur bestbelegten theologischen Terminologie im Alten Testament überhaupt. Zum Vergleich: Nur *qōdæš* „Heiligkeit" und *ʿôlām* „Ewigkeit" haben mit 469 bzw. 440 Belegen die etwas höheren Plätze Nr. 109 bzw. Nr. 112 inne, während Schlüsselbegriffe wie *bᵉrît* „Bund" (287 Belege, Platz Nr. 170), *ḥæsæd* „Güte, Gnade" (245 Belege, Platz Nr. 194), *šālôm* „Friede" (237 Belege, Platz Nr. 200), *tôrāh* „Gesetz" (220 Belege, Platz Nr. 215), *kābôd* „Ehre, Herrlichkeit" (200 Belege, Platz Nr. 230) im Mittelfeld zwischen Recht und Gerechtigkeit liegen.[2] Im folgenden sollen die Begriffe *šāpaṭ* „Recht sprechen", *mišpāṭ* „Recht", *ṣdq* | qal „im Recht sein, Recht haben", hif. „Recht schaffen" und *ṣædæq /ṣᵉdāqāh* „Gerechtigkeit" im Mittelpunkt stehen.[3] Die Konzentration ge-

---

[1] Vgl. WALTER DIETRICH, Der rote Faden im Alten Testament. „Gerechtigkeit" als Mitte des Alten Testaments, EvTh 49 (1989) 232-250.

[2] Zu den statistischen Angaben vgl. THAT 2 (1976) 531-538.

[3] Zu dem gesamten thematischen Bereich von Recht und Gerechtigkeit im Alten Testament vgl. GOTTFRIED QUELL, Art. δίκη κτλ. Der Rechtsgedanke im AT: ThWNT 2 (1935)

schieht im Wissen darum, daß dadurch weitere Rechtstermini an den Rand gedrängt werden.[4] Eine flächendeckende Präsentation der einschlägigen alttestamentlichen Befunde kommt in diesem Vortrag nicht in Betracht, wohl aber die Präsentation exemplarischer Texte vor allem aus dem Bereich des Jesajabuches, des Psalters und der Weisheit im Dienste einer Gesamtschau von Recht und Gerechtigkeit im Alten Testament. Dies soll im folgenden versucht werden.

Vorab bedürfen noch zwei Präliminarien der Erörterung. Sie betreffen zum einen das Verhältnis der Begriffe Recht (*mišpāṭ*) und Gerechtigkeit (*ṣædæq* und *ṣᵉdāqāh*) zueinander. Im folgenden wird die gut zu begründende Voraussetzung gemacht, daß es eine Komplementarität von Recht und Gerechtigkeit gibt. Unter Recht (*mišpāṭ*) ist primär die konkrete Rechtsetzung und Rechtsprechung zu verstehen, unter Gerechtigkeit (*ṣædæq* und *ṣᵉdāqāh*) primär die umfassende Größe mit (Be)Gründungsfunktion, normativem Anspruch und wirklichkeitsprägender Kraft für Gegenwart und Zukunft. Das in der Forschungsgeschichte dokumentierte Gegeneinander von juridischem Gerechtigkeitsverständnis und Auffassung der Gerechtigkeit Gottes als Gabe im Rahmen einer synthetischen Lebensauffassung reißt auseinander, was zusammengehört.[5] Beide Komponenten sind am alttestamentlichen Gerechtigkeitsverständnis beteiligt, wobei der Gabecharakter eine theologisch konstitutive, der juridische Aspekt eine funktionale Bedeutung hat.[6] Das unterschiedlich ge-

---

176-180; ALFRED JEPSEN, *ṢDQ* und *ṢDQH* im Alten Testament: Gottes Wort und Gottes Land. FS H. W. Hertzberg, Göttingen 1965, 78-89 = DERS., Der Herr ist Gott, Berlin 1978, 221-229. – Klaus KOCH, Art. *ṣdq*: THAT 2 (1976) 507-530; GERHARD LIEDKE, Art. *špṭ*: THAT 2 (1976) 999-1009; JOSEF SCHARBERT, Art. Gerechtigkeit I. Altes Testament: TRE 12 (1984) 404-411; BO JOHNSON, Art. *mišpāṭ*: ThWAT 5 (1986) 93-107; WALTER DIETRICH, Art. Gerechtigkeit. 1. Altes Testament: EKL³ 2 (1989) 87-90; HELMER RINGGREN/BO JOHNSON, Art. *Ṣādaq*: ThWAT 6 (1989) 898-924; DIETHELM MICHEL, Art. Gerechtigkeit. I. Altes Testament: NBL 1 (1991) 795-798; BREVARD S. CHILDS, Biblical Theology of the Old and New Testaments, London 1992, 487-492; HORST DIETRICH PREUß, Theologie des Alten Testaments 2, Stuttgart/Berlin/Köln 1992, 179-181; J. J. SCULLION, Art. Righteousness. Old Testament: AncBD 5 (1992) 724-736; FRANK-LOTHAR HOSSFELD, Art. Gerechtigkeit. II. Altes Testament: LThK³ 4 (1995) 500-501; HERBERT NIEHR, Art. *š āpaṭ*: ThWAT 8 (1995) 408-428; ECKART OTTO, Art. Recht/Rechtstheologie/Rechtsphilosophie. I. Recht im Alten Orient und im Alten Testament: TRE 28 (1997) 197-209.

[4] Vor allem wären zu nennen *miṣwāh* „Gebot" (181 Belege, Platz Nr. 247 in der Häufigkeitstabelle), *ḥoq* „Ordnung, Bestimmung, Vorschrift" (129 Belege, Platz Nr. 332), *ḥuqqāh* „Satzung" (104 Belege, Platz Nr. 389). Die genannten Belege kommen nicht selten zusammen mit *mišpāṭ* vor. Zu diesem Begriffsfeld gehören also über 800 Belege – ein eindrücklicher Hinweis auf die Bedeutung der Rechtssphäre im Alten Testament.

[5] Zur Forschungsgeschichte vgl. den Überblick bei JOHNSON, ThWAT 5 (s. Anm. 3) 903-905.

[6] Anders ECKART OTTO, Theologische Ethik des Alten Testaments, Stuttgart/Berlin/Köln 1994, 81ff., der die theologische Begründung des Rechts und die „Ausdiffe-

wichtete Verhältnis beider Aspekte zuein|ander in einer Reihe zentraler Texte
auszuloten, verspricht den größeren Erkenntnisgewinn als starre semantische
Fixierungen von *mišpāṭ*, *ṣædæq* und *ṣᵉdāqāh* oder die keineswegs verständ-
nisfördernde und viel zu einseitige Übersetzung von *ṣædæq* und *ṣᵉdāqāh* mit
„Gemeinschaftstreue".[7]

Zum anderen muß vor der Sacherörterung ein Wort zu dem vielleicht über-
raschenden Untertitel des Vortrages gesagt werden. Die Zusammenstellung
von politischer Wirklichkeit und metaphorischem Anspruch mag befremden.
Als Pendant zur politischen Wirklichkeit werden manche den theologischen
Anspruch erwartet haben. Diese Konfiguration ist bewußt vermieden worden.
Es gibt im Alten Testament keine theologisch ungedeutete politische Wirklichkeit. Dabei will politische Wirklichkeit in weitem Sinne verstanden werden. Jede Form organisierten Zusammenlebens im alttestamentlichen Israel
ist damit gemeint. Keine dieser Formen ist in Israel aus der theologischen
Wirklichkeitserfassung ausgenommen worden. In diesem notwendig voraus-
zusetzenden Verständnis stehen Politik und Theologie also in einer denkbar
engen Liaison. Theologische Sprache wird zur Erfassung der facettenreichen
politischen Wirklichkeit ebenso gebraucht wie juridische Terminologie, die
im Tagesgeschäft der Rechtsprechung so präzise und praktikabel wie möglich
sein muß. Dieser Wirklichkeitserfassung und ihrer Sprachgebung den metaphorischen Anspruch zuzugesellen, geschieht in der Absicht, auf die Meta-
morphosen aufmerksam zu machen, die der Sprache von Recht und Gerechtigkeit in Texten widerfahren sind, die die Inkongruenz politischer Wirklichkeit und punktuell erlebter bzw. erhoffter neuer Wirklichkeit artikulieren
wollen. Diesem Prozeß sind Krisen vorausgegangen, die die kritische und
kreative Kraft der Sprache des Rechts und der Gerechtigkeit herausgefordert
und ihre metaphorische Aufweitung entschieden begünstigt haben. Daß diese
metaphorische Sprache auch eine theologische ist, versteht sich zwar von
selbst, sei aber eigens betont. Die metaphorisch neu erfaßte Wirklichkeit führt
zu neuen theologischen Entwürfen, die politische Wirklichkeit und Erkenntnis der Wahrheit der Wirklichkeit in Einklang zu bringen versuchen. Welche
Entwürfe sich als fruchtbar erwiesen haben und welche ohne Resonanz geblieben sind, wird im folgenden zu untersuchen sein.

Die in den Prolegomena angesprochenen Aspekte legen die Präsentation
der Beobachtungen in drei Schritten nahe: 1. Gründung und Erhaltung politischer Wirklichkeit durch Recht und Gerechtigkeit, 2. Recht und Gerechtigkeit

---

renzierung eines Ethos aus dem Recht" für einen traditionsgeschichtlich jüngeren Vorgang
hält.

[7] Vgl. KLAUS KOCH, Wesen und Ursprung der »Gemeinschaftstreue« im Israel der Königszeit, ZEE 5 (1961) 72-90 = DERS., Spuren des hebräischen Denkens, Neukirchen-Vluyn
1961, 107-127 und die ebenda im bibliographischen Anhang von B. JANOWSKI zusammen-
gestellte Literatur (288-290); kurz und kritisch: JEPSEN (s. Anm. 3) 229 Anm. 28.

in der Krise, 3. Entwürfe von Recht und Gerechtigkeit im Spiegel des metaphorischen Anspruchs. Schließlich werden Epilegomena den Eindruck verhindern müssen, daß Recht und Gerechtigkeit im Laufe der alttestamentlichen Traditionsge|schichte zu einem harmonischen, theologisch allseits anerkannten Verhältnis gefunden hätten.

1. Gründung und Erhaltung politischer Wirklichkeit durch Recht und Gerechtigkeit

Gerechtigkeit als Weltordnung, so lautet die zum Titel gewordene These von H. H. Schmid. Er hat zu Recht die Schlüsselfunktion der Gerechtigkeit für die Ermöglichung und Erhaltung individuellen und gemeinschaftlichen Lebens ins Zentrum des Interesses gerückt. Für die göttliche Provenienz dieser Ordnung gibt es verschiedene Hinweise. Nicht von ungefähr begegnet Gerechtigkeit im (nord)westsemitischen und altsüdarabischen Bereich – der ägyptischen Maat ähnlich[8] – als Gottheit *Ṣdq*, vermutlich *Ṣidqu* zu vokalisieren. Die philologische Identität mit dem hebräischen *ṣædæq* ist nicht zu bezweifeln. Diese Gottheit ist im Onomastikon der betreffenden Sprachen dokumentiert. Aus dem reichen Repertoire seien nur wenige Beispiele genannt: akkadisch bezeugt, aber westsemitischer Herkunft *Ammiṣaduqa* „Mein Verwandter ist *Ṣdq*", phönizisch *Ṣdqmlk* = *Ṣidqimalku* „*Ṣidqu* ist König", phönizisch und altsüdarabisch *Ṣdqʾl* = *Ṣidqi-ʾilu* „El/Gott ist *Ṣidqu*", moabitisch *Kmṣṣdq* = *Kamoš-ṣidqu* „Kamos ist *Ṣidqu*", ugaritisch *Adnṣdq* = *Adani-ṣidqu* „(Mein) Herr ist *Ṣidqu*", derselbe Name im Hebräischen *ʾᵃdonî-ṣædæq* „(Mein) Herr ist *Ṣædæq*" (Jos 10,1.3).[9] Hier und bei anderen alttestamentlichen Namen mit dem nominalen Element *ṣædæq* kann man sich fragen, inwieweit theophore Anklänge noch gehört worden sind. Die Klärung dieser Frage ist jedoch unwichtig gegenüber der Tatsache, daß aufgrund des religionsgeschichtlichen Hintergrundes (Verbindung von *Ṣidqu* mit den jeweils höchsten Gottheiten des Pantheons) im Alten Testament Gerechtigkeit in engster Verbindung mit Gott begriffen wird, so daß jede Manifestation von Gerechtigkeit eine Anteilgabe an Gottes Gerechtigkeit darstellt. Gerechtigkeit (*ṣædæq*) und Recht (*mišpāṭ*) gelten als Stützen des Gottesthrones (Ps 89,15; 97,2). Mit Mut zur Elementarisierung kann man sagen, daß in der höfischen Theologie der Vorstellungskomplex von Gerechtigkeit und Recht eine ähnliche Schlüsselfunkti-

---

[8] Vgl. JAN ASSMANN, Maʾat. Gerechtigkeit und Unsterblichkeit im Alten Ägypten, München 1990.

[9] Zu den Personennamen und zu dem Gott *Ṣidqu/Ṣædæq* vgl. HANS HEINRICH SCHMID, Gerechtigkeit als Weltordnung. Hintergrund und Geschichte des alttestamentlichen Gerechtigkeitsbegriffes, BHTh 40, Tübingen 1968, 74-77.

on innegehabt hat wie der Vorstellungskomplex der Herrlichkeit (*kābôd* „Ehre, Herrlichkeit" und andere Begriffe) in der kultischen Theologie.

In der Partizipation an Gottes Gerechtigkeit gibt es eine Rangfolge. An erster Stelle ist der König zu nennen. Er hat eine herausgehobene Position im Blick auf Gerechtigkeit und Recht: sowohl in der göttlichen Anteilgabe als auch in der | Verantwortung für die Vermittlung der Gerechtigkeit durch das Recht. Psalmen und Weisheit spiegeln diese Konzeption gut erkennbar wider. Als Beispiel sei auf das Königslied Ps 72 hingewiesen.

1 „Jhwh", gib dein(e) Recht(ssatzungen) (*mišpāṭ*, Plural) dem König
   und deine Gerechtigkeit (*ṣᵉdāqāh*) dem Königssohn,
2 daß er dein Volk richte in Gerechtigkeit (*ṣædæq*)
   und deine Elenden nach dem Recht (*mišpāṭ*).
3 Die Berge mögen Frieden/Heil (*šālôm*) tragen (für das Volk)
   und die Hügel (...) Gerechtigkeit (*ṣᵉdāqāh*).
4 (Er schaffe Recht den Elenden des Volkes, helfe den Armen
   und zermalme die Unterdrücker.
5 Sie sollen dich [= Jhwh] fürchten in Gegenwart von Sonne
   und Mond, Geschlecht um Geschlecht.)
6 Er komme herab wie Regen auf die gemähte Flur,
   wie Regengüsse, die die Erde tränken.
7 Es sprosse in seinen Tagen der Gerechte/die Gerechtigkeit
   und Heil die Fülle, bis der Mond nicht mehr ist.
8 Er herrsche von Meer zu Meer
   und vom Strom bis an die Enden der Erde.

Dieser Textabschnitt enthält eine Fülle von Übersetzungs- und Fortschreibungsproblemen, deren eingehende Behandlung zugunsten des für unser Thema zentralen Inhalts zurückgestellt werden soll.[10] Es ist deutlich, daß *mišpāṭ*, *ṣædæq* und *ṣᵉdāqāh* mehr oder weniger synonym gebraucht werden. Gott schenkt Recht und Gerechtigkeit dem König, damit er befähigt wird, die Herrschaft über sein Volk auszuüben. In Übereinstimmung mit altorientalischer Tradition gibt es für diese Befähigung ein untrügliches Indiz: das Eintreten des Königs für die Schwachen des Volkes, für diejenigen, die nicht die Macht haben, das Recht für sich geltend zu machen. Sosehr also Recht und Gerechtigkeit im Blick auf den König mit Herrschaft verbunden sind, sowenig legitimiert sie jedwede Form herrscherlicher Willkür. Immerhin gilt das „Du bist der Mann" des Nathan keinem Geringeren als dem König David (vgl. 2 Sam 12,7). Gerechte Herrschaft wird in eminentem Maße an der Für-

---

[10] In V. 1 ist der Gottesname Jhwh als ursprünglich anzunehmen (elohistischer Psalter). In V. 3 könnte „für das Volk" ein Zusatz sein und die Präposition *b* vor „Gerechtigkeit" eine versehentliche Analogiebildung zu V. 2. V. 4-5 sind am ehesten als eine armentheologische und theokratisierende Fortschreibung anzusehen. In V. 7 ist „der Gerechte" (*ṣaddîq*) möglicherweise aus ursprünglicher „Gerechtigkeit" (*ṣædæq*) erwachsen, wohl gleichzeitig mit der Fortschreibung in V. 4-5.

sorge des Herrschers für die schwächeren und schwachen Glieder der ihm
anvertrauten Gemeinschaft gemessen. „Tue deinen Mund auf für den Stummen, für das Recht aller Schwachen.[11] Tue deinen Mund auf, richte gerecht
und schaffe Recht dem Elenden und Armen", heißt es in der Königsunterwei-
sung in Prov 31,8f. Das ist aus dem Munde der Weisen dieselbe Erwartung an
den König wie in Ps 72. Hier manifestiert sich ein wesentliches | Moment des
Ethos altorientalischen Königtums, gleichviel, wie es um die jeweilige Realisierung bestellt gewesen sein mag.

In Ps 72 gewinnt Gerechtigkeit aber noch in einem entschieden weiteren
Horizont Gestalt. Wo Gott den König an seiner Gerechtigkeit teilhaben läßt,
darf die Entfaltung der Gerechtigkeitssphäre nicht nur im eigenen Volk, sondern weit darüber hinaus bis in die belebte und unbelebte Natur hinein erwartet werden. In Ps 72,1-8 ist schön zu sehen, wie diese unserem Verständnis nach getrennten Bereiche ineinandergeschoben werden. Gerechte Herrschaft, die Berge als Heilsbringer und Fruchtbarkeit der Erde bilden den ein-
heitlichen Erwartungshorizont gottgegebener Königsherrschaft, der die kos-
mische Dimension immer eigen gewesen ist. Eine Idylle wird hier nicht be-
schworen, denn das Recht für die Schwachen des Volkes und Heil und Friede
über den Bergen vertragen sich sehr wohl damit, daß die Feinde im Staub
liegen und die unterworfenen Könige Tribut entrichten (vgl. 72,9-11). Ps 72
macht exemplarisch mit der Norm politischer Wirklichkeit bekannt, an der
sich messen lassen muß, wer als König in Israel die Gottesgabe der Gerechtigkeit empfangen hat und sie im Recht vermitteln und bewahren muß.

Wer dieses programmatische Ethos für Königsideologie ohne Realitätsbe-
zug zu halten geneigt ist, wird bei der Beurteilung berücksichtigen müssen,
daß ein reiches weisheitliches Spruchgut zu der Erkenntnis verhelfen will,
wie Gerechtigkeit gerechte Menschen formt. Weil das Proverbienbuch so
stark an der lebenspraktischen Seite der Gerechtigkeit interessiert ist, sind in
ihm die Worte über den Gerechten häufiger als über die Gerechtigkeit.[12] Beide zusammen zeigen, daß in der Sicht der höfischen Theologie Leben ohne
Gerechtigkeit weder zu begründen noch zu verstehen ist. Leben ohne Gerechtigkeit ist ein genauso gemeingefährliches wie selbstmörderisches Unter-
fangen wie Leben ohne Gott.

Ich könnte mit Hilfe der Proverbien die eminent lebenspraktische Dimension von Recht und Gerechtigkeit konkretisieren. Dann würde deutlich werden, wie sehr die Frage nach Recht und Gerechtigkeit alle Lebensvollzüge
bestimmt, weil jedesmal die Frage nach Gott involviert ist. Das gilt für das
Urteil des Königs ebenso wie für Besitz und Handel (vgl. Prov 16,8-13).

---

[11] Zum Übersetzungsproblem in V. 8b vgl. OTTO PLÖGER, Sprüche Salomos (Prover-
bia), BK XVII, Neukirchen-Vluyn 1984, 371.

[12] Vgl. JUTTA HAUSMANN, Studien zum Menschenbild der älteren Weisheit (Spr 10ff.),
FAT 7, Tübingen 1995, 37-66.

Längst bevor Geld und Geist zuweilen zusammenfanden, wollte Gott das Geld nicht ohne seine Gerechtigkeit lassen. Immer sind Gott und seine menschenfreundliche Ordnung unmittelbar im Spiel (vgl. 16,9f.). Deshalb gibt es bei Recht und Gerechtigkeit keine graduellen Unterschiede, sondern nur die scharfe Alternative von Gerechtigkeit und Frevel, Gerechtem und Frevler. Die Überzeugung der Weisen geht dahin, daß jeder Mensch, der das Erkenntnisorgan Herz auf dem rechten Fleck hat, nicht anders kann, als die Wohlordnung der Welt durch Gott zu erkennen, daran seine Freude zu haben und sich gemäß dieser Ordnung zu verhalten. Eine andere Entschei|dung ist Dummheit oder schuldhafte Verweigerung, die sich beide zu einem lebensgefährlichen Gemisch zusammenfinden können.[13]

Politische Wirklichkeit im vorexilischen Israel stellt sich unter der Voraussetzung von Recht und Gerechtigkeit nicht als totalitäres System dar, sondern als auf göttlicher Stiftung gründendes und unter königlicher Autorität stehendes Gemeinwesen, dessen Akzeptanz auf der Erkennbarkeit und Erfahrbarkeit von Recht und Gerechtigkeit aufruht. Es ist organischer Teil der Weltordnung Gottes, welche auf die ihr innewohnende Gerechtigkeit hin transparent ist. Und was als Gerechtigkeit erkennbar wird, ist aufgrund ihrer göttlichen Provenienz Gott selbst. Welterkenntnis ist die weisheitliche Form der Gotteserkenntnis mit der Gerechtigkeit als zentralem Medium. Wer sich dieser transparenten und lebensfreundlichen Ordnung versagt, wird mit dem scharfen Protest ihrer Vertreter zu rechnen haben. Sie sind nicht nur in den Weisheitsschulen zu finden.

2. Recht und Gerechtigkeit in der Krise

Der Protest manifestiert sich vor allem in der Prophetie. Er hat sich in Büchern, die durch Prophetengestalten des 8. bis 6. Jahrhunderts initiiert worden sind, niedergeschlagen. Der Protest reagiert nicht auf eine bestimmte Krise oder auf eine spezifische Krisensymptomatik. Vielmehr ist der Protest durch eine lange Kette von Krisenphänomenen politischer Natur hervorgerufen worden. Auch hier ist der Begriff des Politischen im obengenannten weiten Sinne zu verstehen. Die Verkündigung der Propheten ist von ihren Anhängern und Tradenten in den jeweiligen Prophetenbüchern über Jahrhunderte hin durch Fortschreibungen kommentiert und aktualisiert worden. Ich werde den prophetischen Protest exemplarisch an Jesaja erläutern, weil ich auch die weiteren Transformationen im Vorstellungsbereich von Recht und Gerechtig-

---

[13] Vgl. GERHARD VON RAD, Weisheit in Israel, Neukirchen-Vluyn 1970, 85–91.

keit in dem ihm zugeschriebenen Buch darlegen will. Die Konkretisierung der
prophetisch erkannten Krise soll an Jes 1,21-28 erfolgen.[14]

21 Ach, wie ist zur Hure geworden
      die treue Stadt,
    die voller Recht (*mišpāṭ*) war, in der Gerechtigkeit (*ṣædæq*) wohnte,
      jetzt aber Mörder.
22 Dein Silber ist zu Bleiglätte geworden,
      dein Trank - verpantscht mit Wasser.
23 Deine Hofleute sind Aufrührer
      und Diebesgesellen.
    Sie alle lieben Bestechung
      und jagen Geschenken nach. |
    Der Waise schaffen sie kein Recht,
      und die Sache der Witwe kommt nicht vor sie.
24 Deshalb der Spruch des Herrn Jhwh Zebaoth,
      des Starken Israels:
    Wehe, ich will mich letzen an meinen Widersachern
    und Rache nehmen an meinen Feinden;
25   ich will meine Hand gegen dich kehren.[15]
    Ich will deine Bleiglätte wie mit Lauge läutern
      und alle deine Schlacken entfernen.
26 (Ich will deine Richter wiederherstellen wie am Anfang
      und deine Ratgeber wie zu Anbeginn.
    Darnach wird man dich Stadt der Gerechtigkeit [*ṣædæq*] nennen,
      treue Stadt.)
27 (Zion wird durch Recht [*mišpāṭ*] erlöst werden,
      und die dahin heimkehren, durch Gerechtigkeit [*ṣᵉdāqāh*].
28 Doch die Schuldigen und Sünder werden zerschlagen allesamt,
      und die Jhwh verlassen, werden umkommen.)

In diesem Wort klagt der Jerusalemer Jesaja seine Stadt Jerusalem an. Die
Anklage wird in ihrer ganzen Schärfe nur verständlich, wenn sie in dem
Kontext gehört wird, der den Jerusalemern vertraut war und den Jesaja deshalb nicht eigens artikuliert. Der Kontext besteht in der vorausgesetzten Vorstellung der göttlichen Anteilgabe an Recht und Gerechtigkeit, an der alles,
was die Nähe zu Gott hat und sucht, partizipiert. So auch die Stadt Jerusalem,
jedenfalls gemäß dem Verständnis, dessen fortbestehende Berechtigung Jesaja mit seiner Anklage bestreiten will. Die von Jesaja gebrauchte Metaphorik
bringt den Wesenswandel der Stadt zum Vorschein: Hure, das Fehlprodukt
Bleiglätte anstelle von Silber, verpantschtes Getränk. Die Bilder machen den
irreversiblen Schaden deutlich. Konkret heißt der Wesenswandel: Rechtsver-
weigerung durch hohe königliche Beamte gegenüber den Schwachen, deren

---

[14] Zu Jes 1,21-28 vgl. HANS WILDBERGER, Jesaja. 1. Teilband, BK X/1, Neukirchen-
Vluyn ²1980, 55-68.
[15] V. 24b und V. 25aα bilden zusammen ein Bikolon.

Rechtsschutz königliches Ethos ist und deshalb ebenso Ethos der Hofleute sein sollte. Werden Recht und Gerechtigkeit durch Denken und Tun für obsolet erklärt, tritt das richtende Wort des Gottes in Kraft, dessen fundamentale Gaben verächtlich behandelt worden sind. Wer von diesem Gott nichts empfangen will, hat seine Hände bereits mit anderem gefüllt. Jesaja nennt ein Spektrum vom Mord über Aufruhr bis zur Bestechung. Die sich darin manifestierende Abwesenheit der Gerechtigkeit bewirkt auf seiten Gottes keine Indifferenz, sondern Feindschaft, die der Prophet beim Namen nennt (vgl. 1,24) und mit einem dementsprechenden Drohwort versieht: Läuterung der Bleiglätte. Hier bricht der Prophet das bereits in demselben Wort gebrauchte Bild. Bleiglätte als Fehlprodukt ist nicht zu läutern. Nichts wird übrig bleiben, wenn sich Gottes Hand gegen die Stadt kehrt.

In 1,26 und 1,27f. ist dieses harte Wort nach dem Widerfahrnis des Gerichtes durch zwei Kommentierungen zu neuer Perspektive gebracht worden. Die Kommentierungen sind unterschiedlich dimensioniert. Wiederherstellung und Erlö|sung lauten die Schlüsselworte. Beidesmal sind jedoch Recht und Gerechtigkeit unverzichtbar für die Vorstellung der Restitution bzw. Neukonstitution.[16]

In Jes 1 verdienen noch zwei wichtige Aspekte Aufmerksamkeit. Zum einen wäre das Prophetenwort mißverstanden, hörte man aus ihm nur die Anklage gegen die Jerusalemer Oberschicht heraus. Die Anrede der Stadt in Anklage und Drohung und die Aberkennung des Titels „treue Stadt" aufgrund des Fehlens von Recht und Gerechtigkeit verdeutlicht den Schaden an Haupt und Gliedern. Dagegen spricht weder die besondere Erwähnung von Hofleuten noch von Waise und Witwe. Beide Gruppen stehen exemplarisch für Garanten bzw. Empfänger dieser fundamentalen Gaben. Störungen in diesem Verhältnis indizieren keinen partikularen, sondern einen totalen Mangel an Recht und Gerechtigkeit, weil Gott seine Gaben nicht nach Gutdünken zerteilen läßt.

---

[16] Während die Aktualisierung in V. 27f. vielfach erkannt worden ist (vgl. WILDBERGER [s. Anm. 14] 66f.; OTTO KAISER, Das Buch des Propheten Jesaja. Kapitel 1-12, ATD 17, Göttingen ^{5}1981,57ff.; RUDOLF KILIAN, Jesaja 1-12, NEB, Würzburg 1986, 28 u.a.), wird V. 26 wegen der Inclusio mit V. 21 durchgängig für ursprünglich gehalten. Die Argumentation ist nicht stichhaltig. Auch Redaktoren können eine Inclusio schaffen. Gegen die Ursprünglichkeit von V. 26 spricht die Aufnahme von *w^{e}ʾāšîbāh* aus V. 25 in V. 26 – unter völliger Umwandlung des Sinnes: Aus dem Kehren von Gottes Hand gegen Jerusalem ist das Wiederherstellen der Rechtsordnung „wie am Anfang" geworden. Am besten ist das exegetische Problem von *Scholastika Deck* aufgespürt worden: „Die Idylle in 1,26 scheint nicht nur in Spannung zu 1,25 zu stehen, sondern auch zu dem ‚Anarchie-Szenario' in Jes 3,1-9*. ... eigentlich suggeriert erst 1,26, daß nach Abzug der Schlacke noch etwas übrig bleibt, das Silber also nur *vermischt* mit Schlacke war und nicht einfach Schlacke *ist*, wie 1,21 nahelegt... Erst Jes 1,26 macht das Gericht zum Läuterungsgericht mit gutem Ausgang" (Die Gerichtsbotschaft Jesajas: Charakter und Begründung, fzb 67, Würzburg 1991, 147).

Zum anderen muß nun aber auch ernst genommen werden, daß in Jes 1,21ff. das Königtum nicht zum expliziten Adressaten der Anklage wird. Daß der Prophet das Königtum nicht im Blick hätte, ist angesichts der Nennung der königlichen Beamtenschaft unwahrscheinlich. Der König ist aus dieser Anklage nicht herauszuhalten. Daß er gleichwohl nicht genannt wird, kann nur mit dem großen Respekt des Jerusalemers Jesaja vor dem davidischen Königtum begründet werden, dessen Betrauung mit Recht und Gerechtigkeit im ersten Teil dieses Vortrages dargelegt worden ist. Es gibt keinen leichten Abschied von dem Partizipationsmodell, in dem Recht und Gerechtigkeit durch den König vermittelt werden. Die von den vorexilischen Propheten diagnostizierte Kette von Krisensymptomen hat diesen Abschied vorausgeschaut, und die Katastrophe von 587/6 hat dann diesen Abschied gebracht.

Mit *mišpāṭ* und *ṣedāqāh* stand den Gerichtspropheten Amos (vgl. 5,7.24; 6,12) und Jesaja ein Begriffspaar zur Verfügung, mit dem sie das theologische Fundament ihrer Botschaft auf einen kurzen, allseits verständlichen Nenner bringen konnten. Welche programmatische Kraft diesem Begriffspaar zugetraut worden ist, läßt sich aus der Komposition von Jes 5 entnehmen. Das Weinberglied (5,1-7) läuft in der vorliegenden Fassung klimaktisch auf die Anklage des Fehlens von | Recht und Gerechtigkeit in Israel und Juda hinaus (vgl. 5,7). Das Fehlen von Recht und Gerechtigkeit ist die konkrete Form der ausbleibenden Gegenliebe, die die zu erwartende Reaktion auf die Liebe von Jhwh Zebaoth zu seinem Weinberg gewesen wäre. Daß der Liebende auf Recht und Gerechtigkeit nicht zu hoffen braucht, stellt zugleich die vorweggenommene Begründung für die in 5,8-24 folgenden Weherufe dar. Wo Gottes Hoffnung auf Recht und Gerechtigkeit hoffnungslos ist, werden die Schuldigen (= die Frevler) gegen Bestechung freigesprochen (= gerecht gemacht) und die Unschuldigen (= die Gerechten) die Abwesenheit der Gerechtigkeit erleiden (vgl. 5,23). Eine Fortschreibung sagt expressis verbis, was zu erwarten ist: Gott selbst wird Recht und Gerechtigkeit Geltung verschaffen, indem er sein Recht zum Gericht (*mišpāṭ*) und die Gerechtigkeit zum Erweis seiner Heiligkeit (und nicht mehr seiner Liebe) werden läßt (vgl. 5,16).

3. Entwürfe von Recht und Gerechtigkeit im Spiegel des metaphorischen Anspruchs

Israel hat die Zeit des Exils als Verborgenheit Gottes erfahren.[17] Seine Verborgenheit manifestiert sich nicht zuletzt in der gottgewollten Ferne der Gerechtigkeit (vgl. Jes 46,12). Gott hat seine für das Gottesverhältnis und das

---

[17] Vgl. LOTHAR PERLITT, Die Verborgenheit Gottes: Probleme biblischer Theologie. FS G. von Rad, München 1971, 367-382 = DERS., Allein mit dem Wort. Theologische Studien, Göttingen 1995, 11-25.

Verhältnis der Israeliten untereinander konstitutive Gabe entzogen. Die konkrete politische Zerstreuung Israels unter die Völker ist sichtbares Zeichen der
inneren Auflösung, die durch den Entzug der gemeinschaftsstiftenden Kraft
der Gerechtigkeit erfolgt ist. Das in die Gottes- und Gerechtigkeitsferne gestoßene Israel sieht sein Recht vom verborgenen Gott verkannt (vgl. 40,27).

Dem von der Gerechtigkeit Gottes entfernten Israel gilt die Verkündigung
Deuterojesajas. Der Prophet des schöpferischen Neuanfangs Gottes und seine
Tradenten wagen sich in ihren Worten auch an die neue Verkündigung der
Gerechtigkeit heran. In dieser neuen Verkündigung ist auch die Gerechtigkeit
neu geworden. Ihre Wiederkunft vollzieht sich zunächst als Moment eines
neuen politischen Aufbruchs, in dem sie fast unerkannt bleibt. Es ist der Sie-
geszug des Kyros, der den Vorderen Orient politisch umwandelt und der im
Kernbestand deuterojesajanischer Texte zentrales Thema ist. Das wird in Jes
41,1-3 evident:

1 Hört still mir zu, ihr Inseln,
    und die Völker mögen Kraft neu bekommen.
Sie sollen herantreten, dann reden,
    zusammen wollen wir vor Gericht (*mišpāṭ*) gehen. |
2 Wer hat vom Osten erweckt,
    dem Sieg (*ṣædæq*) auf Schritt und Tritt begegnet?
(Wer) gibt ihm Völker preis
    und wirft Könige zu Boden?
Sein Schwert macht (sie) dem Staube gleich,
    wie Spreu zerstreut (sie) sein Bogen.
3 Er jagt sie, zieht heil (*šālôm*) daher,
    berührt nicht den Weg mit seinen Füßen.[18]

In Jes 41,1-3 wird der nicht genannte Kyros als derjenige erfragt, dem auf
Schritt und Tritt *ṣædæq* begegnet (41,2) und der *šālôm* dahinzieht (41,3).
Kontextuell kann man *ṣædæq* an dieser Stelle nur mit Sieg übersetzen, *šālôm*
mit heil oder unversehrt. *Ṣædæq* und *šālôm* haben eine metaphorische Metamorphose erlebt, die durch die neue politische Wirklichkeit angestoßen worden ist. Es wäre jedoch ganz unangemessen, in dieser Kontextualisierung von
ṣædæq und *šālôm* eine theologische Verflachung erkennen zu wollen. Die
neue politische Wirklichkeit bringt vielmehr in der Person des Kyros *ṣædæq*
und *šālôm* wieder nahe. Kein König der davidischen Dynastie tut es in dieser
Situation, sondern ein Fremdherrscher, den der Gott Israels „mein Hirte" und
„Messias" nennt (44,28; 45,1). Seine Siege sind Begegnung mit *ṣædæq*, die
keine andere Gerechtigkeit als die Gottes ist, und sein unaufhaltsam nahe-

---

[18] Zu Jes 41,1-5 vgl. REINHARD GREGOR KRATZ, Kyros im Deuterojesaja-Buch. Re-
daktionsgeschichtliche Untersuchungen zu Entstehung und Theologie von Jes 40-55, FAT 1,
Tübingen 1991, 36-52; zum Verständnis von *ṣdq* bei Deuterojesaja vgl. FRIEDRICH
VINZENZ Reiterer, Gerechtigkeit als Heil, Graz 1976.

kommender Zug ist begleitet von *šālôm*, der kein anderer als der Friede Gottes ist (vgl. 45,6). Kyros ist in der Exilszeit der erste Bringer der Gerechtigkeit Gottes, und Deuterojesaja ist sein Prophet.

In einem weiteren Schritt wird im Deuterojesajabuch das realisiert, was zum wissenschaftlich standardisierten Profil der Verkündigung des Propheten geworden ist, was aber nach Häufigkeit und Streuung der Belege eher eine weitere Facette der Verkündigung im Rahmen der redaktionellen Buchgestaltung zu sein scheint: Gerechtigkeit als Rettung oder Heil. Dafür ist Jes 46,12f. ein Beispiel:

12 Hört auf mich, die ihr beherzt seid
    (und) fern von der Gerechtigkeit (*ṣᵉdāqāh*):
13 Ich lasse nahen meine Gerechtigkeit (*ṣᵉdāqāh*), sie ist nicht fern,
    und meine Rettung (*tᵉšûʿāh*) säumt nicht.
    Ich werde in Zion Rettung (*tᵉšûʿāh*) bereiten,
    für Israel meine Herrlichkeit (*tipʾæræt*).

Die ferne Gerechtigkeit soll wieder zur nahen werden. Der Prophet läßt Gott an die zur Einsicht Bereiten appellieren, sein neues Werk wahrzunehmen. Bewußt spricht nun Gott selbst von „meiner Gerechtigkeit“, die er nahekommen lassen will. Die neu nahende Gerech|tigkeit wird wie einst durch Nähe zu Gott geprägt sein. Gott will sich selbst in ihr erfahrbar machen. Doch die sich in der Gerechtigkeit mitteilende Gotteserfahrung wird neu sein. Das Schlüsselwort heißt *tᵉšûʿāh*: Hilfe, Rettung, Heil. Der Parallelismus membrorum, verbunden mit einem Chiasmus, macht deutlich, daß darin Gerechtigkeit konkret werden soll. Was auf Kyros als Sieg zukam, wird – so die weitere wirklichkeitsbringende metaphorische Metamorphose – für Zion und Israel Rettung sein. Ihrer beider Rettung ist nahe in der nahekommenden Gerechtigkeit – und in alledem Gott selbst. Gewichtig setzt das Wort *tipʾæræt* den Schlußpunkt. Es ist über den Chiasmus mit der Gerechtigkeit verbunden und artikuliert die Zusage der Gegenwart Gottes, die in nichts anderem als Rettung und Heil für Zion und Israel erfahren werden soll (vgl. bereits Jes 44,23b: „Denn Jhwh hat Jakob erlöst und erweist sich an Israel herrlich [*yitpāʾer*]“).

Kyros' Siege und Israels Rettung sind Aspekte einer Neuschöpfung, in der sich der eine und einzige Schöpfergott als gerecht und (darin und dadurch) als rettend erfahrbar macht. Die Neuschöpfung wird als kosmisch dimensionierte Rettungstat präsentiert. Daß Himmel und Erde Gerechtigkeit spenden, bedeutet Rettung. Das eine wie das andere erschafft Gott im kosmischen Zusammenspiel, so in Jes 45,8:

8 Lasset rieseln, ihr Himmel droben,
    und Wolken sollen fließen von Gerechtigkeit (*ṣædæq*).
    Die Erde öffne sich,
    Heil (*yæšaʿ*) soll Frucht bringen,

und Gerechtigkeit ($s^e dāqāh$) sprosse zumal.
  Ich, Jhwh, erschaffe es.[19]

Gottes Walten gewinnt auf diese Weise eine neue Transparenz. Wo Gott durch Recht und Gerechtigkeit mit dem damit verbundenen neuen metaphorischen Anspruch Israel anspricht, tritt er aus seiner Verborgenheit wieder heraus. Von diesem gerechten und rettenden Schöpfergott, dem einzigen überhaupt, werden gemäß der kosmischen Dimension seines Handelns auch die Enden der Erde angesprochen, sich von ihm retten zu lassen (vgl. 45,19-23).

Rettung und Heil für die Völker sind allerdings im Tradentenkreis des werdenden Deuterojesajabuches immer deutlicher zum Problem geworden. Wer an dem Heil des gerechten und rettenden Gottes (vgl. 45,21) partizipiert, ist in Israel strittig geblieben. Einerseits weist schon die Fortsetzung des soeben referierten Textes darauf hin, daß es Rettung nicht ohne das Gericht gibt und eigentlich nur Israel sich der Rettung rühmen kann (vgl. 45,24f.). Andererseits ist die Frage intensiv bedacht worden, daß Rettung und Heil zu den Völkern gebracht werden müssen und wie es geschehen kann.

Dieser Frage widmen sich die Gottesknechtslieder, die sukzessive im Tradentenkreis des Deuterojesajabuches entstanden sind. Die beiden ersten Lieder haben | die Aufgabe der Heilsvermittlung an die Völker ursprünglich einem Individuum übertragen. Dabei dürfte unwahrscheinlich sein, daß eine bestimmte Person im Blick gewesen ist. Sosehr die Gestalt des Kyros die Idee auch eines Heilsmittlers aus Israel beflügelt haben wird, sowenig standen in der Exilszeit Optionen zu Gebote, die nicht geschichtlich desavouiert waren. Die Texte denken bisher Ungedachtes. Daher haben sie den Charakter des Entwurfs, der vor allem die Frage von Recht und Gerechtigkeit betrifft. Als die Lieder in die werdende Komposition des Deuterojesajabuches hineingenommen wurden, sind sie sogleich durch Fortschreibungstexte kollektiviert und nationalisiert worden.[20] Diese Entstehungstheorie für die Gottesknechtslieder kann hier nicht im einzelnen begründet werden. Sie liegt den Beobachtungen zugrunde, die in den vier Gottesknechtsliedern ihrer vermutbaren ursprünglichen Konzeption nach zum Verständnis von Recht und Gerechtigkeit gemacht werden können. Zunächst Jes 42,1-4:

1 Siehe, mein Knecht, den ich halte,
    mein Erwählter, an dem ich Wohlgefallen habe.
  Ich habe meinen Geist auf ihn gegeben;
    Recht (*mišpāṭ*) wird er zu den Völkern hinausbringen.
2 Er wird nicht lärmen und nicht (die Stimme) erheben;
    er wird seine Stimme draußen nicht hören lassen.

---

[19] Zur redaktionellen Position von Jes 45,8 im werdenden Deuterojesajabuch vgl. KRATZ, Kyros (s. Anm. 18) 76-78.
[20] Zu diesem Prozeß vgl. KRATZ, Kyros (s. Anm. 18) 128-147.

3 Ein geknicktes Rohr wird er nicht zerbrechen,
   und einen glimmenden Docht wird er nicht auslöschen.
   Zur Wahrheit/in Treue (*ᵉmæt*) wird er das Recht (*mišpāṭ*) hinausbringen;
4   er wird nicht verlöschen und nicht „geknickt werden"²¹,
   bis er auf der Erde das Recht (*mišpāṭ*) errichten wird.
   Auf seine Weisung (*tôrāh*) harren die Inseln.

Das erste Gottesknechtslied (Jes 42,1-4) bedenkt, wie das Recht (*mišpāṭ*), unter dem hier nichts anderes als *ṣædæq* oder *ṣᵉdāqāh* in anderen deuterojesajanischen Texten zu verstehen ist, zu den Völkern gelangen kann.²² Ganz Israel kommt für diesen Auftrag nicht in Frage – jedenfalls nicht der ursprünglichen Intention des Liedes nach. Es kann nur ein einzelner sein, der durch Titel (Knecht) und Geistbegabung in einem besonderen Gottesverhältnis steht. Die Charakterisierung in 42,2f. weist ihn als eine Gestalt aus, die eher ein Gegenbild zu den klassischen Gerichtspropheten verkörpert. Dieser Knecht wird das Recht leise, | behutsam und unermüdlich zu den Völkern bringen, wobei ihm nur eines zustatten kommt: die Sehnsucht der Inseln – identisch mit den bereits genannten Völkern – nach der ihnen bisher unbekannten Weisung (vgl. 42,4), die ebenfalls als Heil und Rettung verstanden sein will. In dieser Hinsicht gehören die Verfasser und Tradenten der Gottesknechtslieder ganz in den Kreis der deuterojesajanischen Theologie. Indessen ist die metaphorische Metamorphose von *mišpāṭ* und *tôrāh* im ersten Gottesknechtslied noch deutlicher ausgefallen als die von *ṣædæq* und *ṣᵉdāqāh* im deuterojesajanischen Umkreis im engeren Sinne. Neue Wirklichkeit wird erhofft, die dem exklusiven Heilsanspruch (vgl. oben 45,24f.) leise, aber entschieden widerspricht und die Heilssehnsucht der Völker kühn mit dem eigenen Heilsanspruch, verstanden als rettendes Angesprochensein durch Gott, verbindet.

Die kühne Konstruktion wird im zweiten Gottesknechtslied (49,1-6) noch einmal explizit affirmiert. Die entscheidenden Verse lauten:

---

²¹ Lesung *yerôṣ* statt *yārûṣ*.

²² Zum Verständnis von *mišpāṭ* im ersten Gottesknechtslied vgl. W. A. M. BEUKEN, Mišpāṭ. The First Servant Song and its Context: VT 22 (1972) 1-30 u. JÖRG JEREMIAS, Mišpāṭ im ersten Gottesknechtslied (Jes. XLII 1-4): VT 22 (1972) 31-42. Ob man bei *mišpāṭ* im ersten Gottesknechtslied so stark semantisch differenzieren kann, wie JEREMIAS es tut, muß fraglich bleiben. Im Blick auf die kontextuelle Wahrnehmung ist allemal BEUKEN zuzustimmen: „Whereas it is supposed throughout the preceding chapters that the metamorphosis of history will come as salvation for Israel and consequently as punishment for the nations (especially xli 1-5), the climax of the first Song reveals that the very adversaries of Israel are hoping for the Servant's ordinance, for the law he will proclaim as the juridical statute of the new situation of justice in history" (28). Allerdings dürfte der forensische Charakter von *mišpāṭ* hier noch zu stark betont sein.

3 Er sprach zu mir: Mein Knecht bist du,
     (Israel,) an dem ich mich verherrlichen werde.[23]
4 Ich aber sprach: Vergeblich habe ich mich gemüht,
     für nichts und Hauch meine Kraft erschöpft.
   Doch mein Recht (*mišpāṭî*) ist bei Jhwh
     und mein Lohn (*pᵉʿullātî*) bei meinem Gott.
5 Aber nun spricht Jhwh,
     der mich vom Mutterleib zum Knecht für sich gebildet hat
   um Jakob zu ihm zurückzubringen
   und Israel zu ihm zu versammeln:
   ...
6 (Er sprach:) Es ist zu gering, daß du mir Knecht bist,
     die Stämme Jakobs aufzurichten
   und die Bewahrten Israels zurückzubringen.
     Ich mache dich zum Licht der Völker,
   daß meine Hilfe (*yᵉšûʿātî*) bis an das Ende der Erde reiche.

Nicht nur Rückführung der Stämme Israels ist das Amt des Knechtes, in dem sich Gott selbst verherrlichen will (49,3; vgl. 46,13). Diese Aufgabe wird als zu gering erachtet. Die universale Dimensionierung von *mišpāṭ* aus dem ersten Gottesknechtslied verschafft sich hier erneut Geltung und muß mit dem *mišpāṭ* des Knechtes in Übereinstimmung gebracht werden. Wider den Augenschein des Mißerfolgs vertraut der Knecht auf Recht und Lohn bei Gott. Beide synonym gebrauchten Begriffe weisen auf das hin, was Gott dem Knecht als Recht und Lohn zugedacht hat: Licht der Völker und Hilfe (*yᵉšûʿāh*) bis an das Ende der Erde zu sein (vgl. 49,6).[24] Das Recht des Knechtes wird zum Völkerrecht. Und das eine wie das andere ist Gottesrecht.|

Im zweiten Gottesknechtslied hat *mišpāṭ* durch die Verbindung mit dem Geschick des Gottesknechtes eine weitere metaphorische Metamorphose erlebt. Aus der subjektiven Erfahrung des Scheiterns heraus stellt der Knecht sein Recht ganz und gar Gott anheim. Darf man die Synonymie von Recht und Lohn hier um Erfolg erweitern? Legitim ist dies auf jeden Fall nur dann, wenn auch beim Erfolg die metaphorische Metamorphose wahrgenommen wird. Sie impliziert, daß der Knecht mit seiner Person für seine Aufgabe einsteht, ja, daß er selbst zum Werk Gottes wird. Damit werden alle unter Menschen üblichen Erfolge ad absurdum geführt. Das zweite Gottesknechtslied läßt nur ahnen, was es heißt, auf das eigene Recht bei Gott im Scheitern zu vertrauen und daraufhin von Gott mit seinem eigenen Recht für die Völker betraut zu werden.

---

[23] Der Name Israel ist in V. 3 im Sinne des national-kollektivierenden Verständnisses der Gottesknechtslieder eingetragen worden.

[24] Vgl. HANS-JÜRGEN HERMISSON, Der Lohn des Knechts: Die Botschaft und die Boten. FS H. W. Wolff, Neukirchen-Vluyn 1981, 269-287, zum zweiten Gottesknechtslied 270-276.

Im dritten Gottesknechtslied (50,4-9) gewinnen die Konsequenzen des zweiten tastend, im vierten (52,13-53,12) deutlich Gestalt. Der Knecht weiß sein Recht als Rechtfertigung durch Gott gewahrt: „Nahe ist, der mir Recht schafft" (*qārôb maṣdîqî*, 50,8). Die Bestreitung seines Rechtes durch Menschen kann ihn deshalb nicht anfechten (vgl. 50,7-9).[25] Als vor und durch Gott Gerechter – Gerechtfertigter – kann er durch seine Stellvertretung die vielen gerecht machen, nämlich retten (53,11aβb-12) und zum *šālôm* werden (53,5):

5 Doch er war verwundet wegen unserer Freveltaten,
   zerschlagen wegen unserer Verschuldungen.
   Züchtigung, uns zum Frieden (*šālôm*), war auf ihm,
   und durch seine Wunde(n) wurden wir geheilt.

11 ...
   Als Gerechter (*ṣaddîq*) wird mein Knecht die Vielen gerecht machen (*yaṣdîq*),
   und ihre Verschuldungen wird er tragen.
12 Darum werde ich ihm Anteil geben unter den Vielen,
   und mit den Mächtigen wird er Beute teilen,
weil er sein Leben im Tode hingegeben hat
   und sich unter die Frevler rechnen ließ.
Doch er trug die Schuld der Vielen
   und tritt für die Frevler ein.

Die Vielen sind nicht auf Israel begrenzt, sondern – wie in der einleitenden Gottesrede 52,13-15 – die vielen Völker, die Unerhörtes sehen und verstehen sollen. Die Stellvertretung für sie alle wird der Erfolg des Knechtes sein (vgl. 52,13), vollbracht durch seinen Tod. Er bringt das Recht als Heil zu den Völkern, indem er das Heil durch sein stellvertretendes Leiden erwirkt. Die metaphorische Metamorphose von Recht und Gerechtigkeit ist so radikal, daß die Nomina mit positiven Konnotationen im dritten und vierten Gottesknechtslied nicht mehr gebraucht werden (vgl. 50,8b; 53,8a). Gerechtigkeit ist zum neuen Geschehen geworden, an welchem Gott und Knecht als Subjekt beteiligt sind (vgl. das Gerechtmachen in 50,8a mit 53,11aβ) und in welchem Gott und der Knecht in bis|her ungekannter Einigkeit und Einheit handeln (vgl. 53,6b.10 mit 53,11aβb-12).[26]
   Die Stellvertretung als individuell geleistete universale Heilsmittlerschaft, die im Vollzug der sukzessiven Entstehung der Gottesknechtslieder konzipiert

---

[25] Zum dritten Gottesknechtslied vgl. HERMISSON, Lohn (s. Anm. 24) 276-280.
[26] Zum vierten Gotteskenchtslied vgl. HANS-JÜRGEN HERMISSON, Das vierte Gottesknechtslied im deuterojesajanischen Kontext: Der leidende Gottesknecht. Jes 53 und seine Wirkungsgeschichte, FAT 14, Tübingen 1996, 1-25; BERND JANOWSKI, Er trug unsere Sünden. Jes 53 und die Dramatik der Stellvertretung: ebd. 27-48; vgl. die Bibliographie ebd. 251-264; HERMANN SPIECKERMANN, Konzeption und Vorgeschichte des Stellvertretungsgedankens im Alten Testament: Congress Volume Cambridge 1995, Leiden 1997, 281-295.

worden ist, stellt die kühnste metaphorische Metamorphose der Recht- und Gerechtigkeitsvorstellung im Alten Testament dar. Sie hat in alttestamentlicher Zeit weder ihre geschichtliche Stunde gehabt noch eine weiterführende Rezeption erlebt. Sie ist sowenig weitergedacht worden wie die beiden Entwürfe individueller Mittlerschaft neuer Gerechtigkeitsordnung, die in nachexilischer Zeit ins werdende Protojesajabuch eingestellt worden sind. Es handelt sich um die Texte Jes 9,1-6 und 11,1-9.

Ich erwähne diese Verheißungen an der Stelle, an der sie meiner Einsicht nach literaturgeschichtlich hingehören: in die zeitliche Nähe zur sukzessiven Entstehung der Gottesknechtslieder. Wird man diese vielleicht noch in exilischer Zeit verorten dürfen, so die Texte Jes 9,1-6 und 11,1-9 in (früh)nachexilischer Zeit. Diese Verheißungen und die Gottesknechtslieder sind in das jeweils noch separat entstehende Proto- bzw. Deuterojesajabuch eingefügt worden. Andernfalls wäre eine literarisch nachweisbare Kommunikation zwischen den genannten Verheißungstexten zu erwarten gewesen. Sie ist indessen erst in den tritojesajanischen Partien zu finden, die bereits die Vereinigung von Proto- und Deuterojesajabuch voraussetzen.

Am konventionellsten ist die Verheißung in Jes 9,1-6.[27] Das große Licht, das vom Volk in der Finsternis gesehen wird, ist nicht das Licht, das zu den Völkern getragen wird. Das Joch der Last (*sobœl*, vgl. 9,3) des Volkes wird abgeworfen werden. Das Tragen (*sābal*, vgl. 53,4.11) hat keine stellvertretende Bedeutung. Das neugeborene Kind, das der Heilsmittler ist, steht – obwohl der Titel König bewußt vermieden wird – in altehrwürdiger Königstradition altorientalischer und davidisch-dynastischer Prägung. Recht und Gerechtigkeit (*mišpāṭ* und *ṣᵉdāqāh*) werden Stützen des Davidsthrones sein (vgl. 9,6), wie sie es einst nur beim Gottesthron gewesen sind (vgl. Ps 89,15; 97,2). Dem entsprechen die Königsnamen in Jes 9,5, die Gottesnähe signalisieren, wie sie bisher unerhört gewesen ist. Gleichwohl darf man sich nicht darüber hinwegtäuschen lassen, daß die Idee der Restitution der davidischen Dynastie diesen Text zentral bestimmt. Er könnte seinen ursprünglichen Ort am ehesten in der politischen Wirklichkeit der frühnachexilischen Hoffnungen auf Serubbabel gehabt haben. |

Was in Jes 9,1-6 Ziel der Verheißung ist, stellt in 11,1-9 den Ausgangspunkt dar.[28] Hinter David zurückgehend wird der Anschluß bei Isai als dem Vater des Dynastiegründers gesucht. Hier soll wirklich ein neuer Anfang gemacht werden. Das wird auch im folgenden deutlich. Der erwartete Herrscher wird geistbegabt wie der Gottesknecht sein (vgl. 42,1). Doch die Geistbegabung erfährt nun eine umfangreiche Erläuterung, die die Herrschaftsausübung

---

[27] Zu Jes 9,1-6 vgl. WOLFGANG WERNER, Eschatologische Texte in Jesaja 1-39. Messias, Heiliger Rest, Völker, fzb 46, Würzburg ²1986, 20-46.

[28] Zu Jes 11,1-9 vgl. WERNER, Texte (s. Anm. 27) 46-75. WERNERS Spätdatierung, frühestens ins vierte Jahrhundert, ist weder zwingend noch überzeugend.

präformiert. Weisheitliche Herrschaft – man vergleiche die terminologischen Parallelen in Prov 1,2-7 – kann keine bessere Mitgift bekommen, als sie dem Verheißungsträger durch die göttliche Geistbegabung zuteil wird. Seine Herrschaft hat eine geistlich-weisheitliche Prägung, die das mit dem Königtum verbundene Rechts- und Gerechtigkeitsethos zu ihrer Sache macht, aber Gerechtigkeit ganz auf der Kraft des weisheitlichen Wortes gründet. Bei einem geistbegabten Herrscher, dem Gerechtigkeit (*ṣædæq* und *mîšôr*, 11,4f.) und Wahrheit/Treue (*ᵆmûnāh*, 11,5) nachgerade Teil seiner selbst geworden sind, reicht der Stab des Mundes und der Hauch der Lippen aus, Repräsentanten der Gegenwelt des Frevels auszuschalten. In Jes 11,4f. wird Gerechtigkeit ohne politische Macht gedacht. Deshalb wird der erwartete Herrscher auch nicht als neuer David charakterisiert, sondern allenfalls als der erste neue Herrscher, wie es noch keinen gegeben hat. Wer sich solche Visionen erlaubt, muß die bestehenden politischen Verhältnisse gut geordnet wissen. Unter persischer Herrschaft haben dies viele als gegeben betrachtet.

Theologischen Erfolg im Sinne der produktiven Rezeption haben Jes 9 und 11 sowenig gehabt wie die Gottesknechtslieder. Schon die in Jes 11,6-9 zugewachsene Friedensverheißung von Tier und Mensch verlagert die Akzente.[29] Von 11,1-5 herkommend liest man sie zwar als eine weitere Folge der Herrschaft des Verheißungsträgers. Doch er spielt in dieser Verheißung keine Rolle mehr. Gott selbst ist es, der dieser Friedensverheißung auf seinem heiligen Berg Raum verschaffen will. Und aus dem Geist der Erkenntnis und der Gottesfurcht des Verheißungsträgers in 11,2 ist die Gotteserkenntnis in 11,9 geworden, die offensichtlich vom heiligen Berg aus unvermittelt die Erde erfüllt.

Der Gedanke der Heilsmittlerschaft, verbunden mit neuen theologischen Konstruktionen der Vermittlung von Recht und Gerechtigkeit, ist ein Erbe der Prophetie gewesen, die von Jeremia ab das Amt der Fürbitte als prophetische Aufgabe erkannt und dies zur theologisch umfassenden Funktion der Heilsvermittlung erweitert hat. Die Zukunft gehörte diesen Konstruktionen im alttestamentlichen Rahmen nicht. Wie überall setzt sich auch in den jüngeren Fortschreibungen des Jesajabuches nach dem Zusammenschluß der proto- und | deuterojesajanischen Kompositionen die Auffassung durch, daß Gott keines individuellen Heilsmittlers bedarf. Er schafft die neue Wirklichkeit selbst – sei es allein in Israel, sei es in Israel und der Welt, sei es in der Welt mit Hilfe (eines Teiles) von Israel. Exemplarisch sei auf die zum deuteroje-

---

[29] Vgl. HERMANN BARTH, Die Jesaja-Worte in der Josiazeit, WMANT 48, Neukirchen-Vluyn 1977, 58-64, ohne die Zuweisung von 11,1-5 zum Propheten Jesaja zu teilen.

sajanischen Kreis gehörige Fortschreibung Jes 51,1-8 hingewiesen, aus der die in diesem Zusammenhang wichtigsten Verse zitiert werden sollen:[30]

1 Hört auf mich, die ihr nach Gerechtigkeit (*ṣædæq*) trachtet,
    die ihr Jhwh sucht...
4 Höre auf mich, mein Volk,
    meine Nation, merke auf mich auf,
  denn Weisung (*tôrāh*) geht von mir aus
  und mein Recht (*mišpāṭ*) als Licht der Völker.
5 Schnell lasse ich nahe sein meine Gerechtigkeit (*ṣædæq*),
    hinausgehen wird meine Rettung (*yeša'*)...
  Auf mich harren die Inseln
  und hoffen auf meinen Arm.

7 Hört auf mich, die ihr die Gerechtigkeit (*ṣædæq*) kennt,
    Volk, das meine Weisung (*tôrāh*) im Herzen hat!
  Fürchtet nicht den Spott der Menschen,
    und vor ihren Schmähungen erschreckt nicht!
8 Denn die Motte wird sie wie ein Kleid fressen,
    die Kleidermotte wird sie wie Wolle vertilgen.
  Aber meine Gerechtigkeit (*ṣᵉdāqāh*) wird in Ewigkeit sein
  und meine Hilfe (*yᵉšû'āh*) Geschlecht um Geschlecht.

Gott selbst läßt seine Weisung (*tôrāh*) und sein Recht (*mišpāṭ*) als Licht hinausgehen, nach dem sich die Völker sehnen. Er übernimmt die Aufgabe, die nach dem ersten und zweiten Gottesknechtslied dem Knecht zukam. Die Korrektur ist unüberhörbar. Gerechtigkeit als Rettung und Heil wird über die aktuelle Situation hinaus als unverbrüchliche Zusage für die Zukunft gegeben. Wem wird sie zuteil? Das bleibt im genannten Text strittig zwischen dem Grundbestand 51,1-6 und dem Nachtrag 51,7f. Erkennt jener in „meinem Volk" und in den Völkern die Gerechtigkeits- als die Gottessucher (vgl. 51,1.4), die die Gotteswirklichkeit der Gerechtigkeit bleibend als Rettung erfahren sollen (vgl. 51,5f.), so weiß dieser nur von einer Gruppe von „Gerechtigkeitskennern", die den Namen Volk verdienen, „das meine Weisung im Herzen trägt" und dem die (noch einmal verstärkte) Zusage der Gerechtigkeit als Rettung und Heil bleibend gilt (vgl. 51,7f.).

Auch in den tritojesajanischen Komplettierungen des Jesajabuches schafft Gott das Entscheidende selbst, wie etwa aus Jes 60,17-22 zu ersehen ist:[31] |

---

[30] Zu Jes 51,1-8 vgl. ODIL HANNES STECK, Zions Tröstung. Beobachtungen und Fragen zu Jesaja 51,1-11: DERS., Gottesknecht und Zion. Ges. Aufs. zu Deuterojesaja, FAT 4, Tübingen 1992, 73-91.
[31] Zu Jes 60,17-22 vgl. ODIL HANNES STECK, Der Grundtext in Jesaja 60 und sein Aufbau: DERS., Studien zu Tritojesaja, BZAW 203, Berlin/New York 1991, 49-79, bes. 51-58.

17 ...
> Zu deiner (= Jerusalem) Obrigkeit mache ich Frieden (*šālôm*)
> und zu deinen Aufsehern Gerechtigkeit (*ṣᵉdāqāh*).
18 Nicht wird man mehr in deinem Land von Gewalt hören,
> von Zerstörung und Verwüstung in deinen Grenzen.
> Deine Mauern wirst du Hilfe (*yᵉšû'āh*) nennen
> und deine Tore Lobpreis (*tᵉhillāh*).

21 Dein Volk – sie alle sind Gerechte (*ṣaddîq*),
> auf ewig werden sie das Land besitzen
> als Sproß (*neṣær*) seiner Pflanzung,
> als Werk seiner Hände, sich zu verherrlichen (*p'r* hitp.).

Gott sagt dem wiedererstehenden Jerusalem *šālôm* und *ṣᵉdāqāh* als Obrigkeit zu. Jerusalems Mauern werden *yᵉšû'āh* „Rettung, Heil" heißen, alle Einwohner – *sie* sind das Volk – werden Gerechte sein. Nicht mehr wie in Jes 1,21.26 wird Jerusalem „treue Stadt" heißen, sondern „Stadt Jhwhs" (60,14). Zusammen mit dem sie umgebenden Land und den darin wohnenden Gerechten ist sie „Sproß seiner Pflanzung" (60,21). Das entscheidende Wort *neṣær* „Sproß" kommt nur dreimal im ganzen Jesajabuch vor. Der Beleg Jes 14,19 ist in diesem Zusammenhang bedeutungslos, nicht aber Jes 11,1. Der Sproß aus den Wurzeln Isais ist der Bezugspunkt für den „Sproß seiner Pflanzung" in 60,21. Eine Mittlergestalt als Sproß gibt es nicht mehr, weil Jerusalem und seine Einwohner selber Sproß sind – Sproß sein können, weil sie durch Gerechtigkeit und Frieden in der Gottunmittelbarkeit sein dürfen. Der Prophet, zu dem nun wie selbstverständlich Salbung und Geistbegabung gehören, hat keine andere Funktion, als diese frohe Botschaft zu vermitteln: „zu verbinden die gebrochenen Herzens sind, auszurufen den Gefangenen Freilassung und den Gebundenen Öffnung" (61,1). Die zugesagte Rettung ist verbunden mit einem neuen metaphorischen Anspruch im Sinne des heilsamen Angesprochenseins: „Bäume der Gerechtigkeit" sollen die Jerusalemer in der Pflanzung Jhwhs sein, durch die er sich selbst verherrlichen will (vgl. 61,3). Die Gerechtigkeit ist zum Wesen der Geretteten geworden.

Epilegomena

Es wäre schön, wenn mit dieser trostreichen Wendung auch die Darlegungen über Recht und Gerechtigkeit im Alten Testament enden könnten. Doch in den Epilegomena muß die Freudenbotschaft wieder getrübt werden. Die im Reflexionsprozeß des werdenden Jesajabuches erreichte Theonomie der Gerechtigkeitsvorstellung hat in Psalmen und Weisheit ihre eigene Rezeption erfahren. Zur aus vorexilischer Zeit überkommenen Psalmtheologie gehört die Strittigkeit der Gerechtigkeit zwischen Gott und Beter durchaus hinzu (vgl. Ps 7). Die im Umkreis des Exils in der Prophetie erreichte Theonomie der Gerechtigkeit hat dann | auch in die Psalmtheologie hineingewirkt. Ich weise gleich auf die Zuspitzung der Frage in Ps 51 hin.[32] Es handelt sich um einen nachexilischen Psalm, dem die sühneschaffende Kraft des Kultes am zweiten Tempel wohlvertraut ist. Die kultische Regulierung von Schuld und Sühne ist gepaart mit einer theologischen Radikalität, die ihresgleichen sucht. Es gibt keine Schuld, die nicht an Gott begangen wäre, lautet das Urteil in Ps 51. Diese Erkenntnis dient jedoch nicht dazu, den Menschen zu verdammen, sondern ihn zur Anerkennung der Gerechtigkeit und Reinheit Gottes zu führen. „An dir allein habe ich gesündigt, das in deinen Augen Böse habe ich getan, damit du gerecht bist in deinem Reden, rein in deinem Richten" (51,6). Beim Beter geschieht die Anerkennung der Gerechtigkeit Gottes in der Erwartung, Gottes Gnade, Güte und Barmherzigkeit, an die er sogleich zu Beginn des Psalms appelliert, zu erfahren. Hier vollzieht sich noch einmal eine metaphorische Metamorphose der Gerechtigkeit. Indem sie allein als Gerechtigkeit Gottes verstanden wird, wandelt sie sich ganz und gar zu Gnade und Barmherzigkeit, deren theologische Qualität der Psalmdichter nur als Neuschöpfung fassen kann (vgl. 51,12-14).[33]

Die theologische Konstellation von Ps 51 ist tragfähig, solange der allein schuldige Mensch dem allein gerechten Gott als dem gnädigen und barmherzigen begegnet. Sie muß zerbrechen, wenn die behauptete Theonomie der Gerechtigkeit, die dezidiert als die Theonomie der Rettung des Schuldigen aus Gnade verstanden werden will, in Zweifel gerät. Dann muß die Theonomie der Gerechtigkeit zur Theodizeefrage führen. Das ist im Hiobbuch der Fall. Die Frage wird in ihm fundamental gestellt.[34] Die prinzipielle und aktuelle Möglichkeit der Gerechtigkeit des Menschen vor Gott steht ebenso zur Debatte wie die Wahrheit und Wirklichkeit der Gerechtigkeit Gottes in der Erfahrung des Menschen. Hiob kennt keinen gerechten Gott, sondern nur den attackierenden, der Gerechtigkeit und Schuld willkürlich verdreht. Die Frage

---

[32] Zu Ps 51 vgl. FREDRIK LINDSTRÖM, Suffering and Sin. Interpretations of Illness in the Individual Complaint Psalms, CB.OT 37, Stockholm 1994, 348-376; WERNER H. SCHMIDT, Individuelle Eschatologie im Gebet. Psalm 51: Neue Wege der Psalmenforschung. FS W. Beyerlin, HBS 1, Freiburg u.a. 1994, 345-360.

[33] Die Exklusivität der Gerechtigkeit Gottes im Gebet hat eine eigene Traditionsgeschichte angestoßen, deren jüngstes und eindrücklichstes Dokument im Alten Testament in Dan 9,4-19 vorliegt; zu diesem Gebet Daniels und seinem traditionsgeschichtlichen Hintergrund vgl. JOHN J. COLLINS, Daniel, Hermeneia, Minneapolis 1993, 344-360; HANS-PETER MATHYS, Dichter und Beter. Theologen aus spätalttestamentlicher Zeit, OBO 132, Freiburg (Schweiz)/Göttingen 1994, 21-36.

[34] Vgl. HERMANN SPIECKERMANN, Die Satanisierung Gottes. Zur inneren Konkordanz von Novelle, Dialog und Gottesreden im Hiobbuch: „Wer ist wie du, HERR, unter den Göttern?". FS O. Kaiser, Göttingen 1994, 431-444.

nach der Theodizee zerbricht unter der Wucht der Erfahrung der Menschen-
feindlichkeit Gottes. So in Hi 9: |

2   Ja, ich weiß, daß es so ist:
       Wie könnte ein Mensch bei Gott gerecht sein (*yiṣdaq*)!
...
15 Selbst wenn ich gerecht/im Recht wäre (*ṣdq*), könnte ich (ihm) nicht antworten;
       ich müßte meinen Richter (*mᵉšopṭî*) um Gnade anflehen.
...
19 Geht es um Kraft, ist er der Starke;
       geht es um Recht (*mišpāṭ*), wer lädt mich vor?
20 Wäre ich gerecht (*ṣdq*), mein Mund machte mich schuldig (*ršᶜ* hi.).
       Wäre ich schuldlos (*tām*), würde er mich verdrehen.
21 Schuldlos (*tām*) bin ich! Ich achte nicht auf mich,
       will nicht mehr leben.
22 Einerlei ist es, darum spreche ich:
       Den Schuldlosen (*tām*) und den Schuldigen (*rāšāᶜ*) bringt er gleichermaßen um.

Die Theonomie der Gerechtigkeit hat im Hiobbuch ihre Plausibilität verloren.
Dem zustimmenden „damit du gerecht bist" (*lᵉmaᶜan tiṣdaq*) des Beters von
Ps 51,6 weiß der in die Kritik geratene Gott nur die auf das eigene Recht po-
chende Frage an Hiob entgegenzusetzen: „Willst du etwa mein Recht (*mišpāṭ*)
brechen, mich schuldig sprechen (*ršᶜ* hi.), damit du gerecht bist (*lᵉmaᶜan tiṣdaq*)?" (40,8).

Die Spannung zwischen dem „damit du gerecht bist" von Ps 51 als Anerkennung der gnädigen Gerechtigkeit Gottes durch den Beter und derselben
Formulierung in Hi 40 als Bestreitung der Gerechtigkeit Hiobs durch Gott im
Interesse eines menschlicherseits nicht mehr notwendig erfahrbaren Gerech-
tigkeitsmonopols Gottes ist im Rahmen des Alten Testaments unvermittelt
nebeneinander stehen geblieben. In dieser Hinsicht theologisch weiterführende Konzeptionen hätten im Jesajabuch bereitgestanden. Sie sind jedoch in
alttestamentlicher Zeit nicht mehr aktualisiert worden.

9. Konzeption und Vorgeschichte
des Stellvertretungsgedankens im Alten Testament

Im Jahre 1968 hielt W. Zimmerli auf dem VI. Congress of the International Organization for the Study of the Old Testament in Rom einen Vortrag mit dem Titel „Zur Vorgeschichte von Jes. liii".[1] Seine These lautete damals: Die Formulierung *nś' 'wn* „Schuld (bzw. Sünde) tragen" wird im vierten Gottesknechtslied (Jes 52,13-53,12; im folgenden kurz: Jes 53) in großer Freiheit variiert (vgl. Jes 53,4-6.11-12). Für ihre Verwendung sind zwei Traditionsvorgaben bestimmend: einmal die priesterlich geprägte Sühnung durch die stellvertretende Übernahme von Schuld und Strafe, wie sie in Lev 10,17 und 16,22 bezeugt ist, zum anderen die zeichenhafte prophetische Darstellung der Schuldzeit des Volkes Israel, wie sie von Ezechiel berichtet wird (Ez 4,4-8). Beide Traditionsvorgaben haben das vierte Gottesknechtslied entscheidend mitgeprägt. Zugleich ist der Unterschied zwischen dem Gottesknecht und Ezechiel unübersehbar. Das Schuldtragen Ezechiels hat für das Volk keinerlei sühnende Wirkung. Das stellvertretende Leiden „für die vielen" (vgl. 53,11-12) bleibt das Proprium des Gottesknechtes.

Die folgenden Überlegungen wollen an Zimmerlis These anknüpfen und sie im Lichte der neueren Forschung und eigener Einsichten modifizieren. Dazu soll zunächst die Konzeption des Stellvertretungsgedankens in Jes 53 näher betrachtet werden (1.). Dann soll der Blick auf einige Texte gelenkt werden, deren Tradition das Profil des Stellvertretungsgedankens entscheidend mitgeprägt hat (2.). Abschließend sollen der Ertrag und offene Fragen formuliert werden, die sich angesichts der Stellvertretung in Jes 53 ergeben (3.).[2] |

---

[1] In Congress Volume Rome 1968, SVT 17 (Leiden, 1969), pp. 236-244 = DERS., Studien zur altttestamentlichen Theologie und Prophetie (München, 1974), pp. 213-221.

[2] Zum vierten Gottesknechtslied cf. W. A. M. BEUKEN, Jesaja II B (Nijkerk, 1983), pp. 185-241; B. JANOWSKI, „Er trug unsere Sünden. Jesaja 53 und die Dramatik der Stellvertretung" (1993), in DERS., Gottes Gegenwart in Israel (Neukirchen-Vluyn, 1993), pp. 303-326.337 (dort weitere Literatur). Das Problem des Verhältnisses der vier Gottesknechtslieder zueinander und zum deuterojesajanischen Textkorpus kann und muß hier nicht erörtert werden. Man wird wohl stärker als bisher in Erwägung ziehen müssen, daß die Gottesknechtslieder ursprünglich keine selbständige literarische Sammlung waren, sondern daß sie von Anfang an zu den Wachstumsschichten des werdenden Deuterojesajabuches gehört haben. Zum Stand der Diskussion cf. H.-J. HERMISSON, „Israel und der Gottesknecht bei Deuterojesaja", ZThK 79 (1982), pp. 1-24; H. HAAG, Der Gottesknecht bei Deuterojesaja (Darmstadt, 1985); M. SÆBØ, „Vom Individuellen zum Kollektiven", in Schöpfung und Befreiung. FS C. We-

1. Kriterien der Stellvertretung in Jes 53

Ein wichtiges Resultat der neueren Forschung zu Jes 53 dürfte darin zu erkennen sein, daß der Terminus *'šm* in 53,10 nicht als „Schuldopfer",
„Sühnopfer" oder „Bußleistung" zu verstehen ist, sondern als „Schuldver-
pflichtung" bzw. „Schuldtilgung" aus dem eher rechtlich geprägten Kontext
einer Schuldsituation mit der sich daraus ergebenden Verpflichtung zur
Schuldableistung (cf. etwa Gen 26,10; 1Sam 6,3-4; 8.17).[3] Die Integration
des Begriffes in die priesterliche Opfertora (Lev 4-5;7 u.ö.) kann für Jes 53
nicht vorausgesetzt werden, da *'šm* in V. 10 überhaupt nicht kultisch konnotiert ist und die Einmaligkeit dieser Schuldtilgung dem auf Wiederholbarkeit
angelegten Opfergedanken widerspricht.

Mit dem letztgenannten Argument ist auch schon die Problematik angesprochen, dem Terminus *nś' 'wn* eine zentrale Funktion für das Verständnis
von Jes 53 beizumessen. Zum einen kommt der Terminus in Jes 53 nicht vor,
so daß man die Formulierungen in V. 4-5.11-12 nur als freie Abwandlungen
einer geprägten Sühnevorstellung verstehen könnte. Zum anderen ist es
durchaus fraglich, ob eine derart fest geprägte Sühnevorstellung bei dem Begriff *nś' 'wn* vorausgesetzt werden darf. Die beiden von Zimmerli angeführten
Belege, Lev 10,17 und 16,22, sind aller Wahrscheinlichkeit nach literarisch
jünger als Jes 53 und verbinden ganz unterschiedliche Vorstellungen mit diesem Begriff. Während in Lev 10,17 die aaronidischen Priester durch das rite
vollzogene Sündopfer als Mittler für die Gemeinde die Schuld wegtragen und
dadurch Sühne bewirken[4], geschieht in Lev 16,22 | durch den Sündenbock
eine rituelle Eliminierung des Unheils, welche weder für die priesterliche
Opfertheologie repräsentativ ist noch den Stellvertretungsgedanken in Jes 53
anbahnt.[5]

---

stermann (Stuttgart 1989), pp. 116-125; R. G. KRATZ, Kyros im Deuterojesaja-Buch (Tübingen, 1991), pp. 128-147, 206-217; O. H. STECK, Gottesknecht und Zion (Tübingen, 1992),
pp. 3-43,149-172.

[3] Cf. R. KNIERIM, Art. *'šm*, THAT I (1971), col. 251-257 (umfassende Definition col.
254); A. SCHENKER, „Die Anlässe zum Schuldopfer Ascham", in DERS. (ed.), Studien zu
Opfer und Kult im Alten Testament (Tübingen, 1992), pp. 45-66 (weitere Literatur pp. 133-
135); JANOWSKI (n. 2), pp. 317-322.

[4] B. JANOWSKI, Sühne als Heilsgeschehen (Neukirchen-Vluyn, 1982), p. 239 n. 272:
„Auch wenn man die Wendung *nś' 'wn* Lev 10,17b wörtlich versteht..., so ist doch nicht
gemeint, daß dieses ‚Tragen' (= Beseitigen) der Schuld durch das Essen der *ḥṭṭ't* geschieht,
sondern vielmehr, daß die Priester aufgrund der ihnen von Gott gegebenen *ḥṭṭ't*... dazu bestellt sind, als Mittler für die Gemeinde Israel deren Schuld zu tragen, indem sie – so ist der
das *nś' 'wn* explizierende Inf. cstr. *lkpr* zu verstehen... – für sie mit dem Sündopfer das Süh-
neritual vollziehen." Zu Lev 10,16-20 cf. K. ELLIGER, Leviticus (Tübingen, 1966), pp. 131-
139; E. S. GERSTENBERGER, Das 3. Buch Mose/Leviticus (Göttingen, 1993), pp.105-111.

[5] Cf. B. JANOWSKI, „Azazel und der Sündenbock. Zur Religionsgeschichte von Leviticus 16,10.21f.", in DERS., Gottes Gegenwart in Israel (Neukirchen-Vluyn, 1993), pp. 285-

Will man den Stellvertretungsgedanken in Jes 53 angemessen erfassen, hat es offenbar wenig Sinn, lediglich ein oder zwei in der Tradition geprägte wichtige Motive in den Blick zu nehmen und von daher das theologische Profil des ganzen Textes zu entschlüsseln. Demgegenüber soll hier der Versuch unternommen werden, die Kriterien für die Stellvertretungsvorstellung aus dem Text selbst möglichst vollständig zu entnehmen und sie auf ihren traditionsgeschichtlichen Hintergrund hin zu befragen.[6]

Fünf Kriterien scheinen für den Gedanken der Stellvertretung in Jes 53 zentral zu sein:

(a) *Einer tritt für die Sünden anderer ein.* Dieses Motiv wird in Jes 53 ausführlich entfaltet. Es muß zunächst rein deskriptiv verstanden werden, ohne nach dem Urheber oder den Urhebern des Stellvertretungshandelns zu fragen. In dem mittleren Teil des vierten Gottesknechtsliedes (53,1-11aα) wird in V. 4a und 5 betont, daß es gerade der „Schmerzensmann" (53,3) ist, der *unsere* Krankheiten und *unsere* Schmerzen getragen hat, und daß seine „Krankheit zum Tode" um *unserer* Sünden willen zu *unserem* Frieden und zu *unserer* Heilung | gedient hat. Er und wir werden gerade durch das Medium in ein Verhältnis der Stellvertretung gestellt, das vorher zwischen ihm und uns das Unverhältnis begründet hat: das Leiden des Knechtes, das ihm das Menschsein raubt (52,14; 53,2-3). Es ist dieser leidende Knecht, von dem Gott im abschließenden Teil des Liedes (53,11aββ-12) sagt, daß *er* (Aufnahme des betonten *hwʾ* aus V. 4-5 in V.11) durch seine Stellvertretung als ein Gerechter (*ṣdyq*) Gerechtigkeit für die vielen (*rbym*) erwirken werde (*ṣdq* hi.). Schon hier ist deutlich, daß das Verhältnis von Gott und Knecht für die Stellvertretung konstitutiv ist.

(b) *Der für die Sünden anderer Eintretende ist selber sündlos und gerecht.* Dieses Motiv ist im vierten Gottesknechtslied in 53,9 und 11 repräsentiert. Dabei wird in 53,9 kein direkter Zusammenhang zwischen der Sündlosigkeit des Knechtes und seinem Stellvertretungshandeln hergestellt. Gleichwohl

---

302.336-337; DERS. und G. WILHELM, „Der Bock, der die Sünden hinausträgt. Zur Religionsgeschichte des Azazel-Ritus Lev 16,10.21f.", in ders., K. Koch und G. Wilhelm (ed.), Religionsgeschichtliche Beziehungen zwischen Kleinasien, Nordsyrien und dem Alten Testament (Freiburg [Schweiz] und Göttingen, 1993), pp. 109-169.

[6] Die Bemühungen von TH. C. VRIEZEN gehen in dieselbe Richtung. Er urteilt im Blick auf Jes 53: „Hier sind die prophetischen Erkenntnisse der Ausgangspunkt: das mediatorische Element (reconciliatio), das pädagogisch-rechtliche Element (Tragen der Strafe zur Rettung anderer) und die radikal ethische und glaubensbestimmte Sphäre der ganzen Verkündigung, während das kultische Element der expiatio im Hintergrund verbleibt, gleichsam bloß den äußerlichen Rahmen abgibt, in dem diese kerygmatische Fülle zusammengefaßt ist" (Theologie des Alten Testaments in Grundzügen [Wageningen und Neukirchen, 1956], p. 256). Obwohl dieses Urteil sehr differenziert ist und die dominierende Rolle der Prophetie in diesem Zusammenhang wohl zu Recht betont wird, scheinen die gewählten Distinktionen dem Text doch kaum angemessen zu sein. Hier muß größere Textnähe gesucht werden.

wird sein für die Stellvertretung bedeutsames Gerechtsein in 53,11 mit seiner Sündlosigkeit in Verbindung stehen.[7]

(c) *Die Stellvertretung des einen geschieht einmalig und endgültig.* Dieses Kriterium wird nicht explizit benannt, ist aber in der Darstellung des Geschicks des Gottesknechtes zwingend vorausgesetzt. Der von ihm erlittene Tod kann nur einmal gestorben werden. Es gibt keine Textelemente, die die Adressaten zur Wiederholung des Geschehens aufforderten. Das ist zudem dadurch ausgeschlossen, daß in 53,10-12 diesem einen Todesgeschick auch für die Zukunft stellvertretende Kraft zugeschrieben wird. Was die vielen Völker einst sehen und verstehen werden, ist nicht die Erhöhung einer ganzen Reihe von Gottesknechten, sondern allein des einen Gottesknechtes, von dem Jes 53 spricht (cf. 52,13-15).

(d) *Einer tritt für die Sünden anderer aus eigenem Willen ein.* Prima vista scheint der eigene Entschluß des Gottesknechtes zur Stellvertretung kein Thema zu sein. Eindrücklich ist vor allem die Sprache des Passivs als die Sprache des Leidens, in welcher der Knecht präsentiert wird. Hier scheint es keinen Entscheidungsspielraum zu geben. Der Knecht ist „verachtet" und „bekannt" mit Krankheit (53,3), von Gott qualvoll „berührt, gezeichnet, gedemütigt" (53,4b), „verwundet" und „geschlagen" wegen unserer Sünden (53,5), „bedrängt" und „gebeugt", | „zur Schlachtung gebracht" und „stumm" (53,7). Das alles klingt nicht nach willentlicher Übernahme der Stellvertretung.

Und doch darf man sich nicht täuschen lassen. Dreimal wird im Text die Aussage variiert, daß der Knecht unsere Krankheiten und Sünden getragen habe (53,4a.11b.12b). In V. 4b ist der Umschlag von der Sprache des Passivs im Kontext zur Sprache des Aktivs besonders eindrücklich. Erstmals durch betont gesetztes *hw'* wird der Knecht als handelndes Subjekt in den Mittelpunkt gerückt. In V. 4-5 macht dieser Knecht deutlich, daß das Auf-sich-nehmen des Leidens *sein* Handeln ist. Er stiftet dadurch Beziehung zu der Wir-Gruppe, die bis dahin nichts von ihm wissen wollte (53,3b). „So werden seine Krankheiten an denen geheilt, die sie gar nicht getragen haben" (53,5b).[8]

Bei der zweiten Variation des Auf-sich-nehmens der Sünden durch den Gottesknecht in V. 11 wird gesagt, daß seine einmalige Tat zum Tode auch in Zukunft ein stellvertretendes Tragen der Sünden bleibt. Als solches ist es die

---

[7] Vielleicht soll der Zusammenhang der Sündlosigkeit mit dem Stellvertretungsgedanken auch durch 53,8bβ angedeutet werden. Der syntaktische Aufbau von 53,8-9 legt jedoch diese Verbindung nicht nahe. Die entgegensetzende Konjunktion zu Beginn des Nebensatzes 53,9b mit der Feststellung der Sündlosigkeit des Knechtes ist klar auf die recht- und ehrlose Behandlung des vermeintlich Schuldigen bezogen.

[8] H. J. STOEBE, Art. *rp'*, THAT II (1976), col. 803-809, 809.

Grundlage für das, was der Knecht nach Gottes Urteil damit erreicht: daß er vielen als Gerechter zur Gerechtigkeit verhilft (53,11aγ).

Die in V. 11 bereits zum Ausdruck gekommene Nähe zwischen dem Willen des Knechtes und Gottes Willen wird in der dritten Variation des Auf-sich-nehmens der Schuld in V. 12 nachgerade zu einer Vereinigung der Intentionen. Nachdem in V. 12aγ die Initiative des Knechtes vielleicht am deutlichsten zum Ausdruck gekommen ist (ʿrh hi. mit dem Knecht als Subjekt), wird in V. 12b daran bewußt eine komplexe Formulierung angeschlossen, die das vierte Gottesknechtslied zum Abschluß bringt. Gott urteilt über seinen Knecht, daß er für die Sünder eintreten wird. Die einmal geschehene Hingabe in den Tod wird in Zukunft für alle Sünder in Kraft bleiben. Das hier gebrauchte Verb, *pgʿ* mit *l* [9], verlangt an dieser Stelle die Übersetzung „eintreten für". Aber man darf dabei nicht aus dem Auge verlieren, daß dasselbe Verb (konstruiert mit *b*) in 53,6 bereits dazu gedient hat, Gottes Urheberschaft an der Stellvertretung zum Ausdruck zu bringen: „JHWH hat ihn treffen lassen die Schuld von uns allen." So kommt in dem unterschiedlichen Gebrauch dieses einen Verbs bei Gott und dem Knecht die Willensgemeinschaft von beiden zum Vorschein. |

(e) *Gott führt die Stellvertretung des einen für die Sünden der anderen willentlich herbei.* Nur in Verbindung mit dem gerade behandelten Kriterium ist das letzte Kriterium richtig einzuordnen: Gottes Urheberschaft für die Stellvertretung des Knechtes. Schon der erste Teil des Liedes (52,13-15) bringt Gottes Wirken durch die Verheißung der Erhöhung des Knechtes zur Geltung. Bewußt rahmen in 52,13 die Verbaladjektive der Erhöhung *rwm* und *gbh* das Partizip Nifal von *nśʾ*. Dieses Partizip wird hier in seiner Grundbedeutung gehört werden müssen. Es meint das Getragen-werden des Knechtes durch Gott, der ihm das Tragen der Schuld der anderen auferlegt. Das ist die Erkenntnis, die den staunenden [10] Völkern verheißen wird (52,15), gleichsam die konkrete Gestalt der „Hilfe unseres Gottes", die alle Enden der Welt sehen werden (cf. 52,10b).

Gottes Urheberschaft an der Stellvertretung des Knechtes wird erst explizit artikuliert, nachdem in 53,4a die aktive Leidensübernahme durch den Knecht festgestellt worden ist. Es sind vor allem zwei Stellen, die die Urheberschaft Gottes an der Stellvertretung thematisieren: 53,6 und 10. Formal ist die ähnliche Gestaltung wie bei den Stellen auffällig, die von der aktiven Leidensübernahme des Knechtes sprechen. Wird an ihnen das Personalpronomen *hwʾ* pointiert gesetzt, so steht in 53,6 und 10 *wYhwh* betont voran. Da Konkurrenz

---

[9] Zu *pgʿ* cf. P. MAIBERGER, Art. *pgʿ*, TWAT VI (1989) col. 501-508; der semantische Zusammenhang von Jes 53,6 und 12 ist dabei nicht angemessen berücksichtigt worden (cf. col. 505-506).

[10] Bei der Verbform *yzh* ist ohne die Hilfe der Septuaginta (θαυμάσονται) wohl kaum auszukommen.

um die Urheberschaft der Stellvertretung zwischen Gott und Knecht ausgeschlossen ist, kann auch dies nur auf die enge Willensgemeinschaft der beiden hinweisen.

Aufmerksamkeit verdienen die spezifischen theologischen Aussagen, die mit Gottes Urheberschaft der Stellvertretung verbunden werden. Auf die Verbindung, die in 53,6 durch den Gebrauch des Verbs *pgʻ* zu 53,12 hergestellt wird, ist bereits hingewiesen worden. Ferner wird durch dieses Verb die von Gott gewollte Stellvertretung deutlich von dem unzureichenden Verständnis des Knechtes abgesetzt, das sich in den passivischen Formulierungen von 53,4b niederschlägt. Wo Gott den Knecht die Schuld „von uns allen" „treffen läßt", da ist die Dimension des Einzelschicksals (53,4b) durchbrochen, ohne die Dimension des Einzelschicksals aufzugeben. Im Gegenteil: Es ist gerade das zu den anderen hin geöffnete Einzelschicksal, das im Zentrum der Stellvertretungsvorstellung steht. Das Urteil, daß diese anderen „wir | alle" sind, wie zweimal in 53,6 betont wird, bedarf offensichtlich der Deckung durch Gottes Urheberschaft an der Stellvertretung.[11]

Von großem Gewicht ist die Formulierung der Initiative Gottes zur Stellvertretung in 53,10. Zweimal wird betont, daß Gott Gefallen an dem Leiden des Knechtes habe (*ḥpṣ* als Verb und als Nomen). Die Übersetzung dieses Wortes mit „planen" oder „Plan" ist nicht glücklich. Die innere Beteiligung Gottes am Geschick des Knechtes und an seinem Werk muß darin hörbar bleiben. Wo im Alten Testament von *ḥpṣ* die Rede ist, ist häufig genug Liebe im Spiel. So auch hier. Gottes Gefallen daran, den Knecht zu schlagen, ist kein Sadismus, sondern Manifestation seines liebenden Willens, durch das Leiden des Knechtes die Schuldtilgung (*ʼšm*) gelingen zu lassen.

Sollten die genannten fünf Kriterien den Inhalt des vierten Gottesknechtsliedes angemessen erfassen, ist deutlich, daß die enge Willensgemeinschaft zwischen Gott und Knecht mit der Intention der Schuldtilgung für die vielen im Mittelpunkt der Stellvertretungsvorstellung steht. Dann kann für die Vorgeschichte von Jes 53 aber nur eine Konstellation relevant sein, in der die personale Beziehung von Gott und bestimmten Menschen in Verbindung mit ihrer Funktion für andere von herausgehobener Bedeutung ist. Das ist bei

---

[11] Man könnte die Aufweitung des Adressatenkreises durch das zweimal betonte *klnw* am Anfang und am Ende von 53,6 gleich wieder durch 53,8b eingeengt sehen. In 53,8bβ enthält MT in direkter Gottesrede – ein Stilbruch – die eigenartige Formulierung über Gottes Initiative zur Stellvertretung: „Wegen der Sünde meines Volkes (Qᵃ: seines Volkes) ‚wurde erʻ für sie ‚geschlagen'". Einmal die Integrität der Überlieferung dieses Satzes vorausgesetzt, ist der Beachtung wert, daß das nur hier erwähnte Volk als Verursacher der Schuld, nicht aber expressis verbis als Adressat der Stellvertretung genannt wird. Wer sich von dieser Argumentation nicht überzeugen lassen mag und die im Mittelteil des Liedes sprechende Wir-Gruppe mit Recht als eine Gruppe in Israel verstehen will („wir alle" also allein auf Israel bezogen sein könnte), sei auf den größeren Deutehorizont hingewiesen, den im ersten Teil des Liedes die vielen Völker eröffnen und im letzten Teil des Liedes die vielen offenhalten.

Fürbitte und Leiden bestimmter Prophetengestalten der Fall. Hier werden die Wurzeln des Stellvertretungsgedankens von Jes 53 liegen.

2. *Fürbitte und Leiden bei den Propheten*

Es ist kaum wahrscheinlich, „daß die Fürbitte zu den ursprünglichsten Aufgaben der Propheten" gehört hat.[12] Man darf sich über das Alter | der Fürbitte im prophetischen Milieu nicht durch den Fürbitter par excellence, Mose, täuschen lassen. Ihm sind prophetische Züge erst in der deuteronomisch-deuteronomistischen Tradition zugewachsen.[13] Die häufigen Fürbitten des Mose für das Volk, auch die Kardinalstellen in Ex 32, 7-14 und 30-35, führen kaum in vordeuteronomistische Zeit zurück.[14]

Auch durch die Fürbitte des Amos im Zusammenhang der ersten drei Visionen (Am 7,1-8) läßt sich kein tragfähiger Grund für eine ältere prophetische Fürbittetradition gewinnen. Von den drei hintereinander geschalteten Visionen kann allenfalls die dritte Anspruch auf Authentizität erheben. Bei den ersten beiden Visionen (Heuschrecken und Feuer) liegt der Verdacht literarischer Topoi nahe, die eingesetzt zu sein scheinen, um Amos Gelegenheit zur Fürbitte zu geben.[15] Das tut er einmal erfolgreich mit dem Wort *slḥ*, das sonst in der vorexilischen | Prophetie überhaupt nicht belegt ist, und ein zweites Mal mit dem Wort *ḥdl*, das nur hier in der Anrede an Gott gebraucht ist: Gott läßt sich des Unheils gereuen (*nḥm* ni. [mit *ʿl*]). *Alle* Belege dieser theologisch gewichtigen Vorstellung, auch Gen 6,6-7, weisen in die Exilszeit

---

[12] In Aufnahme eines Zitats von G. VON RAD erneut bekräftigt von H. GRAF REVENTLOW, Gebet im Alten Testament (Stuttgart, 1986) p. 229, cf. pp. 228-264 (Literatur pp. 228-229); anders E. S. GERSTENBERGER, Art. *pll*, TWAT VI (1989), col. 606-617, 615.

[13] Cf. L. PERLITT, „Mose als Prophet" (1971) in ders., Deuteronomium-Studien (Tübingen, 1994), pp. 1-19.

[14] Zu Mose als Fürbitter cf. E. AURELIUS, Der Fürbitter Israels (Stockholm, 1988); J. VAN SETERS, The Life of Moses; (Kampen, 1994), pp. 77-103, 165-207, 220-44, 290-318. Ob, wie VAN SETERS meint, Mose über die Fürbitterrolle hinaus auch die Funktion eines „vicarious sufferer" für die Sünde des Volkes in Anbetracht von Dtn 1,37; 3,23-8; 4,21 hat (p. 462), ist sehr fraglich

Zur Terminologie der prophetischen Fürbitte cf. S. E. BALANTINE, „The Prophet as Intercessor: A Reassessment", JBL 103 (1984), pp. 161-73; zur weithin plausiblen Auswertung der einschlägigen Belege cf. VAN SETERS, pp. 171-175.

[15] Anders V. FRITZ, „Amosbuch, Amosschule und historischer Amos", in Prophet und Prophetenbuch. FS O. Kaiser (Berlin-New York, 1989), pp. 29-43; er schreibt über Amos: „Das Wesen seiner Prophetie bestand in der Schauung von Unheil und dessen Abwendung durch Fürbitte" (p. 42). Deshalb hält FRITZ nur die beiden ersten Amos-Visionen für authentisch. Nach der hier vertretenen Ansicht dürfte gerade das Gegenteil zutreffen: Allenfalls die dritte und vierte Vision sind mit der Verkündigung des Propheten in Verbindung zu bringen, während Sprach- und Vorstellungsgehalt zumindest der ersten beiden Visionen in eine spätere Zeit verweisen.

(cf. Jer 18,8.10; Joel 2,13; Jon 4,2).[16] Besonders die Reue Gottes in Ex 32,12.14 führt in die Nähe der Reue Gottes bei Amos, weil sie beidemal eine Folge der Fürbitte ist. Doch diese Nähe hat sich nicht im achten Jahrhundert, sondern frühestens im sechsten Jahrhundert ergeben. Im achten Jahrhundert hingegen wird die Fürbitte für das Volk nicht in der Macht der Propheten, sondern der des Königs gelegen haben. Jedenfalls weist die historisch glaubwürdige Nachricht über die Fürbitte des Hiskia in Jer 26,19 – obgleich deuteronomistisch formuliert wie Ex 32,11.14 – in diese Richtung.

Von der spätvorexilischen Zeit ab ist die Fürbitte der Propheten fester Bestandteil des Prophetenbildes geworden. Danach sind es „Jhwhs Knechte, die Propheten", die wie Mose das Volk zur Umkehr ermahnen und zugleich durch ihre Fürbitte dafür sorgen, daß das Volk Gelegenheit zur Umkehr hat. Das Volk seinerseits erweist sich hingegen der Chance als unwürdig und setzt die Boten Gottes lebensbedrohender Verfolgung aus. Prophetische Fürbitte und prophetisches Leiden gehören deshalb unabdingbar zusammen.

Bei Jeremia, dessen Buch die Deuteronomisten zu ihrer theologischen Programmschrift gemacht haben, wird die Spannung zwischen prophetischer Fürbitte und prophetischem Leiden durch einen wichtigen theologischen Akzent verschärft. Es ist wohl auf die redaktionelle Gestaltgebung des Prophetenbuches zurückzuführen, daß die Vergeblichkeit der Umkehrforderung und die Bedrohung des Propheten darin gipfeln, daß bei Jeremia die Fürbitte nicht länger eine Option prophetischen Handelns ist. Bezeichnenderweise begegnet im Munde Jeremias die Fürbitte nur noch einmal in der Konfession Jer 18,18-23. Dort erinnert der klagende Prophet Gott an seine vergebliche Fürbitte für das Volk (18,20) in der Absicht, Gott von seinem eigenen Sühnehandeln abzubringen und zur Vollstreckung des beschlossenen Unheils zu bewegen.[17] |

Dem entspricht auf seiten Gottes das Verbot an Jeremia, Fürbitte für das Volk zu leisten. Dieses Verbot hat eine beachtliche Bedeutung im Umkreis der Texte, die Jeremias Leiden zur Konsequenz oder selbst zum Thema haben: Jer 7,16; 11,14; 14,11-12 (mit der vergeblichen Fürbitte in 14,13-16); 15,1.[18]

---

[16] Die zu den genannten Belegen notwendige exegetische Argumentation kann hier nicht erfolgen; zur Vorstellung der Reue Gottes cf. nach wie vor J. JEREMIAS, Die Reue Gottes (Neukirchen-Vluyn, 1975), allerdings mit zum Teil anderen literarhistorischen Einschätzungen; cf. außerdem E. AURELIUS (n. 14), pp. 91-100.

[17] Der Gebrauch von *kpr* pi. in 18,23 ist aller Beachtung wert: *Gott* wirkt Sühne, womöglich aufgrund prophetischer Fürbitte, dies jedoch offensichtlich ganz unkultisch, ohne Opfer. Die Nähe dieser Sündenvorstellung zu der von Gottes Reue in Ex 32 und Am 7 bedürfte näherer Überprüfung. Ob auf diesem Hintergund nicht auch noch weitere Erhellung des Gebrauchs von *ʾšm* in Jes 53,10 möglich wäre?

[18] Der Text 14,2-15,4 ist redaktionell als eine große Klage- und Bittkomposition gestaltet worden, durch die nichts bewirkt werden kann, weil das Verbot der Fürbitte unumstößlich ist. Denkt man an die erfolgreiche (deuteronomistische) Fürbitte des Mose in Ex 32,7-14 zurück,

Im Blick auf die Vorgeschichte der Stellvertretung ist das Verbot der Fürbitte in Jer 7,16 von besonderem Interesse. Unter den fürbittenden Handlungen, die dem Propheten untersagt werden, ist auch eine, die durch *pg'* qal mit
b ausgedrückt wird: „du sollst nicht in mich dringen."[19] Es ist dasselbe Verb,
das in der kausativen Stammesmodifikation bei der Stellvertretungsvorstellung im vierten Gottesknechtslied von zentraler Bedeutung ist (Jes 53,6.12).
Das Verb ist ein wichtiges Gelenk zwischen der verbotenen Fürbitte und dem
neuen Stellvertretungsgedanken. Das komplexe personale Verhältnis zwischen Gott und Prophet, das für das Jeremia- und Ezechielbuch charakteristisch ist, hat sich beim Stellvertretungsgedanken zu einer besonderen Gemeinschaft zwischen Gott und Knecht vertieft. Aus einer seltenen Beziehung
ist eine singuläre geworden. Und an die Stelle des Leidens am Volk und an
Gott ist das Leiden für andere nach eigenem und nach Gottes Willen getreten.

Der Stellvertretungsgedanke hat seine Wurzeln jedoch nicht allein im Jeremiabuch, sondern auch im Ezechielbuch. Auch hier hat die Fürbitte keine
Chance mehr. Wird sie auch nicht durch das explizite Verbot zurückgewiesen, so doch dadurch, daß die Fürbitte im praktischen Vollzug scheitert. Sucht
noch in Ez 9 der Prophet durch seine Fürbitte (9,8) die von Gott verhängte
Vernichtung unter der Jerusalemer Bevölkerung zu verhindern, kann er
gleichwohl keine Schonung mehr erwirken (9,10). Bei der großen Abrechnung mit Jerusalem in Ez 22 verhält es sich indessen bereits so, daß Gott
nicht nur unter den Propheten (22,28), sondern überhaupt niemanden im Volk
mehr findet, | „der eine Mauer errichten und vor mir in die Bresche treten
könnte für das Land, damit ich es nicht vernichte" (22,30; cf. Ps 106,23).

In der theologischen Programmatik des Ezechielbuches wird die Vorstellung der Fürbitte durch die starke Betonung der individuellen Vergeltung
wirksam verdrängt. Hätten bei der Fürbitte Abrahams für Sodom noch zehn
Gerechte ausgereicht, die Stadt zu retten (Gen 18,22b-33), und hätte nach Jer
5,1 einer, der Recht tut, für die Stadt Jerusalem Vergebung erwirken können,
so sind nach Ez 14,12-20 nicht einmal die exemplarischen Gerechten Noah,
Daniel und Hiob in der Lage, für irgendeinen anderen Menschen Rettung zu
erwirken. Die eigene *ṣdq* kann nur das eigene Leben retten.

Von dieser Überzeugung ist auch die große Darlegung über die individuelle Vergeltung in Ez 18 geprägt. Übertragung der Schuld ist nicht einmal
zwischen Vätern und Söhnen möglich. Damit wird die im deuteronomistischen Raum geschaffene Vergeltungslehre revoziert, die in Auslegung der

---

wo Gott sich des beschlossenen Unheils gereuen läßt (32,14), klingt Jer 15,6 fast wie eine
nachgereichte Begründung zum Scheitern von Klage und Bitte des Volkes und zum Verbot
der Fürbitte in 14,2-15,4: *nl'yty hnḥm* „Ich bin (zu) erschöpft, (es) mich gereuen zu lassen"
(cf. Jes 1,14).

[19] Ironisch gewendet wird dieses Verb noch einmal in Jer 27,18 gebraucht; cf. ferner die
textlich unsichere Stelle Jes 47,3.

Gnadenformel die Schuld der Väter bis ins dritte und vierte Glied wirksam sieht.[20] In Ez 18 wird die Unmöglichkeit der Übertragung der Schuld eng mit der Unübertragbarkeit persönlich erworbener Gerechtigkeit verbunden. Was zwischen Vätern und Söhnen gilt, gilt generell: „Der Sohn soll nicht die Schuld des Vaters tragen, und der Vater soll nicht die Schuld des Sohnes tragen (*nśʾ bʿwn*). Die Gerechtigkeit des Gerechten liegt bei ihm, und die Gottlosigkeit des Gottlosen (*ršʿt ršʿ*) liegt bei ihm" (18,20b). Umkehr ist möglich und erwünscht. Aber auch die Zuwendung des Gerechten zur Gottlosigkeit wird bedacht, allerdings mit der Folge, daß dann nicht einmal die eigene Gerechtigkeit kompensatorische Kraft hat (18,21-32; cf. 33,12-20).

Da im Ezechielbuch die individuelle Verantwortung so radikal gefaßt wird, verwundert es zunächst, daß der Gedanke des Schuld-Tragens Gegenstand einer prophetischen Symbolhandlung sein kann. Ezechiel soll nach 4,4-8 durch das zeitlich befristete Liegen auf der linken und auf der rechten Seite die Schuld von Israel und Juda tragen (*nśʾ ʿwn*). Da dies in gefesseltem Zustand geschehen soll, ist der Prophet ganz dem verhängten Leiden ausgeliefert, ohne daß sein Leiden stellvertretende | Wirkung haben könnte. Der Prophet kann nur leidend versinnbildlichen, was das Volk als ganzes treffen wird. Individuelle Verantwortung und kollektive Schuld sind kein Widerspruch. Jene bringt diese allererst in ihrem ganzen Gewicht zum Vorschein.[21]

Zum prophetischen Leiden gehört bei Ezechiel auch sein gottgewolltes Verstummen (3,26). Das Stummwerden Ezechiels wird ebenso mit *ʾlm* ni. formuliert wie das Stummsein des Gottesknechtes in Jes 53,7. Doch auch dieser Aspekt von Ezechiels Leiden hat nicht wie im vierten Gottesknechtslied kompensatorische Kraft für andere, sondern die Funktion, das Volk ohne prophetische Warnung zu lassen. Kompositorisch bewußt folgt dieses Verstummen unmittelbar auf Ezechiels Einsetzung ins Wächteramt für das Haus Israel in 3,16-21 (cf. 33,1-20). Dabei wird der Prophet mit einer nachgerade unerträglichen Verantwortung belastet. Er haftet mit seinem eigenen Leben für die zu verwarnenden Gerechten und Gottlosen, sofern er sein Wächteramt nicht auftragsgemäß wahrnimmt.

---

[20] Cf. H. SPIECKERMANN, „Barmherzig und gnädig ist der Herr ...", ZAW 102 (1990), pp. 1-18; (= s.o. pp. 3-19) es ist aber wichtig wahrzunehmen, daß auch im Deuteronomismus das Verhältnis von Väterschuld und eigener Schuld bereits intensiv bedacht worden ist. Die Textreihe Dtn 7,9-10; Dtn 5,9-10 = Ex 20,5-6; Ex 34,6-7 ist in dieser Hinsicht besonders aufschlußreich (cf. pp. 5-10).

[21] Zum Problem der individuellen Verantwortung im Ezechielbuch cf. P. M. JOYCE, „Ezekiel and Individual Responsibility", in J. LUST (ed.), Ezekiel and His Book (Leuven, 1986), pp. 317-321. JOYCE ist darin zuzustimmen, daß das Thema der individuellen Verantwortung im Ezechielbuch keine dominierende Rolle spielt. Über JOYCE hinausgehend bedarf jedoch der Klärung, welchen spezifischen Stellenwert die unüberhörbare Betonung der individuellen Verantwortung angesichts der Gerichtsansage an das ganze Haus Israel hat.

Sieht man diesen Auftrag, das Wächteramt, mit dem gottgewollten Verstummen des Propheten zusammen, steht seine Leidensexistenz in ihrer ganzen Spannung vor Augen. Was für einen Jeremia die Erschütterung seines
Vertrauens in Gott wegen der mangelnden Deckung seines prophetischen
Auftrages, verbunden mit dem Verbot der Fürbitte, bedeutet, das ist bei einem
Ezechiel die Zerrissenheit zwischen Wächteramt und Verstummenmüssen,
verbunden mit dem Scheitern der Fürbitte in actu. Das prophetische Leiden
für Gott ist zu einem Leiden an Gott geworden. Unter dem Aspekt der ver-
hinderten Fürbitte und des Leidens ist die Prophetie in eine Aporie geraten, in
der als neuer theologischer Gegenentwurf der Stellvertretungsgedanke geboren worden sein könnte.

3. Die Konzeption der Stellvertretung und offene Fragen

Blickt man von diesem prophetischen Hintergrund noch einmal auf das vierte
Gottesknechtslied mit dem Stellvertretungsgedanken zurück, | wird die theo-
logische Leistung der neuen Konzeption deutlich. Das prophetische Leiden
erfährt eine neue Sinnstiftung. Es wird zum Leiden für die Schuld anderer,
von Gott und dem Knecht gemeinsam gewollt. Zugleich wird das stellvertretende Leiden begrenzt und konzentriert auf das Geschick einer Person, deren
Schuld ein für allemal schuldtilgende Kraft hat. Damit wird die Dimension
prophetischen Leidens so entschieden transzendiert, daß es seine innere Konsequenz hat, daß der Gottesknecht nicht mehr als bestimmte prophetische
Gestalt zu identifizieren ist. Der Gottesknecht ist im Raum der Prophetie ge-
wissermaßen eine „u-topische" Gestalt, die namenlos bleiben muß, weil jede
Identifizierung dem Stellvertretungsanspruch nicht genügen könnte.
    Der Stellvertretungsgedanke überwindet außerdem die im Ezechielbuch
radikal zugespitzte individuelle Vergeltungslehre. Sie ist das Spiegelbild der
im Jeremiabuch explizit verbotenen und der im Ezechielbuch in actu schei-
ternden Fürbitte. Auch hier wagt das vierte Gottesknechtslied Neues (53,11).
Indem Gott den einen Knecht gerecht sein läßt, wird seine Gerechtigkeit Teil
des stellvertretenden Handelns. Er macht die vielen gerecht und sprengt damit
definitiv die Konzeption der individuellen Vergeltung und der prophetischen
Fürbitte.
    War im Jeremia- und Ezechielbuch die Thematik des prophetischen Lei-
dens, der Fürbitte und der individuellen Vergeltung strikt auf Israel hin orien-
tiert, so tut das vierte Gottesknechtslied in dieser Hinsicht einen letzten neuen
Schritt. In Aufnahme der Aufgabenbestimmung des Gottesknechtes in den
ersten beiden Gottesknechtsliedern kommt das Stellvertretungshandeln des
Knechtes den vielen zugute (53,11-12), welche in der vorliegenden Gestalt
des Textes von den vielen Völkern in 52,15 kaum zu trennen sind. Die Völker

werden nicht nur Zuschauer des „Heils unseres Gottes" sein, wie es sich in seiner Rückkehr zum Zion manifestieren wird (cf. 52,7-10), sondern sie werden selber Anteil an der Schuldtilgung des Gottesknechtes haben.

Steht die theologische Leistung der Stellvertretungsvorstellung außer Frage, ist zugleich unverkennbar, daß sie sich im vierten Gottesknechtslied noch in statu nascendi befindet. In Anknüpfung an die Einbeziehung der Völker in die Schuldtilgung des Gottesknechtes wäre darauf hinzuweisen, daß der Adressatenkreis für das Stellvertretungshandeln im Text unterschiedlich klar ins Auge gefaßt wird. Das Verhältnis der „vielen" zu den „vielen Völkern" und beider wiederum zur Wir-Gruppe, die in 53,6 pointiert von „uns allen" (*klnw*) spricht, aber auch einmal das Volk erwähnt (53,8), läßt Fragen offen. Ob das vierte Gottesknechtslied noch etwas von der allmählichen Entwicklung | der Geltung der Stellvertretung zu erkennen gibt: von der ursprünglichen Geltung allein für Israel hin zur Ausweitung auf die Völker?

Undeutlich bleibt auch, welcher Art die Gerechtigkeit des Gottesknechtes ist, durch die er für die vielen Gerechtigkeit erwirkt (53,11). Gerade angesichts der strikten individuellen Vergeltungslehre im Ezechielbuch mit ihrer präzisen Vorstellung, wer ein Gerechter sein könne und wer nicht, bleibt in Jes 53 Klärungsbedarf zurück. Ist die Gerechtigkeit des Gottesknechtes tatsächlich nach ezechielischen Maßstäben zu verstehen, oder ist der Knecht von Gott selbst mit Gerechtigkeit begabt worden, damit er für die vielen Gerechtigkeit erwirken kann? Träfe die letztgenannte Alternative zu, welches theologische Profil würde dann die in Jes 53,11 gemeinte Gerechtigkeit haben?

Auch die Namenlosigkeit des Gottesknechtes signalisiert ein Problem. Sosehr es gerade auf dem prophetischen Hintergrund verständlich ist, daß eine Identifizierung des Knechtes vermieden wird, sosehr kann die Namenlosigkeit des Gottesknechtes das Mißverständnis begünstigen, seine Aufgabe könne je und dann immer neu von bestimmten Personen übernommen werden. Mit Sicherheit entspricht eine solche Deutung nicht der ursprünglichen Intention des Textes. Es hat immerhin Erkenntniswert, daß das in nachexilischer Zeit gewiß bald einsetzende kollektive Verständnis auch des vierten Gottesknechtsliedes in ihm selbst keine redaktionellen Spuren verursacht hat. Aber ebensowenig ist das ursprüngliche individuelle Verständnis literarisch nachgezeichnet worden. Es wäre immerhin denkbar gewesen, daß Einmaligkeit und Endgültigkeit der Stellvertretung nachträglich stärker herausgearbeitet worden wären. Offensichtlich fehlten die Optionen für eine stärkere theologische Profilierung der Person des Gottesknechtes.

Für die Richtigkeit dieser Vermutung spricht die Folgenlosigkeit des vierten Gottesknechtsliedes im Alten Testament. Schon die einleitende Frage der Wir-Gruppe „Wer glaubt unserer Kunde?" (53,1) hat einen skeptischen Unterton. Der Erfolg des Gottesknechtes wird in der Zukunft erwartet (52,13) und Gott in den Mund gelegt, der offensichtlich die Glaubwürdigkeit schaffen soll, die die Wir-Gruppe erhofft, aber wohl nicht erreichen kann. Der literarische Erfolg des Stellvertretungsgedankens ist ausgeblieben. Selbst da, wo seine Rezeption und Weiterentwicklung am nächsten gelegen hätten, nämlich in den tritojesajanischen Wachstumsschichten, ist nichts zu finden, allenfalls eine Umdeutung oder gar implizite Absage an den Stellvertretungsgedanken. In Jes 59,15-20 handelt Gott selbst, weil er feststellen muß, daß es | keinen gibt, der stellvertretend eintritt (*ʼyn mpgyʻ*, 59,16). Man kann sich kaum vorstellen, daß hier absichtslos dasselbe seltene Verb wie in 53,12 gebraucht worden wäre. Eher wird es sich um eine Rückholung der Stellvertretungsvorstellung ins prophetisch Bekannte handeln, wonach Propheten und andere Menschen zwar eine Mittlerfunktion übernehmen können, Gott aber immer derjenige bleibt, der das Entscheidende selber tut.

So ist Jes 53 im Alten Testament ein singulärer Text geblieben. Er hat keine Nachgeschichte gehabt, und seine Vorgeschichte hat nichts „vorgebaut", sondern eine Aporie produziert, die die neue Konzeption der Stellvertretung lösen helfen sollte. In welchem Maße diese Konzeption in alttestamentlicher Zeit Erfolg gehabt hat, wissen wir nicht. Die literarisch dokumentierte Weiterführung ihrer theologischen Optionen ist jedenfalls erst außerhalb des Alten Testaments bezeugt.

Liebe und Gehorsam

10. Mit der Liebe im Wort
Ein Beitrag zur Theologie des Deuteronomiums

1. Der Befund

Das Deuteronomium gehört zu den alttestamentlichen Schriften, in denen am intensivsten versucht worden ist, Israels Gottesverhältnis theologisch konzentriert und sprachlich profiliert zum Ausdruck zu bringen.[1] Der Versuch hat bereits auf vorauslaufende Bemühungen in der Prophetie zurückgreifen können, welche allerdings eher in der Abweisung religiöser Irrwege verharren und nur selten zu positiven theologischen Bestimmungen fortschreiten. Dies tut das Deuteronomium hingegen ganz bewußt, in mahnender und werbender Rede, konzentriert auf wenige theologische Vorstellungen, die um die beiden Brennpunkte Exodus und Land elliptisch organisiert sind. Die anfängliche Konstellation ist in Schichten und Ergänzungen bis in die nachexilische Zeit immer weiter angereichert worden. Väter, Bund, Erwählung, Segen, Fluch und vieles mehr sind hinzugekommen und miteinander kombiniert worden. Die beiden theologischen Brennpunkte des Deuteronomiums sind dadurch jedoch nicht in den Hintergrund getreten. Immer wieder verdichtet sich die Botschaft in den Aussagen, daß der Gott Israels sein Volk aus der ägyptischen Sklaverei gerettet und ihm ein Land geschenkt hat, in dem Israel sicher wohnen und gedeihen kann, wenn es den Retter und Geber der guten Gabe nicht vergißt. Der Nachdruck, mit dem dies eingeschärft wird, hat dem Deuteronomium sein unverwechselbares theolo|gisches Profil gegeben. Es ist ein Buch gegen die Gottvergessenheit angesichts der Attraktivität der Götter der Völker.

---

[1] Es ist das Verdienst von LOTHAR PERLITT, vor ungefähr dreißig Jahren durch das Buch Bundestheologie im Alten Testament, WMANT 36, Neukirchen-Vluyn 1969, diese theologische Konzentration des Deuteronomiums wieder sachgemäß ins Licht gestellt zu haben. Zu notwendigen Modifikationen seiner Sicht der Bundestheologie im Deuteronomium vgl. TIMO VEIJOLA, Bundestheologische Redaktion im Deuteronomium, in: Das Deuteronomium und seine Querbeziehungen, SESJ 62, Helsinki/Göttingen 1996, 242-276. Wer hingegen die Bundestheologie des Deuteronomiums wieder stärker an das altorientalische Vertragsrecht meint binden zu können (vgl. ECKART OTTO, Die Ursprünge der Bundestheologie im Alten Testament und im Alten Orient, Zeitschrift für Altorientalische und Biblische Rechtsgeschichte 4, 1998, 1-84), muß prüfen, ob die seinerzeit erhobenen Gegenargumente wirklich entkräftet sind; zur Kritik vgl. den Beitrag von MATTHIAS KÖCKERT, Zum literargeschichtlichen Ort des Prophetengesetzes Dtn 18 zwischen dem Jeremiabuch und Dtn 13, in: Liebe und Gebot. FS L. Perlitt, FRLANT 190, Göttingen 2000, 80-100.

Zur theologischen Anreicherung im Dienste der Grundaussage gehört auch die Vorstellung vom gestifteten und angemahnten Liebesverhältnis zwischen Gott und Israel.[2] Diese Beziehung als Liebesverhältnis zu beschreiben, hat Vorläufer. Sie sind vor allem im Bereich der Theologie der Psalmen zu finden.[3] Doch nicht diese Tradition ist für das Deuteronomium bedeutsam geworden, sondern wahrscheinlich Texte des Hoseabuches, in denen die Liebe Gottes zu Israel in Bildern der Ehe zur Sprache kommt, nicht zuletzt als Anklage wegen Untreue und Gottvergessenheit.[4] Hier sind Wege gebahnt worden, die im Deuteronomium ihre Fortsetzung gefunden haben.

Die Vorstellung vom Liebesverhältnis zwischen Gott und Israel ist indessen noch nicht im deuteronomischen Gesetz verankert. Das Gesetz in Dtn 21,15-17, das dem Erstgeborenen von der ungeliebten Frau den rechtmäßigen Erbteil gegenüber dem ersten Sohn von der geliebten Frau sichert, nimmt blühende und erstorbene Liebe als Realität zwischenmenschlicher Beziehungen wahr und versucht, die denkbaren schädlichen Auswirkungen für andere zu verhindern. Ohne weitere theologische Begründung wird hier dem Recht vor allem Eigensinn der Liebe die Priorität eingeräumt.

Einen positiven Klang hat der Bezug auf die Liebe im Gesetz zur Freilassung eines hebräischen Sklaven in Dtn 15,12-18. Es wird mit der Möglichkeit gerechnet, daß gute Behandlung durch den Herrn beim Sklaven, dem hebräischen Bruder[5], Liebe wecken kann, die ihren rechtlich angemessenen | Aus-

---

[2] Die alttestamentliche Liebe im Überblick bieten HORST SEEBASS, Art. Liebe II, in: TRE XXI, 1991, 128-133 und KATHARINE DOOB SAKENFELD, Art. Love (OT), in: AncB-Dictionary Bd. IV, 1992, 375-381; besonders aufschlußreich sind in diesem Zusammenhang die Wörterbuchartikel zu 'hb (vgl. ERNST JENNI, THAT I, 1971, 60-73; J. BERGMAN/A. HALDAR/G. WALLIS, ThWAT I, 1973, 105-128) und ḥæsæd (vgl. HANS JOACHIM STOEBE, THAT I, 1971, 600-621; H.-J. ZOBEL, ThWAT III, 1982, 48-71; der derzeitige Forschungsstand wird repräsentiert durch GORDON R. CLARK, The Word Hesed in the Hebrew Bible, JSOT.S 157, Sheffield 1993).

[3] Zur Spannweite der Liebesverhältnisse in den Psalmen vgl. Ps 5,12; 11,5.7; 26,8; 31,24; 33,5; 40,17 = 70,5; 45,8; 47,5; 69,37; 78,68; 87,2; 97,10; 99,4; 116,1; 119,47.48.97.113.119. 127.132.140.159.163.165.167; 122,6; 145,20; 146,8.

[4] Vgl. Hos 1,2-9; 2,4-15.16-22; 3,1-5; 4,1-3.11-19; 5,1-7; 6,4-6.7-11; 7,1-7; 8,11-14; 9,1.10-17; 10,11-12; 11,1-9; 12; 13,1-8; 14,5. Die genannten Texte stehen nur exemplarisch für die Liebes- und Ehemetaphorik im Hoseabuch. Zum größeren Teil entstammen sie späteren Schichten, die den Kern des Deuteronomiums nicht beeinflußt haben können. Wollte man indessen das Thema der Treue bzw. Treulosigkeit in der Metaphorik der Liebe und Ehe dem Grundbestand des Hoseabuches ganz absprechen, bliebe nicht viel übrig, was Spätere zur theologischen Anreicherung des werdenden Prophetenbuches hätte veranlaßt haben können; zur Metaphorik des Hoseabuches vgl. GÖRAN EIDEVALL, Grapes in the Desert. Metaphors, Models, and Themes in Hosea 4-14, CB.OT 43, Stockholm 1996 und BRIGITTE SEIFERT, Metaphorisches Reden von Gott im Hoseabuch, FRLANT 166, Göttingen 1996.

[5] Vgl. LOTHAR PERLITT, „Ein einzig Volk von Brüdern". Zur deuteronomischen Herkunft der biblischen Bezeichnung „Bruder", in: Kirche. FS G. Bornkamm, Tübingen 1980, 27-52 = DERS., Deuteronomium-Studien, FAT 8, Tübingen 1994, 50-73.

druck in einem lebenslangen Dienstverhältnis findet. Im Unterschied zum
parallelen Gesetz im Bundesbuch (Ex 21,2-6) ist die Regelung der Freilassung in Dtn 15,15 theologisch mit der Rettung aus der ägyptischen Sklaverei
begründet. Und man wird nicht zuviel in den Text hineinlesen, wenn man
auch das Begehren des Sklaven nach einem lebenslangen Dienstverhältnis aus
der Dankbarkeit, die alle Israeliten verbindet, zu verstehen sucht. Eine Bezugnahme auf die Vorstellung der Liebe Gottes, die in diesem Zusammenhang durchaus denkbar gewesen wäre, gibt es aber nicht.

Drei weitere Stellen aus dem Bereich des deuteronomischen Gesetzes, Dtn
13,4; 19,9; 23,6, gehören nicht zum Grundentwurf aus dem siebten Jahrhundert. Sie spielen auf andere, jüngere Texte an, zu denen auch die gehören, die
der Vorstellung des Liebesverhältnisses zwischen Gott und Israel im Deuteronomium Kontur gegeben haben.

Die Theologie der Liebe hat im Deuteronomium ihren Schwerpunkt in den
vorderen Rahmenkapiteln, programmatisch in Dtn 6 und 7. Von diesem Zentrum gehen Strahlungen aus, die in die Kapitel 4 und 5 sowie 10 und 11 hin-
einreichen.[6] In der abschließenden Rahmung kommt Dtn 30 eine besondere
Bedeutung zu. In einer gewissen, kaum absichtslosen Asymmetrie kommt die
Liebe zwischen Gott und Israel in den genannten Kapiteln zur Sprache: seltener, daß Gott Israel liebgewonnen hat und liebt (Dtn 4,37; 7,8.13; 10,15),
häufiger, in direkten und indirekten Sprechakten formuliert, daß Israel Gott
lieben soll (5,10; 6,5; 7,9; 10,12; 11,1.13.22; 30,6.16.20).[7] In welchem Verhältnis stehen Liebe Gottes zu Israel und Israels erwartete Liebe zu Gott?
Sagen die quantitativen Verhältnisse etwas über qualitative Gewichtungen
aus? Es wird sinnvoll sein, die theologische Konstellation zunächst | in den

---

[6] Wichtige Beobachtungen zu diesem thematischen Komplex sind bei NORBERT
LOHFINK, Das Hauptgebot. Eine Untersuchung literarischer Einleitungsfragen zu Dtn 5-11,
AnBib 20, Rom 1963 und in der von PERLITT betreuten Dissertation von REINHARD
ACHENBACH, Israel zwischen Verheißung und Gebot. Literarkritische Untersuchungen zu
Deuteronomium 5-11, EHS.T 422, Frankfurt/Main 1991 zu finden. Die zwischen LOHFINK
und PERLITT intensiv geführte Diskussion um den angemessenen exegetischen Zugang zu
den Texten des Deuteronomiums ist nach wie vor unabgeschlossen. Es scheint an der Zeit,
den literarhistorischen und den literarischen Zugang stärker im Blick auf die Komplementarität als auf die scheinbare Unverträglichkeit hin in den Blick zu nehmen. Denn einerseits
haben gewachsene Texte auf allen Stufen des Werdens eine Struktur, die mit dem auf Analyse und Genese gerichteten Blick nur unzureichend zu erfassen ist. Der Text als Text ist mehr
als die Summe seiner Wachstumsstufen. Und andererseits bekommen Textstrukturen einen
künstlichen Charakter, wenn die Bemühungen um die Erhellung ihres geschichtlichen Wer-
degangs vernachlässigt werden. Der vorliegende Beitrag ist ein Versuch, dieser Einsicht
Rechnung zu tragen.

[7] Von besonderer Prägnanz sind in diesem Zusammenhang auch die Verben רבק (vgl.
Dtn 4,4; 10,20; 11,22; 13,5; 30,20 und G. WALLIS, ThWAT II, 1977, 84-89) und חשׁק (vgl.
Dtn 7,7; 10,15 und G. WALLIS, ThWAT III, 1982, 280-281).

zentralen Kapiteln 6 und 7 zu untersuchen, um daraufhin die Auswirkungen in den weiteren Texten zu betrachten.

2. Dtn 6 und 7: Liebeswahl und Liebesbund

Das Gebot der Jhwh-Liebe für einen jeden Israeliten in Dtn 6,5 schließt direkt an die Proklamation der Einzigkeit Jhwhs für Israel in 6,4 an.[8] Beides hängt in der theologischen Gedankenführung eng zusammen. Dem „Jhwh allein", der „unser Gott" ist und zu keinem anderen ein Verhältnis sucht, soll das „Nur du allein" Israels unmittelbar folgen. Der für Israel einzige Gott erwartet keinen Anteil an Israels Liebe, sondern Israels Liebe ganz. Die alleinige Bindung des einen Gottes an Israel hat in der Forderung der Exklusivität der Liebe Israels zu Jhwh ihr Pendant. Daran läßt die Formulierung in 6,5 keinen Zweifel zu. Die Liebesforderung wäre nur dann lieblos, wenn nicht Gottes Selbstbindung an Israel in 6,4, die für das Volk durch die gewählte Prädikation „unser Gott" ganz offensichtlich ist, vorausliefe.

Die Liebe zu Jhwh ist nicht wortloser Überschwang, sondern ausdrucksfähige Liebe, Liebe in Worten, die wiederholbar sind, nicht gebetsmühlenhaft, sondern als inniger Ausdruck erwiderter Liebe. Deshalb sollen die Worte, nämlich die folgenden Gebote und Verbote, „auf deinem Herzen sein" (6,7), an dem Ort im Menschen, an dem sich Gott zuvörderst mitteilt. Gottes Worte sind „Herzenssache", Sache der Einsicht und der Liebe und folglich des leichten Gehorsams. Freilich tragen die Worte in Dtn 6,4ff. bereits das Wissen in sich, daß der leichtgemachte Gehorsam Israel durchaus nicht leichtfällt. Deshalb hat das Judentum das Liebesgebot von Dtn 6,4ff. zum Gebet gemacht. Israel, das sich im Liebesgebot mit den Gottesworten auf dem Herzen selbst erkennen will, weiß, daß nur das ständige Gebet dem Gebot den nötigen Raum im Herzen schaffen kann. Selbst die kühne Verheißung des neuen Bundes in Jer 31,31-34, die auf das Scheitern des Sinai/Horebbundes zurückblickt, weiß keinen anderen Ort für die Tora als das Herz (ועל־לבם אכתבנה, 31,33), weil nur hier im Menschen Einsicht und Liebe zusammenfinden können. |

---

[8] Vgl. LOTHAR PERLITT, ‚Evangelium' und Gesetz im Deuteronomium, in: The Law in the Bible and its Environment, T. Veijola (Hg.), SESJ 51, Helsinki/Göttingen 1990, 23-38 = DERS., Deuteronomium-Studien, 172-183; zur Frage literarhistorischer Distinktionen in Dtn 6,4-9 vgl. TIMO VEIJOLA, Das Bekenntnis Israels. Beobachtungen zur Geschichte und Theologie von Dtn 6,4-9, ThZ 48, 1992, 369-381; DERS., Höre Israel! Der Sinn und Hintergrund von Deuteronomium vi 4-9, VT 42, 1992, 528-541. Übereinstimmung besteht an vielen Punkten mit der Analyse von GEORG BRAULIK, Deuteronomium 1-16,17, NEB.AT 15, Würzburg 1986, 55-61. Allerdings scheint die aus der altorientalischen Vertragstradition stammende juristische Komponente für die Gestaltung von Dtn 6 überbewertet zu sein.

Die Omnipräsenz der Worte in Dtn 6,7-9 dient vor aller Gebotsmitteilung der Erinnerung an die vorauseilende Liebe Gottes, der – gemäß der Fiktion des Deuteronomiums – das Israel vor Augen liegende Land herrlich bereitet hat (6,10-13). Israels fingierte Gegenwart an der Schwelle des Landes wird in einen Vergangenheit und Zukunft umfassenden Raum gestellt. Mit der Landgabe (נתן, 6,10) hält Gott Wort gemäß seinem Väterschwur. Daß Gott seiner Landverheißung durch das Schwurwort Nachdruck verleiht, ist ebenso Zeichen problematisch gewordener Liebe wie die Vorwegnahme von Israels drohendem Vergessen aller guten Gaben Gottes.[9] Das Deuteronomium spricht folglich nicht mehr vom Wunder erwachter Liebe, sondern von Gottes Taten der Liebe, die Gegenliebe erheischen. Das Deuteronomium wird nicht müde, den Exodus und die bevorstehende Landgabe als Taten der Liebe Gottes in Erinnerung zu rufen. Sie stehen auch in Dtn 6,10-12 im Mittelpunkt und tragen die Begründung für die vorausgehenden und die folgenden Imperative. Der den Mittelteil abschließende V. 13 greift das einleitende Liebesgebot (6,5) und den Väterschwur (6,10) auf. Gott zu lieben, heißt, ihn zu fürchten, ihm zu dienen und den Schwur in Gottes Namen (und nicht bei den Namen aller möglichen Götter) genauso verbindlich sein zu lassen, wie Gott dem Väterschwur treu geblieben ist. Es gibt keine respekt- und tatenlose Liebe. Das gegebene Wort muß in der Liebe gelten, zumal Gott Israel in Dtn 6 sogar die Worte der Gegenliebe schenkt, die vor aller Gebotsmitteilung Gottes Taten der Liebe vergegenwärtigen.

Der abschließende Teil 6,14-19 stellt die beiden vorangehenden Teile 6,4-9 und 6,10-13 in das Bezugssystem dtr Theologie. Er ist mit größter Wahrscheinlichkeit dem Text 6,4-13 zugewachsen, mindestens in zwei Erweiterungsschüben (6,14-17 und 6,18-19). Sie sind zu dem einleitenden Teil mit seinen imperativischen Formen ein Pendant, in welchem die Einhaltung der Gebote als Tun des Rechten und Guten qualifiziert wird, worin die Voraussetzung für die Inbesitznahme (ירשׁ) des Landes und die Vertreibung der Feinde liegt. Die im Grundtext betonte vorauseilende Liebe Gottes wird im Sinne der auf Israels Gehorsam reagierenden Liebe Gottes interpretiert. Hier ist die Liebe nicht mehr nur in die Gefährdung geraten, sondern bitter enttäuscht worden, was auch aus den weite Textkomplexe und Epochen umspannenden Anspielungen zu entnehmen ist. Sie rufen die Geschichte des Scheiterns der Liebe von den Anfängen (Ex 17,2-7[10]) bis zum Ende von |

---

[9] Vgl. PERLITT, Bundestheologie, 68 im Zusammenhang der Auslegung von Dtn 7: „Im Jh. der Siege genügte Jahwes Wort, denn er erwies sich gegen die Philister als Gott Israels, wie er sich ... vom Auszug her erwiesen hatte. Erst als das Reich krank und die Feinde übermächtig wurden, mußte Jahwe den Besitz des Landes ‚garantieren': eben beschwören; und das war im 7. Jh. eher fällig als im 10. Jh."

[10] Die Versuchungsthematik ist durch dtr Redaktion in den Text gekommen (Ex 17,2bγ; מסה und die folgende Konjunktion in 17,7a; 17,bβγ). Das hat bereits MARTIN NOTH gese-

Nord- und Südreich in Erinnerung.[11] In 6,14-19 sind die Imperative und imperativischen Formen nicht länger Ermunterung zur Gegenliebe, sondern dringliche Ermahnung, der Geschichte des Scheiterns der Liebe endlich eine Wendung zu geben.

Die folgenden Abschnitte Dtn 6,20-25; 7,1-6; 7,7-11 und 7,12-16 setzen die in 6,4ff. begonnene Rede in mehreren Gedankengängen fort. Die Sohnesfrage in 6,20-25 ist zwar ein in sich geschlossener Abschnitt, fügt sich aber gut an 6,13 an und gehört wohl zur literarischen Grundschicht wie 6,4-13. Die Interpretation der Liebe zu Gott als Gottesfurcht und Gottesdienst in 6,13 wird in 6,20-25 aufgenommen.[12] Wahrer Gottesdienst befreit aus dem Sklavendienst (עבדים היינו לפרעה במצרים, 6,21), und wahrer Gehorsam gegenüber Gottes Geboten führt zur Gottesfurcht, die wahres Leben bedeutet (6,24). In ihm sind Befreiung und Gehorsam durch die Bindung an den einen Gott, „unseren Gott" (6,4.24f.), keine unversöhnlichen Gegensätze.

Der Gedankengang, der sich soweit gerundet hat, wird in 7,1-6 noch einmal vertieft.[13] In Anknüpfung vor allem an 6,10-13 wird nun betont, daß Landgabe Preisgabe der ansässigen Völker durch den befreienden und in den Gehorsam rufenden Gott ist (vgl. 6,10 mit 7,1f. und den Gebrauch von נתן in 6,10 mit dem in 7,2). Der an den Völkern (גוים, 7,1) schonungslos zu vollstreckende Bann soll die erneute Versklavung durch die Götter der Völker verhindern (vgl. עבד in 6,13 mit 7,4). Wahrer Gottesdienst verlangt Scheidung von allen anderen „Dienstverhältnissen". Das ist die Weise, in der Israel, erwählt aus den Völkern (עמים) als „heiliges Volk" (עם קדוש) und als „Eigentumsvolk" (עם סגלה), dem exklusiven Anspruch Gottes genügen muß (7,6).

Die beiden folgenden Abschnitte 7,7-11 und 7,12-16 sind spätdtr Verdeutlichungen des bereits im Grundtext angelegten theologischen Profils.[14] Führt |

---

hen (Überlieferungsgeschichte des Pentateuch, Stuttgart 1948, 32 Anm. 111; DERS., Das zweite Buch Mose. Exodus, ATD 5, Göttingen 1958, 111).

[11] Das Tun des in den Augen Jhwhs Rechten und Guten (vgl. die Zusammenstellung der Belege bei MOSHE WEINFELD, Deuteronomy and the Deuteronomic School, Oxford 1972, 335) ist eine Gegenformulierung zu dem obligatorischen Vorwurf in der Grundfassung des Deuteronomistischen Geschichtswerkes (DtrH), daß die Könige des Nord- und Südreiches in erdrückender Mehrheit das in den Augen Jhwhs Böse getan hätten (mehr als 40 Belege in den Königsbüchern).

[12] Zu Dtn 6,20-25 vgl. LOTHAR PERLITT, Deuteronomium 6,20-25: eine Ermutigung zu Bekenntnis und Lehre, in: Glaube – Bekenntnis – Kirchenrecht. FS H. P. Meyer, hg. von G. Besier/E. Lohse, Hannover 1989, 222-234 = DERS., Deuteronomium-Studien, 144-156.

[13] In diesem Abschnitt dürfte lediglich der pluralische V. 5 eine dtr Erweiterung sein. Er dient dem Zweck, die bewährten Zerstörungspraktiken für Fremdkulte in Erinnerung zu rufen.

[14] Für diese Abschnitte ist der Wechsel der Anrede im Singular und Plural charakteristisch. Beide Formen sind durch die vorhergehenden literarischen Schichten bereits etabliert;

der Grundtext den Gedanken vom Liebesgebot (6,4-7) über den wahren Gottesdienst (6,10-13) und die Abweisung des Sklaven- und Götterdienstes hin
zum Gedanken der Erwählung (6,20-25 und 7,1-6), so ist deutlich, daß Gottes
vorauslaufende Erwählung, am Schluß des Textes klimaktisch apostrophiert
(7,6), den ganzen Gedankengang trägt. Dies wird in 7,7-11 zunächst dadurch
unterstrichen, daß Gottes vorauslaufende Erwählung als Tat seiner Liebe erklärt wird, die den verheißungsvollen Väterschwur allererst verständlich
macht. Die Liebeswahl ist nicht durch Israels Qualitäten zu begründen, sondern nur durch Gottes „Qualitäten". Sie sind in seinem Israel offenbarten Wesen zu erkennen, welches unter modifizierter Aufnahme der Gnadenformel in
7,9f. in Erinnerung gerufen wird.[15] Dabei wird in Auslegung von 6,4 betont,
daß *nur* der eine Gott *Gott* ist[16] und daß seine Liebe sich durch Bundestreue
und durch Güte auszeichnet (הָאֵל הַנֶּאֱמָן שֹׁמֵר הַבְּרִית וְהַחֶסֶד). Gottes Liebe
erwartet unmittelbar Gegenliebe in Form des Gehorsams gegen seine Gebote.
Nur diejenigen, die dazu bereit sind, dürfen auf seine Treue und vergebungs-
bereite Güte hoffen. Das ist der Sinn der außerordentlich dichten Formulierung in 7,9. Theologisch derart konzentriert formuliert der Grundtext nicht.
Aber die Erläuterung in 7,7-11 mit nachgerade definitorischem Rang ist in der
Tat nichts anderes als theologische Verdichtung dessen, was bereits der
Grundtext gewollt hat.

In gezielter Akzentverlagerung gegenüber 7,7-11 betont die nächste Fortschreibung in 7,12-16 Israels Gesetzesgehorsam als unabdingbare Voraussetzung der bleibenden Bundestreue und Güte Gottes. War in 7,7-11 Gottes Liebe als innerster Beweggrund seines Handelns akzentuiert worden, erfährt sie
in 7,12-16 eine neue Interpretation durch die Segensfülle, die Gott dem Gesetzesgehorsam folgen läßt (7,13-15). Der Lohn des Gehorsams wird erfahrbar. Die Liebeswahl aus allen Völkern (מִכָּל־הָעַמִּים, 7,7) bleibt kein abstraktes
theologisches Dictum, sondern wird zur spürbaren Segenswahl in Überbietung aller Völker (מִכָּל־הָעַמִּים, 7,14). So wird Gesetzesgehorsam als wahrer
Gottesdienst (6,13) belohnt, weil er zugleich militante Absage an den Götter-
dienst ist (7,16).[17] |

---

zum Numeruswechsel im Deuteronomium vgl. TIMO VEIJOLA, Wahrheit und Intoleranz
nach Deuteronomium 13, ZThK 92, 1995, 287-314, 292-293.

[15] Zur Gnadenformel vgl. HERMANN SPIECKERMANN, „Barmherzig und gnädig ist der
Herr...", ZAW 102, 1990, 1-18; zu Dtn 7,9f. S. 5-8 (= s.o. 3-19)

[16] Es ist eine unvermeidliche sprachliche Verlegenheit, daß die anderen Götter (7,4) noch
als solche bezeichnet werden.

[17] Zu derselben Schicht wie 7,12-16 dürfte der folgende Abschnitt 7,17-26 gehören, wobei die Frage nach der literarischen Integrität hier nicht gestellt werden muß. An die Auslegung des wahren Gottesdienstes schließt sich die Auslegung der wahren Gottesfurcht an. Sie
ist Absage an die Furcht vor den Völkern. „Groß und furchtbar" (גָּדוֹל וְנוֹרָא) ist nur einer,
Gott selbst (7,21). Das soll Israel beherzigen, während es die Völker zu spüren bekommen

In Dtn 6 und 7 steht ein Reflexionsprozeß vor Augen, der um die unverzichtbare Verbindung von Liebe und Treue weiß. Wie Gott mit seiner aus Liebe getroffenen Erwählung im Wort (des Väterschwurs) ist, so kann Israels Gegenliebe nur eine Entsprechung im Gehorsam zu den Worten haben, die die Befreiung zur Bindung an den einen liebenden Gott bewahren. Das Ringen um diesen Liebesbund in Dtn 6 und 7 hat weitere Reflexionen angestoßen. Sie sollen zunächst in Dtn 10 und 11 untersucht werden.

3. Dtn 10 und 11: Selbstverliebtheit und die Folgen

Die von Dtn 6 und 7 ausgehende Strahlung läßt sich einigermaßen gut verfolgen. Nachdem in Dtn 7,17-26 das vor den vielen Völkern bebende Herz Israels zum Thema geworden ist, folgt in Dtn 8 und 9,1-10,11[18] eine Mahnung vor dem Hochmut des Herzens (8,14), das den Geber der guten Gaben und die Schule der Demut in der Wüste (8,3.16) vergißt. Wo die Gefahr von Israels Selbstverliebtheit in die eigene Kraft (8,17) und in die eigene Gerechtigkeit (9,4-6) ins Auge gefaßt wird, wird vom Liebesbund der Erwählung bewußt nicht gesprochen.

Das ändert sich in Dtn 10,12-22. Mit einer Formulierung, die nach den vielen vorhergehenden Verzweigungen eine theologische Bündelung einleiten will (10,12a), wird noch einmal in deutlicher Anknüpfung an Dtn 6 und 7 die theologische Summe gezogen. Sie besteht aus der Trias Gottesfurcht, Gottesliebe und Gottesdienst in Gestalt des Gesetzesgehorsams (10,12-13). Dtn 6,5 und 6,13 stehen im Hintergrund der Trias, im Blick auf die nominale Formulierung der Gottesliebe 7,8 und im Blick auf die Betonung des guten Lebensziels 6,24b. Indessen ist die nominale Formulierung der Liebe in 10,12 – hier unter Verwendung des Infinitivs im Unterschied zum singulären Nomen in 7,8 – nun nicht mehr auf Gottes vorauslaufende Liebe in der Tat der Erwählung, sondern, in Anlehnung an 6,5, auf Israels erwartete Gegenliebe bezogen. Daß aber 7,8 als intertextueller Bezug durchaus im Blick ist, läßt sich den in 10,14-22 folgenden Ausführungen entnehmen, die nicht von ungefähr Gottes Erwählung thematisieren. Durch die Betonung der Universalität Gottes in 10,14 wird die Besonderheit der Erwählung in 10,15 noch deutlicher unterstrichen. Doch die Veränderung ist unübersehbar. Die Erwählung ist nicht mehr wie in 7,7-8 Tat der Liebe Gottes zu Israel und der Treue zum Väter-

---

werden. Die Bedeutung der Völker nimmt in den Fortschreibungen des sechsten und fünften Jahrhunderts ständig zu, was den zeitgenössischen Prophetentexten völlig entspricht.

[18] Zu Dtn 8 vgl. LOTHAR PERLITT, Wovon der Mensch lebt (Dtn 8,3b), in: Die Botschaft und die Boten. FS H. W. Wolff, Neukirchen-Vluyn 1981, 403-426 = DERS., Deuteronomium-Studien, 74-96; zu Dtn 9,1-10,11 vgl. ERIK AURELIUS, Der Fürbitter Israels. Eine Studie zum Mosebild im Alten Testament, CB.OT 27, Stockholm 1988, 8-56.

schwur. In 10,15 werden Liebe und Erwählung als zwei | getrennte Handlungen Gottes auf zwei Gruppen aufgeteilt. Den Vätern gilt Gottes Liebe, den Nachkommen die Erwählung. Gottes Liebe verdient Israel wegen der Unbeschnittenheit des Herzens und wegen der Halsstarrigkeit nicht (10,16), „nur" noch die Erwählung, an die sich Gott aus Treue zu dem den geliebten Vätern geleisteten Schwur gebunden fühlt. Der universale und unbestechliche Gott (vgl. 10,17 mit den Referenztexten 7,9.21) läßt sich nicht in einem Heilskalkül verrechnen. Israel als Nachkommenschaft der geliebten Väter steht nach den Eskapaden der Selbstverliebtheit in der Bringschuld der Liebe, die in 10,20 gegenüber dem Referenztext 6,13 zusätzlich genannt wird, allerdings mit dem Verb דבק und nicht mit אהב. Ob Israel nicht einmal durch seine Gottesliebe die Chance zur neuen Liebe Gottes haben wird?

Daß die harte Botschaft dieses Abschnittes in Israel mit Erschrecken gehört worden ist, läßt sich der Erweiterung des Textes in 10,18-19 entnehmen.[19] In Erinnerung an die personae miserae Waise, Witwe und Fremdling versucht Israel, Gottes Liebe wiederzuerlangen. Während Gott Waise und Witwe in Übereinstimmung mit altorientalischer Tradition Recht verschafft, bedarf seine Zuwendung zum Fremdling besonderer Begründung. Sie wird in Gottes Liebe zum Fremdling erkannt. Daß diese Liebe auch eine besondere Verpflichtung für Israel schafft, versteht sich von selbst, sosehr der Gedanke im altorientalischen Kontext ganz unselbstverständlich ist. Er wird in 10,18-19 bewußt mit Israels Charakterisierung als Fremdlinge in Ägypten verbunden. Der Wandel von Israel als Sklaven (עבדים) zu Fremdlingen (גרים) in Ägypten wäre nicht ohne Israels abhängige Existenz unter den Völkern seit dem sechsten Jahrhundert denkbar gewesen. In 10,18-19 ist der Gedanke schon so vertraut, daß ein Redaktor den Versuch wagen kann, Israels Fremdlingsschaft in Ägypten als character indelebilis des Volkes zu betrachten, der Gottes Liebe zu Israel bleibend sichert in einer Zeit, in der der Väterschwur nicht mehr als unerschütterliche Grundlage gilt. Gott ist nicht mehr unbedingt mit der Liebe im Wort (des Väterschwurs), aber in der Tat des Exodus, durch die er die israelitischen Fremdlinge aus der Knechtschaft befreit hat. Diese Tat hat Geltung für alle Zeiten. Sie kann nicht wie der Väterschwur relativiert oder zurückgenommen werden. Ägypten ist für das Israel der exilisch-nachexilischen Zeit unter dem Aspekt der Fremdlingsschaft überall, so daß Gottes rettende Zuwendung überall erneut erwartet werden darf.

Die Zweifel an Israels Würdigkeit und Befähigung zur Gottesliebe, wie sie im Grundtext von Dtn 10,12-22 geäußert worden sind, werden in 11,1-25 entschieden zurückgewiesen. Der zentrale Text Dtn 6 und 7, der in 11,1-25 vielfach aufgenommen wird, erweist seine überragende theologische Kraft. | In jeder Einleitung der drei aufeinander bezogenen Abschnitte 11,1-12;

---

[19] Zu 10,18-19 vgl. JOSÉ RAMÍREZ KIDD, Alternity and Identity in Israel, BZAW 283, Berlin/New York 1999, 81ff.

11,13-21 und 11,22-25 wird auf die Gottesliebe in Verbindung mit dem Gehorsam gegenüber Gottes Geboten Bezug genommen. Während die Aufforderung zur Gottesliebe in 11,1 – wohl in Anlehnung an 6,5 – betont vorangestellt und ihre Konkretisierung im Gesetzesgehorsam erkannt wird, steht der Gesetzesgehorsam in 11,13 und 11,22 voran, um die Erwähnung der Gottesliebe als Ziel des Gehorsams folgen zu lassen (vgl. Jos 22,5; 23,11). Es wäre verfehlt, darin eine Unterordnung der Liebe unter den Gesetzesgehorsam erkennen zu wollen. Beide gehören unzertrennlich zusammen und sind gleichwertige Voraussetzungen für das gelingende Verhältnis der Väter zu den Söhnen und für die Realisierung der großen Landverheißung. Diese beiden Themen bestimmen Dtn 11,1-25. Die Affinitäten zu 7,12-16 sind unübersehbar, allerdings mit dem signifikanten Unterschied, daß das Motiv der Liebe nicht länger mit Gott (7,13), sondern fordernd und mahnend mit Israel verbunden wird.

In 11,1-12 ist deutlich, daß die in 10,12-22 vorgenommene Trennung zwischen den Vätern und dem gegenwärtigen Israel nachwirkt. Sosehr der Autor von 11,1-12 entschlossen ist, das gegenwärtige Israel gemäß 6,4ff. zur Gottesliebe aufzufordern, so unsicher ist er, ob er diese Forderung noch generationenübergreifend erheben kann. In 11,2 beginnt er, etwas zum gegenwärtigen Israel – in der Fiktion von Israel an der Schwelle des Landes – unter Absetzung von der folgenden Generation der Söhne sagen zu wollen, um den Satz schließlich in 11,7 in einem Anakoluth enden zu lassen. In ihm steht nichts über die Söhne, sondern über die Großtaten Gottes, die dem gegenwärtigen Israel vor Augen sind und genauso zum Gesetzesgehorsam ermuntern wie die folgende paradiesische Vision des verheißenen Landes (11,8-12). Dabei wird in 11,9 fast beiläufig die in 10,15 vorgenommene Unterscheidung zwischen den Vätern und den Nachkommen wieder rückgängig gemacht.

Die offen gebliebene Frage im Blick auf die Söhne der Nachkommen, nämlich das gegenwärtige Israel, wird in 11,13-21 aufgenommen. Nachdem noch einmal die Aufforderung zum Gesetzesgehorsam als Ausdruck der Gottesliebe betont (11,13) und sowohl die guten Auswirkungen der Befolgung (11,14-15) als auch die schädlichen der Mißachtung dargelegt worden sind (11,16-17), werden die Söhne erneut in den Blick genommen (11,18-21). Es geschieht unter modifizierter Aufnahme der Worte von 6,5-9. Aus dem Einschärfen (שׁנן Pi., 6,7) der Worte der Gebote ist nun das Lehren (למד Pi., 11,19) geworden, ohne daß in 6,7 etwas grundsätzlich anderes als in 11,19 gemeint sein dürfte. Die Aufforderung hat in 11,18-19 eine noch größere Unmittelbarkeit durch ihre Gestaltung als Gottesrede.[20] Es sind „meine Worte" (11,18), mit denen das gegenwärtige Israel seine Gottesliebe sagen und sie | in der Unterweisung der Söhne weitergeben soll. Wo dies geschieht, ist der in 10,12-22 konstatierte Unterschied zwischen Vätern und gegenwärti-

---

[20] Auch 11,14-15 sind bereits als Gottesrede gestaltet.

gem Israel sowie der in 11,2-7 zumindest angedeutete Unterschied zur folgenden Generation überbrückt. Väter, gegenwärtiges Israel und Söhne sind in 11,21 vereint in der Gottesliebe, weitergesagt mit den Gottesworten der (Land-)Verheißung und der Gebote. Wenn Israel auf diesem Weg bleibt, führt der Weg in ein Land ungeahnter Ausmaße (11,22-25). Israel kann dies alles nicht selbst bewirken, aber Israel kann durch seinen liebevollen Gehorsam den Gott zum Handeln bewegen, der nur auf dieses Zeichen der Liebe wartet, um seine Landverheißung wahr werden zu lassen. Das landlose Israel der exilischen und in gewisser Hinsicht auch der nachexilischen Zeit hat die entscheidenden Worte an den entscheidenden Stellen: in Herz und Seele, auf Hand und Stirn, an Tür und Tor und – mitten dazwischen genommen (vgl. die andere Ordnung in der Vorlage 6,6-9) – in der Unterweisung der Söhne (11,18-20). Ein äußerer Gesetzesgehorsam bewirkt freilich nichts. Es muß die Liebe zu den Worten kommen. Sonst bleiben die Worte des Gehorsams tot und die Verheißungen unerfüllt.

4. Dtn 4 und 5: Gottes Wort der Liebe und Israels Worte des Gehorsams

Die in Dtn 6-11 über einen langen Zeitraum hin gewachsene Theologie der Gottesliebe und des Gesetzesgehorsams sowie der Liebe Gottes und der Erwählung ist als programmatische Einleitung des zunächst deuteronomischen und schließlich deuteronomistischen Gesetzes verfaßt worden. In dieser gewachsenen Theologie spiegeln sich die Konflikte wider, die die politische und theologische Katastrophe des Jahres 587/6 aus sich herausgesetzt hat. Nachdem der Reflexionsgang in Dtn 6-11 mit seinen unterschiedlichen Optionen zu einem gewissen Abschluß gekommen war, konnten neue theologische Akzentsetzungen, die gebührend wahrgenommen werden wollten, nur noch am Anfang oder am Ende, also nach der Gesetzessammlung, erfolgen. Von dieser Möglichkeit ist mit zwei gewichtigen Texten in der Eröffnungsposition Gebrauch gemacht worden. Als erster Text ist Dtn 5 zu nennen. Dabei wird in diesem Zusammenhang ohne nähere Begründung vorausgesetzt, daß der Dekalog in 5,6-21 – obwohl zum Teil auf älteren Traditionen basierend – zusammen mit seiner Einleitung (5,1-5) und der Überleitung (5,22-6,3) zum bereits bestehenden Einleitungskomplex (6-11) als spätdtr Komposition hinzugekommen ist und gegenüber dem nachpriesterschriftlichen Dekalog in Ex 20 die literarische Priorität hat.[21] |

---

[21] Vgl. FRANK-LOTHAR HOSSFELD, Der Dekalog. Seine späten Fassungen, die originale Komposition und seine Vorstufen, OBO 45, Freiburg (Schweiz)/Göttingen 1982; ders., Zum synoptischen Vergleich der Dekalogfassungen, in: ders. (Hg.), Vom Sinai zum Horeb, Würzburg 1989, 73-117.

Von besonderem Interesse ist an dieser Stelle die Einleitung zum Dekalog in Dtn 5,1-5. Was Israel nun hören soll, ist vor der Kunde von dem einen Gott Israels (vgl. 6,4) die Kunde von den Gesetzen. Israel soll sie nicht nur hören, sondern auch lernen (vgl. 5,31; 6,1; 11,19). Deshalb ist der Horebbund nicht mit den Vätern geschlossen worden, sondern mit dem Israel hier und jetzt, in Gottes unmittelbarer Gegenwart. Den Vätern gehören die Liebe Gottes und die Verheißungen (vgl. 10,15), dem Israel hier und jetzt „die Worte", welche die Summe aller Gebote des dt(r) Gesetzes sind, von Gott selbst verkündet und von ihm selbst auf zwei Tafeln geschrieben (5,22).[22] Wer immer diese (zehn) Worte gebraucht, erweist mit ihnen seine Liebe zu dem אֵל קַנָּא (vgl. 6,15), der mit Eifer(sucht) über sein Bundesvolk wacht, begrenzt strafend und unbegrenzt gütig, aber das eine wie das andere nur an denen, die im Gesetzesgehorsam ihre Gottesliebe kundtun wollen (5,9-10). Die theologische Akzentsetzung von Dtn 7,7-11 ist in den Hintergrund und die von 11,1-25 in den Vordergrund getreten. Das neue Licht, das durch Dtn 5 allen folgenden Reden und Gesetzen aufgesteckt wird, sind „die Worte", der Dekalog.[23] Durch ihn bekommt die dt(r) Gesetzessammlung theologische und ethische Konzentration. Darüber hinaus entstammt er der unmittelbaren Gegenwart Gottes. Dem Gewicht dieser Autorität kann sich kein Israelit entziehen. Er muß sich unmittelbar entscheiden, zum Gehorsam oder zum Ungehorsam gegenüber den Worten, gleichbedeutend mit der Entscheidung für die Liebe oder für den Haß. Tertium – etwa die Indifferenz – non datur. Wo die (zehn) Worte bereitliegen, Gott die Liebeserklärung des Gehorsams zu machen, ist das Nachsprechen dieser Worte allemal eine Entscheidung für das Leben, weil sie Gottes befreiende Liebe proklamieren: „Ich bin Jhwh, dein Gott, der dich herausgeführt hat aus dem Land Ägypten, aus dem Sklavenhaus" (5,6).

Dtn 4 schließlich, das jüngste Einleitungskapitel[24], unternimmt den Ver|such, allem in Dtn 5-11 Gesagten Gottes vorauseilende Liebe voranzu-

---

[22] „Diese Worte" in 5,22 haben in den „Worten Jhwhs" in 5,5 ihr Pendant, obwohl dieser Vers deutlich ein Nachtrag ist, weil er die Unmittelbarkeit der Verkündigung des Dekalogs gemäß 5,4 aufhebt und in Spannung zu der Überleitung 5,22-6,3 steht, die allererst Moses Gesetzesmittlerschaft etablieren soll. Der Singular „Wort Jhwhs", den MT in 5,5 liest, dürfte die sekundäre Lesart gegenüber dem Plural des Samaritanus und der Versionen sein, welcher zudem der Diktion von 5,22 entspricht. Der Singular kann als Haplographie oder als bewußte theologische Änderung im Sinne von 4,2 und 30,14 erklärt werden.

[23] In Dtn 10,4 sind in Erinnerung an Dtn 5 die „Worte" zu den „zehn Worten" (עֲשֶׂרֶת הַדְּבָרִים) geworden.

[24] Dtn 1-3 können in diesem Zusammenhang unberücksichtigt bleiben. In ihnen ist die umfassendere Komposition des DtrG im Blick (vgl. LOTHAR PERLITT, Deuteronomium 1-3 im Streit der exegetischen Meinungen, in: Das Deuteronomium. Entstehung, Gestalt und Botschaft, N. Lohfink (Hg.), BEThL 68, Leuven 1985, 149-163 = DERS., Deuteronomium-Studien, 109-122). Die schwierige Frage, in welchem Stadium des Wachstums der Komposition sie vorangestellt worden sind, muß hier nicht geklärt werden.

stellen.[25] Dies geschieht nicht in grundsätzlich neuer theologischer Ausrichtung, sondern als Frucht genauer Lektüre von Dtn 5-11 sowie von zeitgenössischer theologischer Literatur, darunter Deuterojesaja. Dtn 5-11 hat für die Verfasser von Dtn 4 bereits autoritative Geltung. Deshalb wird der Höraufruf aus 6,4 und 5,1 in 4,1 aufgenommen. Er gilt, wie jetzt in äußerster theologischer Verdichtung gesagt werden kann, dem „Wort" (דבר, 4,2), welches sich in „diesem ganzen Gesetz" (כל התורה הזאת) manifestiert (4,8) und in den „zehn Worten" (עשרת הדברים, 4,13), wie der Dekalog jetzt genannt wird. Daß dazu nichts mehr hinzugetan oder davon weggenommen wird (4,2), dazu will Dtn 4 den abschließenden Beitrag leisten. Das Wort in den Worten und Geboten ist Lehre zum Leben (4,1). Das Ethos des Lehrens und Lernens ist stark ausgeprägt (4,1.5.9[Söhne und Enkel].10.14), weil nur dadurch Leben, das den Namen verdient, erstrebt werden kann. Das Ziel des Lebens ist so wichtig, daß es in 4,1 sogar der Landgabe vorgeordnet wird.

Der besondere Anlaß für die Vorschaltung von Dtn 4 ist allerdings in der Auseinandersetzung mit der Kunde vom eifernden Gott (אל קנא) in 5,9 (und 6,15) zu erkennen. Gottes Gehorsam heischende Stimme aus dem Feuer wird in ihrer für Israel lebensgefährlichen Dimension ausdrücklich bestätigt. Mehr noch: Der sich hier als אל קנא erweisende Gott ist selbst אש אכלה, ein verzehrendes Feuer (4,24). Israel wird dies wegen seiner Vergeßlichkeit gegenüber dem Götter- und Bilderverbot durch die Zerstreuung unter die Völker zu spüren bekommen (4,25-28), hat vielmehr jenseits der Fiktion des Textes diese Strafe längst erlitten. Doch der eifernde Gott ist zugleich der barmherzige Gott (אל רחום), der Israels Gottesvergessenheit nicht mit eigener Vergeßlichkeit gegenüber dem den Vätern zugeschworenen Bund beantwortet (4,31), der vielmehr auf die Umkehr seines Volkes wartet (4,29-30). Gottes Feuer und Worte, die züchtigen, entspringen seiner Liebe zu den Vätern und der Erwählung ihrer Nachkommenschaft, die das Land als Erbbesitz (נחלה) erhalten soll (4,36-38). Gottes Liebe gilt den Vätern des Verheißungsbundes, den Nachkommen hingegen die Erwählung. Dieser Gedanke aus 10,15 wird in 4,37 aufgenommen und anders gewendet. Nicht wie in 10,15 wird der Unterschied von Liebe zu den Vätern und Erwählung der Nachkommenschaft betont. Vielmehr sind in Gottes Liebe zu den Vätern | die Erwählung der Nachkommen und die Verläßlichkeit der Landverheißung für Israel unter

---

[25] Die Wachstumsringe von Dtn 4 können hier unberücksichtigt bleiben, weil sie allesamt den fast vollständigen literarischen Bestand von Dtn 5-11 voraussetzen; vgl. zu diesen Fragen und zur intertextuellen Vernetzung die unterschiedlich akzentuierenden Arbeiten von DIETRICH KNAPP, Deuteronomium 4. Literarische Analyse und theologische Interpretation, GTA 35, Göttingen 1987 und ECKART OTTO, Deuteronomium 4: Die Pentateuchredaktion im Deuteronomiumsrahmen, in: Das Deuteronomium und seine Querbeziehungen, T. Veijola (Hg.), SESJ 62, Helsinki/Göttingen 1996, 196-222. Daß die Fortschreibungen 4,41-43 und 4,44-49 in Zusammenhang mit der Edition des ganzen Buches Deuteronomium stehen, leidet keinen Zweifel. Sie können hier unberücksichtigt bleiben.

großen und mächtigen Völkern begründet. Die bleibende Unterscheidung zwischen Gottes Liebe zu den Vätern und der Erwählung der Nachkommenschaft gemäß 10,15 wird im Lichte der übergreifenden Liebe Gottes gemäß 7,7-8 gelesen und in die spannungsvolle Einheit des Gottes gestellt, der zugleich אל קנא (4,24) und אל רחום (4,31) ist. Dieser Gedanke ist der Versuch einer theologischen Vertiefung von 5,9 wahrscheinlich mit Blick auf Ex 34,6. Wie auch immer man die intertextuelle Verflechtung beurteilen mag, deutlich ist in Dtn 4 das Resultat der Auseinandersetzung mit Dtn 5-11: Israel lebt von Gottes Liebe zu den Vätern. Sie haben gleichsam ein divini amoris depositum, das Israel trägt, besser: das Israel, das an der Einheit von Liebe und Gehorsam gescheitert ist, erträglich macht. Ohne den Gott, der mit der Liebe im (Schwur-)Wort (des Bundes) ist und sich in der Treue zu diesem Wort als eifernder und barmherziger Gott erweist (4,24.31), wäre Israel verloren. Das haben die Verfasser von Dtn 4 im sorgfältigen Hören auf das Wort (4,2) von Dtn 5-11 verstanden.

5. Dtn 30: neue Liebe und nahes Wort

Die Auslegung dieser programmatischen Einleitung hat auch in den Schlußkapiteln zum Gesetz ihre Spuren hinterlassen. Nachdem in Anknüpfung an die Segensverheißungen in Dtn 7,12-16; 8,7-10 und 11,8-17 das Gesetz in eine große Klammer gestellt worden war, in der in mehreren Etappen die Haltung zum Gesetz als Entscheidung für Fluch oder Segen interpretiert (11,26-32; 27-28) und durch einen neuen Bundesschluß im Lande Moab bekräftigt worden ist (29), wird in der Abschlußrede Dtn 30 in Korrespondenz zu Dtn 4 noch einmal versucht, der Verheißung Gewicht zu geben, nachdem in den vorhergehenden Kapiteln Drohung und Fluch den Segen fast überlagert haben. Das unter die Völker zerstreute Israel darf bei ernsthafter Umkehr auf Gottes Erbarmen (רחם Pi.) und auf Rückkehr hoffen (30,1-4). Deutlicher als in Dtn 4 hat die Verheißung nun große Dimensionen. Gott wird Israel zahlreicher als die Väter machen (30,5), und er wird – unter Voraussetzung von Israels Umkehr – die Herzen beschneiden, dem gegenwärtigen Israel und den Nachkommen. In deutlichem Gegensatz zu 10,15-16 gibt es nun nicht mehr Gottes Liebe für die Väter und die Aufforderung zur Herzensbeschneidung für die Nachkommen. Vielmehr wird Gott am Israel der Gegenwart und Zukunft das tun, wozu Israel selbst in keinem Stadium seiner Geschichte fähig gewesen ist. Die Herzensbeschneidung hat in 30,6 den düsteren Unterton von 10,16 hinter sich gelassen. Sie ist nun nicht mehr in erster Linie Israels Absage an die eigene Halsstarrigkeit, sondern Gottes Tat, durch die er Israels Gottesliebe weckt, weil er Israels Leben will. Der | Fluch ist für die Israel-Hasser, der Segen für das umkehrwillige Israel, das das Buch der Tora (ספר התורה)

in Händen hat und in der geweckten Gottesliebe danach leben will (30,7-10). Welch eine Änderung der theologischen Akzente gegenüber Dtn 27-29! Der Weg, der zu Jer 31,31-34 hinführt, wird klar erkennbar. Die Tora dann nicht mehr ins Buch, sondern auf die Herzen zu schreiben, von denen in Dtn 30 durch die Beschneidung der liebevolle Gehorsam erhofft wird, ist allerdings ein weiterer großer Schritt, der über das Deuteronomium in allen Stadien seines theologischen Nachdenkens hinausgeht.

In Dtn 30 selbst ist das Vertrauen zum liebevollen Gehorsam Israels aufgrund der Herzensbeschneidung stark, obwohl Einwände bereits bestehen. Unter ihnen ist der gefährlichste, daß die Einhaltung des Gesetzes unmöglich sei. Dieser Einwand wird in 30,11-14 zurückgewiesen. Er scheint auf den göttlichen Ursprung des Gebotes – המצוה הזאת in 30,11 ist identisch mit ספר התורה הזה in 30,10 – zu zielen, wodurch seine Erfüllung durch Menschen auszuschließen sei. Diesem Einwand wird lapidar die Nähe des Wortes (הדבר) in Mund und Herz entgegengesetzt (30,14). Gott hat sich nicht in ferne Welten zurückgezogen, sondern in das Wort des Gesetzes gegeben. Daß das Wort in dieser Gestalt wirken kann, hat er selbst bewirkt: durch die Herzensbeschneidung. Der Raum im Herzen für das Wort, nämlich das geschriebene Wort der Tora, ist Gottes eigene Tat.

Der abschließende Passus 30,15-20 setzt stilistisch und inhaltlich neu ein. Die Entscheidung gegenüber dem Wort im Herzen ist eine Entscheidung über Leben und Tod, jeweils gleichbedeutend mit dem Guten und dem Bösen (30,15; vgl. 30,19). Diese Entscheidung ist den Verfassern so wichtig gewesen, daß sie in dem kleinen Abschnitt gleich zweimal in Erinnerung gerufen wird. In 30,15 scheint sie sekundär plaziert worden zu sein, weil der Übergang zu 30,16 stilistisch brüchig ist und zudem im letztgenannten Vers die inhaltliche Fortsetzung von 30,14 folgt.[26] Ursprünglich ist die Kunde von Gottes nahem Wort in Mund und Herz (30,14) durch den Gedanken fortgesetzt worden, daß dieses Wort in ein durch die Herzensbeschneidung zur Gottesliebe befähigtes Herz Einzug hält. So kann liebevoller Gehorsam gegen Gottes Gebot zum Erweis der Gegenliebe werden. Es ist aber auch deutlich, wieso 30,15 in diesen Gedankengang eingeschoben worden ist. Die Entscheidung über Leben und Tod wird dadurch zum Leitmotiv für das Folgende. Unter diesem Leitmotiv hört man aufmerksamer, daß die ermöglichte und erwartete Gegenliebe Leben, Nachkommenschaft und Segen im verheißenen Land bedeutet (30,16), die ausbleibende Gegenliebe Verderben und Landverlust (30,17-18). Himmel und Erde werden als Zeugen angerufen, damit Israel die Wahl des Lebens trifft (30,19). |

In den letzten Versen wird die Werbung der Verfasser um Israels Gegenliebe kühn. Will man theologisch überspitzen – und nichts anderes haben die

---

[26] Der Einschub ist genau an der Stelle plaziert, die sich von der Textsequenz in 30,19-20 her nahelegt.

Verfasser in 30,15-20 gewollt –, hat Israel mit der Wahl von Leben und Tod
eine Entscheidung in Händen, die eigentlich nur Gott zusteht. Trifft Israel die
Wahl des Lebens, handelt Israel an sich selbst erwählend (30,19). Daß dies
nur als Grenzaussage im Rahmen der Erwählung Gottes (7,7-8) möglich ist,
versteht sich von selbst. Das Verwunderliche besteht indessen darin, daß die
Verfasser dies in ihrer Werbung für die Gottesliebe und die Gottesanhäng-
lichkeit (דבק) zu sagen wagen (30,20a). Daran kann man ihre Entschlossen-
heit erkennen, die Nähe des Wortes Gottes im Herzen Israels ernst zu nehmen. Wo sich Gott in seinem Wort Israel so tief eingestiftet hat, steht Israel
vor einer Wahl, die nur als Erwählung adäquat begriffen werden kann. Denn
der Gott im Wort ist „dein Leben und die Länge deiner Tage" (30,20). Die
Formel הוא האלהים wird abgewandelt zu הוא חייך וארך ימיך. Der souveräne
Gott, der in seinem Liebesverhältnis zu Israel keinen Dritten duldet, ist zugleich bereit, ganz und gar Israels Leben zu sein und nichts anderes daneben
und darüber hinaus, wenn Israel das Leben – ihn – im liebenden Gehorsam
erwählt. Hier ist im Deuteronomium nach einer bewegten Geschichte der
Liebe Gottes zu Israel und Israels Liebe zu Gott am tiefsten erkannt worden,
was es für Israel bedeutet, daß Gott mit seiner Liebe im Wort ist. Es ist das
Wort des Lebens, jenes nicht nur Medium und dieses nicht nur Ziel, sondern
dieses wie jenes ganz Gott selbst. Was sollte das Israel des beschnittenen
Herzens anderes tun, als seinen Gott und mit ihm sein Leben liebend zu er-
wählen.

11. Die Verbindlichkeit des Alten Testaments
Unzeitgemäße Betrachtungen zu einem ungeliebten Thema

1. Rahmenbedingungen und Anfragen

Wer in der theologischen Wissenschaft die Frage nach der dem Forschungs-
gegenstand eigenen Verbindlichkeit stellt, setzt sich – wie auch immer die
Frage formuliert sein mag – dem Verdacht aus, die Freiheit der Forschung in
Spanische Stiefel schnüren zu wollen. Im Bereich der Bibelauslegung wird
die Bedrohung der Freiheit üblicherweise als Beschränkung der kritischen
Erforschung der Schrift diagnostiziert, mag sie sich historisch, sozialgeschichtlich, literatur- oder sprachwissenschaftlich oder noch ganz anders de-
finieren. Regelmäßig wird die Frage nach einer Verbindlichkeit, die einen
weitergehenden Anspruch hat als den auf die Binnenstimmigkeit der Axio-
matik und Methodik, als unsachgemäßer Eingriff empfunden.
Sowenig die wissenschaftliche Legitimität der methodischen Zugänge in
Frage steht, die die Bibelwissenschaft mit anderen geisteswissenschaftlichen
Disziplinen teilt, sosehr müssen sie in der Bibelauslegung zum Problem werden, wenn sie sich nicht durch die Rahmenbedingungen, die die biblischen
Texte und Kontexte selbst setzen, relativieren lassen. Zu diesen Rahmenbedingungen gehört der biblischen Texten eigene Verbindlichkeitsanspruch
unabdingbar hinzu. Wo methodische Zugänge diesen Verbindlichkeitsanspruch nicht wahrnehmen (wollen), werden biblische Texte unter Ignorierung
ihres zentralen Selbstanspruches ausgelegt, genauer: nicht ausgelegt, nämlich
gegen ihren theologischen Eigensinn anderen Zwecken dienstbar gemacht.
Um ein mögliches Mißverständnis sogleich auszuschließen: Wissenschaftlich gibt es kein unmittelbares Angesprochensein durch den Selbstanspruch
der Texte. Wissenschaftlich gibt es nur die methodisch vermittelte Erkenntnis
des Eigensinns der Texte. Um dieses komplexe Phänomen muß sich die Bibelwissenschaft methodisch sachgemäß bemühen. Das tut sie derzeit durch
die Selbstüberschätzung historischer und generisch verwandter Forschung nur
unvollkommen. Historische Forschung kann Entstehungsumstände der Texte
erhellen und damit für das Verstehen eine wichtige Vorarbeit leisten. Hermeneutisch gesehen führt sie jedoch nicht weiter als bis in die „Vorhöfe der Heiden". Sie darf nicht mit dem Prozeß theologischen Verstehens verwechselt
werden, welches allererst in der reflektierten Begegnung von Selbstanspruch
des Textes und angesprochenem auslegendem Subjekt sich ereignen kann.
Der Text kann seinen Anspruch nur entfalten, wenn er vorher nicht im histo-

risch-antiquarischen Interesse auf die Vergangenheit seiner Entstehung fixiert worden ist. Zwar muß man den Text zunächst für den Ort und für die Zeit sprechen lassen, für die er geschrieben worden ist. Aber dann muß der Text auch an anderen Orten und für andere Zeiten sprechen dürfen, weil sein Anspruch nicht mit seiner Entstehungssituation vergangen ist. Deshalb sind alttestamentliche Texte durch die Kanonisierung an einen neuen Ort gestellt worden, der ihren Anspruch für alle künftigen Zeiten sichern soll. Die Kanonisierung ist der angemessene Ausdruck für die Verbindlichkeit, die den Texten des Alten Testaments eigen ist. Somit ergibt sich die Frage nach der Verbindlichkeit des Alten Testamentes sachlich zwingend aus dem Verbindlichkeitsanspruch der in dieser Sammlung kanonisierten Texte. Die Verbindlichkeit des Alten Testaments ist nichts anderes als die Quintessenz des Verbindlichkeitsanspruchs seiner Texte bzw. seiner Schriften, in denen die Texte gesammelt worden sind.

Soll die derart verstandene Verbindlichkeit des Alten Testaments näherhin konkretisiert werden, muß die kontextuelle Wahrnehmung um einen weiteren Aspekt komplettiert werden. Sie bedarf der inhaltlichen Bestimmung durch den Adressatenkreis, der sich durch diese Schriftensammlung verbindlich ansprechen lassen will. Die Hermeneutik verbindlicher Tradition gibt es nie abstrakt, sondern immer nur konkret, also geschichtlich vermittelt für Menschen, die durch Herkunft und/oder freie Entscheidung eine Tradition als ihre eigene verbindlich sein lassen und dies institutionell zum Ausdruck bringen. Allererst durch die Institutionalisierung kann verbindliche Tradition über die punktuelle Übereinkunft hinauskommen und zu dem werden, was sie sein will: ein aus den Texten wirkender auf Dauer gestellter Anspruch, der dem zeitübergreifenden Anspruch Gottes in der Welt Geltung geben will.

Die inhaltliche Bestimmung der Verbindlichkeit des Alten Testaments in der genannten Verbindung mit einem bestimmten institutionalisierten Adressatenkreis läßt sich bereits der Bezeichnung Altes Testament entnehmen. Zwar gibt es auch eine im Blick auf Inhalt und Adressatenkreis unspezifische Verwendung der Bezeich|nung Altes Testament. Soll jedoch von der Verbindlichkeit des Alten Testamtents die Rede sein, wird man sich der christlichen Prägung dieser Bezeichnung bewußt sein müssen. Das Alte Testament gibt es nur in Verbindung mit dem Neuen Testament; beide zusammen sind die Heilige Schrift der Christenheit.

Weist also bereits die Bezeichnung Altes Testament auf eine bestimmte inhaltliche Wahrnehmung und auf eine bestimmte institutionalisierte Gemeinschaft von „Angesprochenen" hin, für die der Verbindlichkeitsanspruch Geltung hat, so ist die Verbindlichkeit nur durch das Binnenverhältnis der beiden Testamente zu konkretisieren. Dieses Binnenverhältnis ist durch eine gegenseitige Verbindlichkeit der beiden Testamente geprägt. Einerseits gäbe es ohne das Neue Testament keinen Schriftteil Altes Testament. Das gilt schon für den Namen Altes Testament. In Anknüpfung an die Verheißung einer διαθήκη καινή im Jeremiabuch (Jer 38,31 LXX; Jer 31,31 MT) ist in 2Kor 3,14 erstmals die Bezeichnung παλαιὰ διαθήκη für das Alte Testament gebraucht worden. Vor allem gilt die Verbindlichkeit aber in inhaltlicher Hinsicht. Denn das Neue Testament erhebt in der Vielzahl seiner Zeugen einheitlich den Anspruch, die Wahrheit der den Juden als autoritativ geltenden Schriften zum Vorschein zu bringen, indem es sie im Lichte der Wahrheit der Christusbotschaft als Altes Testament liest. Insofern hat das Alte Testament eine Verbindlichkeit gegenüber dem Neuen Testament.

Und andererseits wäre die Idee eines christlichen Kanons wohl nicht so schnell entstanden und von der Kirche in einem etwa zweieinhalbhundertjährigen Prozeß realisiert worden, wenn es nicht die autoritative Sammlung jüdischer Schriften in Gestalt der Septuaginta als Bibel der ersten Christen, die bekanntlich noch Juden waren, gegeben hätte.[1] Zwar ist in bestimmten Bewegungen (z. B. bei den Markioniten, Montanisten und einigen gnostischen Gruppen) die Idee eines christlichen Kanons ohne die alttestamentlichen Schriften gefaßt worden. Es hat sich jedoch aus gutem Grund – und von den als häretisch beurteilten Bewegungen ex negativo eher gefördert – die Einsicht durchgesetzt, daß es eine christliche Bibel unter Preisgabe der Septuaginta als Bibel des Urchristentums nicht geben könne. Vielmehr hat sich als einzig möglicher Weg | ihre Ergänzung ergeben, gepaart mit der Neubestimmung der so entstandenen beiden Teile als Testamente, die in ihrer Verschiedenheit von alt und neu nur gemeinsam den verbindlichen Anspruch haben, die eine Wahrheit bezeugen. Weil es diesen Erkenntnisprozeß ohne die Septuaginta nicht gegeben hätte, hat auch das Neue Testament eine Verbindlichkeit gegenüber dem Alten Testament.[2]

Die vorgetragenen Überlegungen unterstreichen noch einmal die Bedeutung des Kanons für die Frage nach der Verbindlichkeit. Kanonisierung gibt es nur dort, wo durch Ursprungsnähe das in den kanonisierten Schriften ent-

---

[1] Vgl. H. FRHR. VON CAMPENHAUSEN, Die Entstehung der christlichen Bibel (BHTh 39), Tübingen 1968; E. E. ELLIS, The Old Testament in Early Christianity. Canon and Interpretation in the Light of Modern Research (WUNT 54), Tübingen 1991; H. KARPP, Schrift, Geist und Wort Gottes. Geltung und Wirkung der Bibel in der Geschichte der Kirche – Von der Alten Kirche bis zum Ausgang der Reformationszeit, Darmstadt 1992, 9-60.

[2] Es ist das Verdienst von H. GESE, die Bedeutung der Septuaginta für die biblische Theologie wieder kräftig ins Bewußtsein gerückt zu haben: „Mir scheint unter den Einwirkungen des Humanismus auf die Reformation die eine verhängnisvolle gewesen zu sein, daß man die pharisäische Kanonreduktion und die masoretische Texttradition, auf die man als ‚humanistische' Quelle zurückgriff, miteinander verwechselte und Apokryphen aussonderte" (Erwägungen zur Einheit der biblischen Theologie [1970], in: DERS., Vom Sinai zum Zion. Alttestamentliche Beiträge zur biblischen Theologie [BEvTh 64], München ²1984, 11-30, hier 17; vgl. DERS., Das biblische Schriftverständnis, in: DERS., Zur biblischen Theologie, Tübingen 1989, 9-30, hier 13). GESES Überlegungen sind unten in These 4 und 9 aufgenommen worden.

haltene Wahrheitszeugnis gesichert werden soll. Ist der Prozeß der Kanonisierung selbst auch ein geschichtlicher, wird mit der Konstituierung des Kanons ein Ziel verfolgt, das nicht allein geschichtlich verrechenbar ist. Der Kanon ist die angemessene äußere Form der inneren Intention, das Wahrheitszeugnis der betreffenden Schriften verbindlich zu machen. Wie der Kanon, genauer: wie die verschiedenen Kanones ist auch Wahrheit nicht ohne Geschichte. Gerade die in den beiden Testamenten bezeugte Wahrheit ist dadurch charakterisiert, daß sie geschichtlich gestiftet ist und geschichtlich wirksam sein will, nämlich in verbindlicher Vergegenwärtigung durch Auslegung. Die derart mit Geschichte verbundene Wahrheit teilt aber mit der Geschichte nicht die Zeitgebundenheit von Werden und Vergehen. Die Wahrheit beider Testamente ist einheitlich darin zu erkennen, daß sie als Heilige Schrift – nicht zeitlos, sondern zeitübergreifend – Zeugnis geben wollen von der Geschichte der Rettung durch den einen Gott in Jesus Christus angesichts heilloser Selbstüberschätzung und Selbstverliebtheit des Menschen. Da Realgrund und Erkenntnisgrund dieser Bestimmung des Inhalts beider Testamente in Person und Werk Jesu Christi liegen, ist die konzentrierte Formulierung sachgemäß, daß Jesus Christus einheitlicher Inhalt der christlichen Bibel in der Unterschiedenheit der beiden Testamente ist. |

Wahrheit, Bezeugung der Wahrheit in kanonischen Schriften und Verbindlichkeit dieser Wahrheit durch sachgerechte, vergegenwärtigende Auslegung gehören zusammen.[3] Die Wahrheit will mit ihrem Anspruch auf Verbindlichkeit in jeder Zeit neu zu Wort kommen. Sie ist als zeitsprengende Wahrheit in die Zeit eingegangen und will in jeweils neuer Zeitgenossenschaft verbindlich werden. Dazu bedarf sie der Zeitgenossen, die die zeitsprengende Botschaft in Verbindlichkeit gegenüber dem Zeugnis der kanonischen Schriften für die betreffende Glaubensgemeinschaft sach- und zeitgemäß weitersagen. Das kann auf vielerlei Weise geschehen. Die wissenschaftlich geeignete Form der Darstellung des Wahrheitszeugnisses der kanonischen Schriften als vielstimmiger Variationen desselben Themas ist die Biblische Theologie. Sie kann aus pragmatischen Gründen in eine Theologie des Alten Testaments und eine Theologie des Neuen Testaments aufgeteilt werden, sofern sie sich der Identität ihres Themas, ihres Real- und Erkenntnisgrundes, ihrer Methode und ihres Ziels bewußt bleibt. Thema, Real- und Erkenntnisgrund, Methode und Ziel seien noch einmal ausdrücklich benannt: Die Botschaft von Gottes Rettungshandeln an Israel und der Welt ist das Thema einer Biblischen Theologie. Ihr Real- und Erkenntnisgrund liegt in der in Jesus Christus von Gott gewirkten definitiven Rettung der Welt. Methodisch angemessen erschlossen wird diese Botschaft durch ein sach- und zeit-

---

[3] Vgl. W. MOSTERT, Über die Wahrheit der Schriftauslegung, in: Wahrheit der Schrift – Wahrheit der Auslegung, hg. von H. F. Geißer u.a., Zürich 1993, 247-259. Anregungen der Seiten 254-257 sind unten in These 6 und 7 aufgenommen worden.

gemäßes geschichtliches Verstehen, das beides zugleich zu sein versucht: Vertiefung in die Vielfalt der Botschaft und Vertiefung der Vielfalt der Botschaft von dem Real- und Erkenntnisgrund her, der Verstehen überhaupt erst ermöglicht hat. Solche Vertiefung in doppelter Absicht ist davor gefeit, auf Nimmerwiedersehen im Brunnen der Vergangenheit zu verschwinden. Sie behält das Ziel im Auge: die Vergegenwärtigung der Verbindlichkeit des zeitübergreifenden Wahrheitszeugnisses für die eigene Zeit.

Viele Einwände gegen die vorgetragenen Rahmenbedingungen zur Bestimmung der Verbindlichkeit des Alten Testaments sind denkbar. Die wichtigsten seien unter drei Aspekten zusammengefaßt:

Die Problematik der Wahrheitsfrage: Birgt nicht die Suche nach der Verbindlichkeit und damit nach dem Wahrheitszeugnis der Heiligen Schrift einen gefährlichen Alleinvertretungsanspruch im Blick auf das Alte Testament in sich? Muß dieser christliche | Anspruch nicht zwangsläufig mit dem jüdischen Anspruch auf die Tora in Konkurrenz geraten? Sind nicht die Juden die einzig legitimen Erben der Tora und damit allein berufen, die darin tradierte Wahrheit wahrzunehmen und in einer hebräisch-jüdischen Theologie darzustellen?[4] Sind die Christen demgemäß nicht nur Okkupanten der Tora? Wäre es nicht angesichts beschämender und schuldbeladener Phasen der Wirkungsgeschichte dieser Okkupation angemessen, wenn Christen als der in den edlen Ölbaum eingepfropfte wilde Ölzweig die Tora aus der Hand der Juden neu empfingen, auf die Bezeichnung Altes Testament verzichteten und die theologisch weniger vereinnahmenden Bezeichnungen Hebräische Bibel oder Erstes Testament wählten?

Die Problematik der Darstellungsform Theologie des Alten Testaments als Teil einer Biblischen Theologie: Ist in der christlichen Tradition durch den besonderen Stellenwert des Neuen Testament das Alte Testament wenn auch nicht zu etwas Überholtem, so doch zu etwas Vorläufigem, nicht in vollem Umfang Eigenwertigem und Eigensinnigem geworden? Oder von entgegengesetzter Position aus gefragt: Muß nicht die sachtheologische und hermeneutische Dominanz des Neuen Testament dazu führen, daß Eigenwert und Eigensinn des alttestamentlichen Zeugnisses unangemessen präformiert, verkürzt oder gar verkannt werden? Widerrät diese Gefahr nicht der Darstellungsform Theologie des Alten Testaments als Teil einer Biblischen Theologie? Ist eine so konzipierte Theologie des Alten Testaments nicht in zweifacher Hinsicht zu unsachgemäßen Reduktionen gezwungen: zum einen zur Einebnung der inneralttestamentlichen Zeugnisvielfalt aufgrund des theologischen Ungleichgewichtes der beiden Testamente, zum anderen zur Vernachlässigung der außerkanonischen religiösen Zeugnisse archäologischer, ikono-

---

[4] Vgl. die dargestellten Konzeptionen bei I. KALIMI, Religionsgeschichte Israels oder Theologie des Alten Testaments? Das jüdische Interesse an der Biblischen Theologie, in: JBTh 10 (1995), 45-68, hier 55-61.

graphischer und schriftlicher Art, die für die Religion Israels eine erhebliche Aussagekraft haben?

Die Problematik des Anspruchs auf Wissenschaftlichkeit: Gerade die kanonische Konzeption einer Theologie des Alten Testaments mit den ihr inhärenten Fragen nach Wahrheit und Verbindlichkeit läßt die Frage aufkommen, ob sie als wissenschaftlich im historischen Sinne gelten kann. Wäre dazu der Verzicht auf alle theologischen Vorurteile (also vor allem der Verzicht auf das Neue Testament als theologische und hermeneutische Bezugsgröße) nicht notwendig? Müßte nicht eine konsequent historische Darstellung der Religionsgeschichte Israels angestrebt werden, die | nicht nur den biblischen Texten, sondern vor allem auch den untendenziösen außerbiblischen Befunden Rechnung trägt? Ist die Zeit nicht reif für die Erkenntnis, daß die Frage nach der Verbindlichkeit des Alten Testaments weder im strikt wissenschaftlichen Sinne möglich noch angesichts konkurrierender Wahrheitsansprüche verschiedener Religionsgemeinschaften im Blick auf das Alte Testament wünschenswert ist?

Die angesprochenen Fragen sind in der heutigen Forschungsdebatte zur Theologie des Alten Testaments mehr oder weniger präsent. Wie sich die gegenwärtige Lage konkret darstellt, soll nun untersucht werden.

2. Die gegenwärtige Forschungssituation

Die Alternative von israelitischer Religionsgeschichte oder Theologie des Alten Testaments hat in der alttestamentlichen Forschungsgeschichte seit dem Ende des 18. Jahrhunderts immer eine besondere Rolle gespielt. In dieser Frage konnten sich das Wissenschaftsverständnis und die damit gegebene Zustimmung oder Ablehnung des Wahrheits- und Verbindlichkeitsanspruchs brennpunktartig bündeln. Der Weg der Forschungsgeschichte soll hier nicht abgeschritten werden.[5] Vielmehr gilt die Aufmerksamkeit der gegenwärtigen Forschungslage. Sie ist immer noch durch den überragenden Einfluß von G. von Rads „Theologie des Alten Testaments" geprägt, aber auch durch neue Entwürfe, die in den vergangenen Jahrzehnten entwickelt und in jüngster Zeit in Gesamtdarstellungen gebracht worden sind. Unter ihnen sollen exemplarisch einige Werke dargestellt werden. In den zu besprechenden Positionen

---

5 Vgl. H.-J. KRAUS, Die Biblische Theologie. Ihre Geschichte und Problematik, Neukirchen-Vluyn 1970, 15-125; W. ZIMMERLI/O. MERK, Art. Biblische Theologie, in: TRE VI (1980) 426-477; J. H. HAYES/F. C. PRUSSNER, Old Testament Theology. Its History and Development, London/Atlanta 1985; J. HØGENHAVEN, Problems and Prospects of Old Testament Theology, Sheffield 1988; H. D. PREUß, Theologie des Alten Testaments, Bd. I. JHWHs erwählendes und verpflichtendes Handeln, Stuttgart u.a. 1991, 1-13; P. WALTER/E. HAAG/ K. KERTELGE, Art. Biblische Theologie, in: LThK II (³1994), 426-435.

wird das weiterhin unübersichtliche Spannungsfeld zwischen Religionsgeschichte Israels und Theologie des Alten Testaments bzw. Biblischer Theologie zum Vorschein kommen, welches die Forschungsgeschichte in unterschiedlichen Konstellationen begleitet hat. Aber auch neue Horizonte werden
sich öffnen, in denen die Frage nach dem Wahrheits- und Verbindlichkeitsan-
spruch des Alten Testaments ihren Platz findet. |

Gerhard von Rads „Theologie des Alten Testaments"[6] ist vielleicht das
bedeutendste Werk der alttestamentlichen Forschung im 20. Jahrhundert.
Trotz seines großen Verdienstes für die Disziplin der alttestamentlichen
Theologie hat es am ungeklärten Verhältnis zur Religionsgeschichte beträcht-
lichen Anteil. Von Rad umreißt die sich ihm stellende Aufgabe folgenderma-
ßen:[7] „Der Gegenstand, um den sich der Theologe bemüht, ist ja nicht die
geistig-religiöse Welt Israels und seine seelische Verfassung im allgemeinen,
auch nicht seine Glaubenswelt ... sondern nur das, was Israel selbst von Jahwe
direkt ausgesagt hat." Die Zeugnisse darüber umschreiben „keineswegs
gleichmäßig den großen Kreis aller der in diesem Religionsbereich denkbaren
und möglichen Aussagen über Gott, Mensch und Welt ... sondern sie beschränken sich darauf, das Verhältnis Jahwes zu Israel und zur Welt eigentlich nur in einer Hinsicht darzustellen, nämlich als ein fortgesetztes göttliches
Wirken in der Geschichte" (I,117f.). Weil die „göttlichen Geschichtsfakten"
und die „bekenntnismäßigen Aussagen Israels" so unzertrennlich sind, muß in
einer Theologie den alttestamentlichen Geschichtsdarstellungen besondere
Aufmerksamkeit zuteil werden. „Wenn wir aber die Geschichtsdarstellungen
Israels ins Zentrum unserer theologischen Betrachtung rücken, dann stoßen
wir auf das, was füglich der wesentlichste Gegenstand einer Theologie des
Alten Testaments sein kann: auf das lebendige Wort Jahwes, wie es an Israel
– eben in der Botschaft von seinen großen Taten – je und je ergangen ist"
(I,125).

---

[6] Bd. I: Die Theologie der geschichtlichen Überlieferungen Israels, München 1957,
[10]1992; Bd. II: Die Theologie der prophetischen Überlieferungen Israels, München 1960,
[9]1987; das Werk wird im folgenden nach der 6. Aufl. 1969 (Bd. I) bzw. nach der 5. Aufl.
1968 (Bd. II) zitiert. Die kritische Auseinandersetzung mit VON RADS Theologie ist mittler-
weile unüberschaubar geworden; vgl. den Forschungsüberblick bei H. GRAF REVENTLOW,
Hauptprobleme der alttestamentlichen Theologie im 20. Jahrhundert (EdF 173), Darmstadt
1982, 65ff. und DERS., Zur Theologie des Alten Testaments, ThR NF 52, (1987), 221-267;
aus den Anfängen der Rezeption sei besonders auf die Rezension von W. ZIMMERLI, VT 13,
(1963), 100-111 hingewiesen; aus jüngerer Zeit vgl. M. OEMING, Gesamtbiblische Theologien der Gegenwart. Das Verhältnis von Altem Testament und Neuem Testament in der hermeneutischen Diskussion seit Gerhard von Rad, Stuttgart u.a. 1985, 20-80; H. D. PREUß,
Theologie Bd. I, 13-18.

[7] Die Angaben in Klammern nach den Zitaten beziehen sich im folgenden auf die beiden
Bände von G. VON RADS „Theologie des Alten Testaments".

Diese Sätze aus den „Methodischen Vorerwägungen" (I,117-142) stehen nicht am Anfang der Theologie von Rads. Vielmehr leiten die methodischen Prolegomena den zweiten Hauptteil ein, „Die Theologie der geschichtlichen Überlieferungen Israels" (I,117-473), dessen Überschrift zugleich dem ersten Band den Titel gege|ben hat. Voran geht als erster Hauptteil der „Abriß einer Geschichte des Jahweglaubens und der sakralen Institutionen in Israel" (I,17-115). Hier entfaltet von Rad die historisch-kritische Rekonstruktion der Religionsgeschichte Israels, wie sie sich in der Nachkriegszeit angesichts der grundlegenden Arbeiten von A. Alt, M. Noth und nicht zuletzt der eigenen Werke darstellt. In unserem Zusammenhang interessiert nur die dahinter aufscheinende Konzeption. Bei aller Anerkenntnis der in seinem Werk dokumentierten theologischen Leistung ist von Rad die Überwindung der Dichotomie von israelitischer Religionsgeschichte und alttestamentlicher Theologie mit dem durch die Reihenfolge implizit akzeptierten Begründungsgefälle nicht gelungen.[8]

Man wird dies konstatieren müssen, auch wenn von Rad durchaus eine Vorstellung von der Eigenständigkeit der Disziplin der alttestamentlichen Theologie und einen kritischen Blick für den Stand der alttestamentlichen Forschung insgesamt hat. Sucht historische Forschung nach dem „kritisch gesicherten Minimum", so zeichnen demgegenüber in von Rads Sicht die alttestamentlichen Zeugnisse von derselben Geschichte ein „kerygmatisches Bild", das nach einem „theologischen Maximum" tendiert und „aus einer Tiefenschicht geschichtlichen Erlebens" stammt, „die für die historisch-kritische Betrachtungsweise unerreichbar ist" (I,120). „Daß diese beiden Aspekte der Geschichte Israels so weit auseinanderfallen, das gehört zu der schwersten Belastung, unter der die Bibelwissenschaft heute steht. Wohl kann die historische Forschung sehr Wesentliches über das Wachstum des Geschichtsbildes aussagen, das Israels Glaube gezeichnet hat; aber das Phänomen dieses Glaubens selbst, der hier von Heil, dort von Gericht spricht, kann sie nicht erklären" (I,120). Von Rads Rückblick auf die Erforschung des Alten Testaments ist nicht ohne Schärfe. Die alttestamentliche Theologie, deren Ausgangspunkt und Mitte allein Jhwhs Offenbarungshandeln sein könne (vgl. I,128), habe sich durch Konzentration auf religiöse Bewußtseinsinhalte und Rekonstruktion des Genetischen „von der eigentlichen Aussage des Alten Testaments dispensiert und an ihr vorbei sich den Gegenstand ihres Interesses gewählt" – mit der bedenklichen Folge, daß sie ihren wahren Gegenstand

---

[8] Mustergültig hat diese Dichotomie mit ihren konzeptionellen Implikationen und Aporien bereits Gestalt gewonnen in dem zweibändigen Werk von E. SELLIN, Alttestamentliche Theologie auf religionsgeschichtlicher Grundlage, 2 Teile, Leipzig 1933. Der erste Teil enthält die „Israelitisch-jüdische Religionsgeschichte", der zweite die „Theologie des Alten Testaments". Das publikationstechnische Manko, daß der gemeinsame Haupttitel auf Buchrücken und -deckel der beiden Teile gar nicht erscheint, hat Erkenntniswert.

„verloren und ihn bis heute noch nicht wiedergewonnen hat, | nämlich das, was Israel selbst zum Inhalt seines Zeugnisses von Jahwe erhoben hat" (I,127).

Dieses Zeugnis so authentisch wie möglich wiederzugeben leitet von Rad bei seiner Entfaltung der Theologie des Alten Testaments. Er will keine Lösung der „theologischen Gedankenwelt Israels" von seiner „Geschichtswelt", keine Ordnung der „Zeugniswelt Israels" nach systematischen Zusammenhängen, die Israel selbst nicht herausgehoben hat; er will vielmehr „Nacherzählung" dessen bieten, was „Israel sich selbst zurechtgelegt hat", weil dies die „legitimste Form theologischen Redens vom Alten Testament" sei (I,134f.).

In der einfühlsamen Nacherzählung der Zeugniswelt des Alten Testamentes liegen Größe und Grenze des von Radschen Werks. Nach getaner Arbeit wurde er im Blick auf die Nähe seines Ansatzes zur historischen Forschung sogar optimistischer, als er es zu Beginn war. „Vor die Wahl gestellt, das Zeugnis Israels von seiner Geschichte entweder mit Hilfe der gängigen historisch-kritischen Methode und mit Hilfe gängiger religiöser Kategorien zu analysieren oder die Werke selbst ihre Sache sagen und sie selber ausreden zu lassen, schien die zweite Möglichkeit das geringere Übel zu sein ... Nicht weil wir am Historischen uninteressiert wären, sondern im Gegenteil, weil wir von einer letzten Verbundenheit, ja Einheit beider Aspekte (scil. von modern-historischem und antik-kerygmatischem Geschichtsbild) überzeugt sind" (II,443f.).

Die meisterliche Präsentation der alttestamentlichen Zeugnisvielfalt in der Theologie von Rads ist gut bekannt, weniger hingegen ein anderer Zug, nämlich die Orientierung ihrer Disposition am christlichen Kanon. Darüber tritt von Rad nicht in methodische und konzeptionelle Erörterungen ein. Aber es fällt in der Durchführung auf, daß etwa Psalter und Weisheit unter dem Titel „Israel vor Jahwe (Die Antwort Israels)" genau an der von der Septuaginta her für den christlichen Kanon maßgeblichen Position behandelt werden, obwohl von Rads besondere traditionsgeschichtliche Verbindung von Weisheit und Apokalyptik eine andere Disposition nahegelegt hätte. Es ist zu vermuten, daß sich bei von Rad in der weitgehenden Treue zum griechischen Kanon des Alten Testaments[9] dieselbe Intention der Nähe zur biblischen Tradition manifestiert wie in seiner methodischen Präferenz des „Nacherzählens" der Stoffe. Doch die weitgehend am griechischen Kanon orientierte Disposition seiner Theologie ist konzeptionell folgenlos, abgesehen davon, daß die Stellung der Prophetie am Ausgang des Alten | Testaments von Rads Überlegungen zum Verhältnis der beiden Testamente entgegenkommt. Wahrheit(sanspruch) und Verbindlichkeit der Theologie des Alten Testaments im Zusammenhang mit der kanonorientierten Disposition sind für von Rad keine

---

[9] Als Ausnahme ist bei VON RAD die historische Anordnung der Propheten zu beachten.

Themen. Dieser von der Lektüre her zurückbleibende Eindruck wird durch das Sachregister nachdrücklich bestätigt, in dem die betreffenden Begriffe keine Rolle spielen.

Dieser Befund korrespondiert mit den Ausführungen von Rads im dritten Hauptteil des zweiten Bandes seiner Theologie, der dem Verhältnis von Altem und Neuem Testament gewidmet ist (II,339-436). Diese Überlegungen gehören bei von Rad charakteristischerweise nicht in die Prolegomena einer Theologie des Alten Testaments, sondern in die Epilegomena. In den Prolegomena steht die Rekonstruktion der Religionsgeschichte Israels! Der im Ausklang der Theologie des Alten Testaments beschriebene Weg vom Alten zum Neuen Testament – und nur an diesem ist von Rad wirklich gelegen – stellt die Fortsetzung der bahnbrechenden „Eschatologisierung des Geschichtsdenkens" durch die Propheten dar (II,121). „Diese gesamte Vergegenwärtigung alter Überlieferungen in den Weissagungen der Propheten, diese Anknüpfung an das Alte, dieses Durchtragen des Alten bis ins Neue hinein und andererseits das damit ebenso verbundene meist stillschweigende Übergehen dessen, was wirklich alt und in den Augen der Propheten abgetan war, kann nur als ein von Grund auf charismatischer Vorgang verstanden werden, genauer gesagt: als ein charismatisch-eklektischer Vorgang" (II,345), der sich in der Rezeption des Alten Testaments im Neuen fortsetzt. Dabei handelt es sich „für das urchristliche Verständnis um eine ebenso legitime Metamorphose des Überkommenen im Lichte einer neuen Heilssetzung, wie sie sich schon innerhalb des Alten Testaments mehrfach ereignet hat" (II,353).

Sosehr von Rads Theologie des Alten Testaments der theologischen Wahrnehmung der alttestamentlichen Überlieferungen förderlich gewesen ist, sowenig hat sie das Bewußtsein für die mit dieser Disziplin verbundenen theologischen Voraussetzungen und Folgerungen geschärft. Die Konsequenzen sind bis heute zu spüren. Die Werke zur Theologie des Alten Testaments etwa von *W. Zimmerli*[10], *C. Westermann*[11] und *H. D. Preuß*[12] sind im Dialog mit | von Rad konzipiert worden und verlassen seinen Ansatz bei allem erkennbaren Willen zur stärkeren systematischen Strukturierung und bei aller Unterschiedlichkeit der Entwürfe untereinander nicht prinzipiell. Auch bei ihnen haben Erörterungen zu Kanon, Wahrheitsanspruch und Verbindlichkeit des Alten Testaments keinen konzeptionellen Stellenwert.

Die neueste Entwicklung in der alttestamentlichen Forschung ist durch eine auffällige Zunahme religionsgeschichtlicher Untersuchungen gekennzeichnet. Diese Entwicklung ist erklärbar. Die beträchtliche Vermehrung des ikonographischen Materials durch die Ausgrabungen der letzten Jahrzehnte in

---

[10] Grundriß der alttestamentlichen Theologie (ThW 3), Stuttgart u.a. 1972, [6]1989.

[11] Theologie des Alten Testaments in Grundzügen (GAT 6), Göttingen 1978, [2]1985.

[12] Theologie I; DERS., Theologie des Alten Testaments, Bd. II: Israels Weg mit JHWH, Stuttgart u.a. 1992.

Palästina (v.a. Siegel) und einige Inschriftenfunde (v.a. *Tell Dēr ʿAllā, Ḥirbet el-Qom, Kuntillet ʿAğrūd*) haben unsere Kenntnis der kanaanäischen und israelitischen Religion in ihrer außerbiblischen Bezeugung außerordentlich vermehrt.[13] Daß in der vorexilischen Religion Israels von einem strikten Monotheismus nicht die Rede sein kann, hat viele tief beeindruckt, obwohl etwa *J. Wellhausen* in seinen „Prolegomena zur Geschichte Israels" (erstmals 1878 als „Geschichte Israels I", ab 1883 unter dem genannten Titel) allein durch kritische Sichtung des alttestamentlichen Befundes bereits zu ähnlichen Ergebnissen gekommen war. Aber das ist lange her, und zwischenzeitlich hatte sich nicht zuletzt durch den Einfluß von A. Alt, M. Noth und G. von Rad ein Bild der Religionsgeschichte Israels etabliert, in dem der Monotheismus spätestens in der Zeit der Staatenbildung den entscheidenden Sieg errungen hatte. Die intensiv geführte Monotheismusdebatte vollzog und vollzieht sich primär in religionsgeschichtlicher Perspektive.[14] Das Alte Testament erscheint dabei zuweilen als eine Sammlung von Schriften, die nach rigiden dogmatischen Kriterien, allen voran nach dem Monotheismus-Kriterium, ausgewählt worden ist und keinen Anspruch erheben kann, die facettenreiche religiöse Welt Israels zu repräsentieren. Mittlerweile liegen erste religionsgeschichtliche Entwürfe vor, die das stark einseitige kanonische Bild von Israels Glaubenswelt korrigieren wollen. Vor allem muß in diesem Zusammenhang das weiterführende Werk von *O. Keel* und *C. Uehlin|ger* genannt werden, in welchem nach transparenten methodischen Kriterien auf der Basis des ikonographischen Befundes in Palästina die Religionsgeschichte dieses Raumes rekonstruiert wird.[15]

Die Debatte um die angemessene Rekonstruktion der Religionsgeschichte Israels wird in den nächsten Jahren weiterhin intensiv geführt werden müssen. Bedenklich ist in diesem Zusammenhang lediglich die bei manchen bestehende Unklarheit über den konzeptionellen Unterschied zwischen einer Religi-

---

[13] Vgl. J. RENZ/W. RÖLLIG, Handbuch der althebräischen Epigraphik, Bde. I und II/1, Darmstadt 1995; J. HOFTIJZER/G. VAN DER KOOIJ, Aramaic Texts from Deir ʿAlla (DMOA 19), Leiden 1976; J. HOFTIJZER, Die Inschrift von Deir ʿAlla, in: TUAT II/1, Gütersloh 1986, 138-148 (dort weitere Literatur).

[14] Vgl. die aspektreiche Erschließung des Themas in dem Sammelband: Ein Gott allein? JHWH-Verehrung und biblischer Monotheismus im Kontext der israelitischen und altorientalischen Religionsgeschichte (OBO 139), hg. von W. DIETRICH/M. A. KLOPFENSTEIN, Freiburg(Schweiz)/Göttingen 1994 (dort weitere Literatur).

[15] Göttinnen, Götter und Gottessymbole. Neue Erkenntnisse zur Religionsgeschichte Kanaans und Israels aufgrund bislang unerschlossener ikonographischer Quellen (QD 134), Freiburg/Basel/Wien 1992; vgl. dazu H. WEIPPERT, Zu einer neuen ikonographischen Religionsgeschichte Kanaans und Israels, BZ NF 38 (1994), 1-28.

onsgeschichte Israels und einer Theologie des Alten Testaments. In dieser Hinsicht sind die Überlegungen von *R. Albertz* charakteristisch.[16]

Albertz urteilt in seinem forschungsgeschichtlichen Überblick und in seinen konzeptionellen Überlegungen,[17] daß im Gefolge der dialektischen Theologie die Disziplin der Religionsgeschichte Israels gegenüber derjenigen der Theologie des Alten Testaments marginalisiert worden sei. Tatsächlich sind in den zurückliegenden Jahrzehnten im deutschsprachigen Bereich keine namhaften Darstellungen der Religionsgeschichte Israels konzipiert worden. Das heißt jedoch nicht, daß die Theologie des Alten Testaments die Religionsgeschichte Israels völlig verdrängt hätte. Vielmehr sind religionsgeschichtliche Erkenntnisse in die Darstellungen der Theologie des Alten Testaments integriert worden. Ob sie in diesem Kontext wirklich nur ein Schattendasein geführt haben, ist durchaus nicht so sicher, wie Albertz meint. Immerhin hat die dialektische Theologie, deren Einfluß in dieser Hinsicht überschätzt wird, nichts daran geändert, daß das Modell der Vorordnung einer (wie unvollkommen auch immer durchgeführten) Religionsgeschichte Israels vor der Darstellung der Theologie des Alten Testaments Geschichte gemacht hat. Was erstmals in der vierten Auflage der | „Alttestamentlichen Theologie" von *H. Schultz* im Jahre 1889 realisiert worden ist, prägt auch – natürlich mit veränderten Inhalten – den Entwurf von G. von Rad. Nicht die methodisch klare Unterscheidung der beiden Disziplinen durch *O. Eißfeldt*[18] und auch nicht die systematisch konzipierten Darstellungen von *W. Eichrodt*[19], *L. Köhler*[20] oder *T. C. Vriezen*[21] sind forschungsgeschichtlich einflußreich geworden, sondern die Kombination von Religionsgeschichte Israels und Theologie des Alten Testaments in dem Werk von Rads. Daß bei ihm und anderen der Titel Theologie des Alten Testaments favorisiert worden ist, mag man mit der dialektischen Theologie in Zusammenhang bringen. Daß ebenso-

---

[16] Sie sind zu finden in R. ALBERTZ, Religionsgeschichte Israels in alttestamentlicher Zeit (GAT 8/1-2), Göttingen 1992; DERS., Religionsgeschichte Israels statt Theologie des Alten Testaments! Plädoyer für eine forschungsgeschichtliche Umorientierung, in: JBTh 10 (1995), 3-24, zusammen mit DERS., Hat die Theologie des Alten Testaments doch noch eine Chance?, in: ebd., 177-187. Die in JBTh 10 (1995) unter dem Thema „Religionsgeschichte Israels oder Theologie des Alten Testaments?" gesammelten teils hilfreichen, teils hilflosen Beiträge dokumentieren den derzeitigen Diskussionsstand. Zum Folgenden vgl. auch die nicht selten anders akzentuierenden Beurteilungen von W. DIETRICH, Wer Gott ist und was er will. Neue „Theologien des Alten Testaments", EvTh 56 (1996), 258-285.

[17] Vgl. ALBERTZ, Religionsgeschichte (GAT), 20-38.

[18] Israelitisch-jüdische Religionsgeschichte und alttestamentliche Theologie (1926), in: DERS., Kleine Schriften, Bd. I, hg. von R. SELLHEIM/F. MAASS, Tübingen 1962, 105-114.

[19] Theologie des Alten Testaments, 3 Teile, Stuttgart/Göttingen 1933-1939, Teil I [5]1957; Teil II/III [4]1961.

[20] Theologie des Alten Testaments (NTG), Tübingen 1936, [4]1966.

[21] Hoofdlijnen der theologie van het Oude Testament, Wageningen 1949, [3]1966, deutsch nach DERS., Theologie des Alten Testaments in Grundzügen, Neukirchen-Vluyn [2]1956.

sehr die religionsgeschichtlichen Erkenntnisse, sowohl die ererbten als auch die zwischen den Weltkriegen formulierten, in der Theologie des Alten Testaments wirkmächtig geworden sind, ist ganz unverkennbar. Sie haben die Darstellung von Rads in mehrfacher Hinsicht, gerade auch in der Scheu vor jeder expliziten theologischen Systematik, entscheidend mitgeprägt.

Nur unter der anhaltenden Wirkung der Theologie von Rads ist es erklärbar, daß sich bei Albertz der Eindruck einstellen kann, die Disziplinen der Religionsgeschichte Israels und der Theologie des Alten Testaments hätten sich in Gegenstand und Methode derart einander angenähert, daß sich nicht länger nur die Frage ihrer Kombination, sondern ihrer Konkurrenz stelle. Es müsse geklärt werden, „welche der beiden konkurrierenden Disziplinen dem Gegenstand ‚Altes Testament' angemessener ist und den Transfer alttestamentlicher Forschung in Theologie und Kirche besser zu leisten vermag."[22]

Gegenstand und Aufgabe sowohl einer Theologie des Alten Testaments als auch einer Religionsgeschichte Israels sind in diesem Satz derart unscharf in den Blick genommen, daß die eingetretene Verwirrung die einzig stimmige Konsequenz ist. Aber was kann man auch von einer reduktionistischen Hermeneutik erwarten, die den normativen Selbstanspruch der alttestamentlichen Traditionen nicht mehr wahrnimmt und ihn als unangemessen empfundenen | normativ-kirchlichen Anspruch auf das Alte Testament kritisiert?[23] Was ist von einer Hermeneutik zu erwarten, der „geschichtliche Wahrheit" offensichtlich nichts anderes als ein Interpretament der „richtigen Bewertungen und Entscheidungen" ist, die in den jeweiligen geschichtlichen Situationen getroffen werden?[24] Auf welchem hermeneutischen Niveau wird gedacht, wenn man die Pluralität systematisch orientierter Entwürfe alttestamentlicher Theologien als Scheitern dieses Zugangs, weil „dem subjektiven Standpunkt" verhaftet, beurteilt?[25] Subjektivität – und die Rede kann natürlich nur von methodisch kontrollierter, sich an der auszulegenden Sache korrigierend messender Subjektivität sein – scheint für Albertz, „vom konsequent geschichtlichen Ansatz her" betrachtet[26], immer noch ein Störfaktor des hermeneutischen Geschäfts zu sein. Glaubt er wirklich, daß es zur Pluriformität der Darstellungen – gleichviel, ob es sich um eine wie auch immer konzipierte Theologie des Alten Testaments oder um eine Religionsgeschichte Israels handelt – eine Alternative gibt?[27] Sollte für Albertz etwa hermeneutischer

---

[22] ALBERTZ, Religionsgeschichte (GAT) 37.

[23] Vgl. ebd., 34.

[24] Vgl. ebd., 34.

[25] Vgl. ebd., 35 Anm. 62.

[26] Ebd., 38.

[27] G. EBELING schreibt exemplarisch zur neutestamentlichen Theologie: „Eine neutestamentliche Theologie hieße dann ‚Theologie' als gegenwärtige theologische Explikation dessen, was im Neuen Testament selber auf eine solche theologische Explikation hin tendiert... Damit ist zugleich erklärt, warum die wissenschaftliche Disziplin, die wir alttesta-

Erkenntnisgewinn wenn nicht gleich an der Uniformität, so doch an der Konformität der Darstellungen hängen? Vielleicht ist es doch sowohl einer Theologie des Alten Testaments als auch (s)einer Religionsgeschichte Israels zuträglicher, wenn Grundvoraussetzungen hermeneutischen Tuns noch einmal bedacht und die Genera der Darstellung nach Inhalt und Methode sauber auseinandergehalten werden. Vorerst ist noch nicht einsichtig geworden, daß die Disziplin der Religionsgeschichte Israels „theologischer"[28] geworden ist, es sei denn, man | akzeptiert den kontingenten Entschluß eines Theologen als zureichenden Grund, sein theologisches Selbstverständnis bewußt in die Konzipierung einer Religionsgeschichte Israels einzuschalten und sie damit „im weiteren Sinne eine auf die Kirche bezogene Aufgabe" sein zu lassen.[29]

Aber es gibt aus neuerer Zeit im Umkreis der Theologie des Alten Testaments auch Werke anderen Zuschnitts, die die Frage nach der Verbindlichkeit des Alten Testaments nicht ausklammern.[30] Die Arbeit von *B. S. Childs* ver-

---

mentliche und neutestamentliche Theologie nennen, immer weiter und immer neu betrieben werden muß. Sie ist eben, wie alle historische Arbeit, nicht photographische Reproduktion des Vergangenen, sondern in gegenwärtiger Interpretation sich ausweisendes Verstehen des Vergangenen. Darum wird *die* alttestamentliche oder *die* neutestamentliche Theologie nie geschrieben werden. Sie kann nie geschrieben werden, weil die Disziplin der alt- oder neutestamentlichen Theologie grundsätzlich nie endgültig zu erledigen ist, sondern eine stets mit uns weitergehende Aufgabe darstellt" (Was heißt „Biblische Theologie"? [engl. 1955], in: ders., Wort und Glaube, Tübingen [3]1967, 69-89).

[28] ALBERTZ, Religionsgeschichte (GAT) 34; ders., Religionsgeschichte (JBTh), 23.

[29] ALBERTZ, Religionsgeschichte (GAT) 33. In etwas anders gelagerter Problemkonstellation tritt A. H. J. GUNNEWEG, Biblische Theologie des Alten Testaments. Eine Religionsgeschichte Israels in biblisch-theologischer Sicht, Stuttgart u. a. 1993, für eine Konvergenz beider Disziplinen ein. Beiden ist die historische Methodik eigen, die zwischen Texten und Interpreten ein dialogisches Subjekt-Subjekt-Verhältnis eröffnet und den wertenden, aber wissenschaftlich kontrollierten Vergleich von unterschiedlichen Weisen des Daseins-, Welt- und Gottesverständnisses ermöglicht (vgl. ebd., 34f.). Dies ist zugleich ein historisches und theologisches Unternehmen, das die Unterscheidung der beiden genannten Disziplinen überflüssig macht. Auch hier stellt sich die Frage, ob Gegenstandsbereiche und hermeneutische Voraussetzungen der beiden Disziplinen nicht auf unangemessene Weise miteinander vermengt werden.

[30] Nicht alle neueren Konzeptionen, mit denen sich die Auseinandersetzung lohnte, können hier berücksichtigt werden. Auf einige sei ausdrücklich hingewiesen: K. KOCH, Der doppelte Ausgang des Alten Testamentes in Judentum und Christentum, in: JBTh 6 (1991), 215-242; R. RENDTORFF, Kanon und Theologie. Vorarbeiten zu einer Theologie des Alten Testaments, Neukirchen-Vluyn 1991, bes. 1-14.54-71.185-195; DERS., Die Hermeneutik einer kanonischen Theologie des Alten Testaments. Prolegomena, in: JBTh 10 (1995), 35-44; C. DOHMEN/F. MUßNER, Nur die halbe Wahrheit? Für die Einheit der ganzen Bibel, Freiburg/Basel/Wien 1993; R. P. KNIERIM, The Task of Old Testament Theology. Substance, Method, and Cases, Grand Rapids, Michigan/Cambridge, U. K. 1995, vor allem 1-56; C. GRENHOLM, The Old Testament, Christianity and Pluralism (BGBE 33), Tübingen 1996; zu H. GESE, P. STUHLMACHER und H. HÜBNER vgl. die Literaturhinweise in den Anm. 34 und 35.

dient in dieser Hinsicht besondere Beachtung, weil er seit ungefähr zwei Jahr-zehnten zu den Forschern gehört, die die dominant historische Orientierung der exegetischen Wissenschaft insgesamt und der Disziplin der Theologie des Alten Testaments im besonderen nachdrücklich kritisiert haben. Sein jüngstes Werk[31] soll näher betrachtet werden. Childs' sog. canonical approach will verdeutlichen, daß die Verbindlichkeit, die die biblischen Schriften für die jeweilige Glaubensgemeinschaft haben, keine den Schriften selbst wesens-fremde, von der jeweiligen Kirche getroffene Verfügung ist, sondern daß das Kanon-Bewußtsein tief im Werden der Schriften selbst seine Wurzeln hat. Die | Schriften wollen in ihrer Endfassung aufgrund ihres Inhaltes autoritativ sein, nicht nur für eine vergangene, sondern für jede Zeit. „The modern theo-logical function of canon lies in its affirmation that the authoritative norm lies in the literature itself as it has been traesured, transmitted and transformed – of course in constant relation to its object to which it bears witness – and not in 'objectively' reconstructed stages of the process. The term canon points to the received, collected, and interpreted material of the church and thus esta-blishes the theological context in which the tradition continues to function authoritatively for today".[32]

Dabei legt Childs Wert darauf, daß die christliche Bibel aus zwei Testa-menten besteht, die je ein eigenes Zeugnis ihres gemeinsamen Gegenstandes, Jesus Christus, haben. „At the heart of the problem of Biblical Theology lies the issue of doing full justice to the subtle canonical relationship of the two testaments within the one Christian Bible. On the one hand, the Christian canon asserts the continuing integrity of the Old Testament witness. It must be heard on its own terms ... On the other hand, the New Testament makes its own witness. It tells its own story of the new redemptive intervention of God in Jesus Christ. The New Testament is not just an extension of the Old, nor a last chapter in an epic tale."[33] Childs unternimmt hier eine Gratwanderung. Er will in der zweigeteilten christlichen Bibel sowohl die Einheit des Gegen-standes als auch die Eigenständigkeit der beiden Testamente sichern. Gerade der letztgenannte Aspekt scheint ihm in den Konzeptionen etwa von *H. Gese* und *P. Stuhlmacher* (das Neue Testament als Abschluß und Vollendung der alttestamentlichen Traditionsbildung)[34] oder in derjenigen von *H. Hübner*

---

[31] Biblical Theology of the Old and New Testaments. Theological Reflection on the Chri-stian Bible, London 1992; deutsche Ausgabe: DERS., Die Theologie der einen Bibel, Bd. I-II, Freiburg /Basel/Wien 1994-1996.

[32] CHILDS, Biblical Theology, 71; zum Vorhergehenden vgl. 70f.

[33] Ebd., 78.

[34] Vgl. H. GESE, Erwägungen zur Einheit der biblischen Theologie (1970), in: DERS., Vom Sinai zum Zion. Alttestamentliche Beiträge zur biblischen Theologie (BEvTh 64), München ²1984, 11-30; DERS., Das biblische Schriftverständnis, in: DERS., Zur biblischen Theologie. Alttestamentliche Vorträge, Tübingen ³1989, 11-30; P. STUHLMACHER, Bibli-

(theologische Divergenz von Vetus Testamentum per se und Vetus Testamentum in Novo receptum)[35] nicht angemessen gewahrt zu sein. Deshalb legt Childs sein Werk so an, daß zunächst je für sich das Zeugnis des Alten und des Neuen Testaments zur Darstellung kommt und erst darauf das große Kapitel „Theological Reflection on the Christian Bible" | folgt (349-716). In ihm wird unter thematischen Aspekten – „The Identity of God", „God the Creator", „Covenant, Election, People of God", „Christ the Lord", „Reconciliation with God", „Law and Gospel", „Humanity: Old and New", „Biblical Faith", „God's Kingdom and Rule", „The Shape of the Obedient Life: Ethics" – alt- und neutestamentliches Zeugnis in das je sachlich geforderte Verhältnis gesetzt, welches sowohl biblisch-theologisch als auch dogmatisch ausgewertet wird. Das konsequente Ernstnehmen des biblischen Zeugnisses im Sinne seiner zeitübergreifenden Verbindlichkeit für die Kirche ist bei Childs Programm: „Biblical Theology seeks not only to pursue the nature of the one divine reality among the various biblical voices, it also wrestles theologically with the relation between the reality testified to in the Bible and that living reality known and experienced as the exalted Christ through the Holy Spirit within the present community of faith ... The enterprise of Biblical Theology is theological because by faith seeking understanding in relation to the divine reality, the divine imperatives are no longer moored in the past, but continue to confront the hearer in the present as truth. Therefore it is constitutive of Biblical Theology that it be normative and not merely descriptive, and that it be responsive to the imperatives of the present and not just of the past."[36]

    Kritische Anfragen an Konzeption und Durchführung der Biblischen Theologie von Childs sind natürlich möglich. Kanon und Schrift stehen bei Childs in der Gefahr, als objektivierbarer Bezugsrahmen theologisch autoritativ zu werden. Die Spannung zwischen den historisch gewordenen Kanones und dem damit nicht einfach identischen Kanonbewußtsein, das aus dem Wissen um die Notwendigkeit der Kanonisierung aufgrund der Verbindlichkeit des tradierten Inhalts resultiert, droht verlorenzugehen. Man könnte auch sagen: Das spannungsvolle Verhältnis von Identität und Differenz der norma normans des Schriftgehaltes und der norma normata der Schriftgestalt wird nicht angemessen entfaltet, sowenig Childs darüber belehrt werden muß, daß die Verbindlichkeit allein aus der normativen Sache und nur in Brechungen aus dem kanonisch normierten Überlieferungsbestand erwächst. Weniger in der theoretischen Grundlegung, aber deutlich in der konkreten Durchführung

---

sche Theologie des Neuen Testaments, Bd. I: Grundlegung. Von Jesus zu Paulus, Göttingen 1992, 1-39 (Literatur).

[35] H. HÜBNER, Biblische Theologie des Neuen Testaments, 3 Bde., Göttingen 1990-1995, hier Bd. I: Prolegomena, 62-70; zur Auseinandersetzung mit CHILDS vgl. ebd., 70-76; vgl. ferner Bd. III, 278-284.

[36] CHILDS, Biblical Theology, 86.

des canonical approach mangelt es Childs' Entwurf an der theologischen Dynamik, die das etwas schematisch gehandhabte Schriftprinzip aus seiner Bindung an die Vorfindlichkeit des Kanons befreien und zu einer schriftgemäßen
Bindung an die norma normans des Schriftgehaltes führen könnte. |

Neben diesen kritischen Anfragen muß aber vor allem das Verdienst dieses
Werkes betont werden. Es zeichnet sich durch ein klares Bewußtsein von der
Aufgabe der Disziplin der Biblischen Theologie und den damit gegebenen
komplexen methodischen und hermeneutischen Erfordernissen aus. Wahrheitsanspruch und Verbindlichkeit des biblischen Zeugnisses werden ernstge-
nommen und nicht zum obsoleten theologischen Kommuniqué degradiert,
sofern man sich überhaupt noch dieser Mühe unterzieht. Der zu erwartende
Mißbrauch von fundamentalistischer Seite wird diesem Entwurf ebensowenig
schaden können, wie ihn die zu erwartende Kritik antiquarischer Historiker
treffen kann, die im Namen des sensus literalis ihre Stimme erheben werden
und diesen längst zur Frage nach den historischen Entstehungsbedingungen
und damit zu einem musealen Relikt umfunktioniert haben. Bei Childs lohnt
sich das Weiterdenken und Weiterarbeiten.

Von *O. Kaisers* Theologie des Alten Testaments liegt bisher der erste
Band vor, der die „Grundlegung" enthält.[37] Sie ist in vier Abschnitte geglie-
dert: 1. „Die hermeneutischen Voraussetzungen", 2. „Die historischen Voraussetzungen", 3. „Die Einheit der alttestamentlichen Gottesbezeugungen in
ihrer Verschiedenheit", 4. „Die Tora".

Es ist erfreulich, daß zunächst die hermeneutischen Voraussetzungen ein-
gehend reflektiert werden. Demnach ist es Aufgabe der Theologie des Alten
Testaments als einer christlich-theologischen Disziplin, die Bibel als Wort
Gottes in die heutige Zeit hinein zu vermitteln. Sie kann das nur tun, indem
sie das Wort Gottes evangelischem Schriftverständnis gemäß als Evangelium
und Gesetz in Ausrichtung auf die Frage der Gerechtigkeit Gottes zu erkennen lehrt. Die Frage nach Gesetz und Evangelium wird nicht in erster Linie
für das Verhältnis beider Testamente untereinander als prägend angesehen,
sondern sie bestimmt ein jedes der beiden Testamente für sich. „In beiden
geht es um die Deutung der Existenz angesichts ihrer Gottesferne im Spannungsfeld zwischen Gesetz und Evangelium und um die Gerechtigkeit Israels
bzw. der Christen vor Gott. Darin entsprechen beide Testamente der Grund-
situation des Menschen, der sein Leben als Gabe empfängt und als Aufgabe
erfährt, in deren Annahme oder Verweigerung es um den Sinn seines Lebens
geht" (23).

Der Stellenwert des folgenden Abschnittes über die historischen Voraussetzungen ist im Aufbau von Kaisers Theologie nicht ganz einsichtig. Was
Kaiser bietet, ist ein knapper religionsgeschichtli|cher Abriß der Entwicklung

---

[37] O. KAISER, Der Gott des Alten Testaments. Theologie des Alten Testaments, Teil I:
Grundlegung (UTB 1747), Göttingen 1993.

der alttestamentlichen Gottesvorstellung vom Berggott der Frühzeit bis zum Schöpfer der Welt und Herrn aller Völker und Zeiten im hellenistischen Zeitalter. Gibt es hier nach der hermeneutischen Grundlegung noch eine weitere religionsgeschichtliche? Und wie verhalten sich beide zueinander? Bedarf die Präsentation der theologischen Inhalte des Alten Testaments neben der Offenlegung der hermeneutischen Voraussetzungen noch der Gegenkontrolle durch die religionsgeschichtliche Rekonstruktion? Welcher theologische Stellenwert wird der Religionsgeschichte eingeräumt?

Die materiale Grundlegung der Theologie des Alten Testaments beginnt bei Kaiser jedenfalls erst mit dem dritten Abschnitt über die Einheit der Gottesbezeugungen in ihrer Verschiedenheit. Die Darlegungen sind exemplarisch und funktional ausgerichtet auf die systematischen Ausführungen des zweiten Teils, dem sie eine Basis schaffen sollen. Es erweist sich, daß die Verschiedenheit der Gottesbezeugungen, die in Geschichtsschreibung, Prophetie und Weisheit nachgezeichnet wird, ihre tragende Einheit in der „vorausgesetzten Grundbeziehung zwischen Jahwe als dem Gott Israels und Israel als dem Volk Jahwes und der sie qualifizierenden Grundgleichung von Gerechtigkeit und Leben" besitzt.[38]

Der die unterschiedlichen Gottesbezeugungen tragenden Einheit entspricht die Zusammenfassung und Zentrierung der alttestamentlichen Schriften als Tora (Abschnitt 4). Der sich in der Tora manifestierenden Verpflichtung des Volkes Israel zu unbedingter Treue gegenüber Jahwe – gemeinsame Grundüberzeugung der Geschichtsschreibung und der Prophetie von Anfang an – ist schließlich auch die Weisheit untergeordnet worden, so daß man mit Recht die Tora als Mitte der ganzen Schrift bezeichnen kann.[39] Kaiser legt das Werden der alttestamentlichen Schriften unter Einschluß der deuterokanonischen zur Tora materialreich und überzeugend dar.

Das Verständnis des Alten Testaments als Tora wird von Kaiser mit den hermeneutischen Erwägungen zu Gesetz und Evangelium verbunden, allerdings eher implizit als explizit. Die „Heilsgüter" des Alten und Neuen Testaments sind zu unterscheiden. Ist es in jenem „das freie Leben des von Jahwe erwählten Volkes Israel in dem ihm für immer versprochenen Land Kanaan", so in diesem „die Kreuzigung Jesu ... so daß der Glaube an den Gekreuzigten als den Auferstandenen die Welt überwindet."[40] |

Beide Testamente in ihrer Einheit als christliche Bibel bedürfen jedoch, um theologisch wirksam zu werden, der existentialen Interpretation. „Es gibt keinen Menschen, der ohne den Funken eines Grundvertrauens zu leben vermag und darin, er wisse es oder wisse es nicht, auf den unbekannten Gott setzt. Doch sofern aus diesem Grundvertrauen in Gottes nie endende Gegen-

---

[38] Ebd., 159.
[39] Vgl. ebd., 22.
[40] Ebd., 86.

wart eine Garantie für das individuelle und nationale Wohl und Heil auf dieser Erde abgeleitet wird, handelt es sich unbeschadet der dieser Annahme zugrunde liegenden Rettungserfahrungen um einen Irrtum, den der weitere Verlauf des Lebens und der Geschichte als solchen zu enthüllen vermag. [Absatz] Eine so interpretierte Geschichte besitzt ihren Charakter als Verheißung in der Tat in ihrem Scheitern". Das neutestamentlich-kirchliche Verständnis des Alten Testaments lehrt „Israels Scheitern am Gesetz und an der Geschichte gegen den Wortlaut der Texte und trotzdem sachgemäß insofern als Verheißung zu verstehen, als *unter dem Gesetzesglauben und -dienst ... eine der göttlichen Gnade sich entgegenstreckende Anbetung verborgen (liegt), die erst im Evangelium zu ihrer Wahrheit und Freiheit kommt.*"[41]

Kaisers Entwurf der Theologie des Alten Testaments, soweit er bisher vorliegt, zeichnet sich durch einen klaren systematischen Zugang aus, der die theologische Eigenbewegung des alttestamentlichen Traditionsprozesses erkenntnisfördernd auf den Begriff zu bringen versucht. Daß er in dieser Hinsicht der sich immer weiter differenzierenden Tora-Theologie den entscheidenden Platz einräumt, ist sachgemäß, wenn auch die Frage bleibt, inwieweit sich Prophetie und Weisheit dieser Zuordnung fügen.

Daß Kaiser seine Theologie des Alten Testaments als eine christlich-theologische Disziplin versteht, wird von ihm gut begründet. Sein Versuch, die Verbindlichkeit des Alten Testaments durch existentiale Interpretation ins Bewußtsein zu heben, ist allerdings gerade im Blick auf die Bestimmung der Mitte des Alten Testaments als Tora nicht unproblematisch. Die Frage wird sich nicht so schnell beiseiteschieben lassen, ob Kaiser die sachgemäße Koordinierung des in der alttestamentlichen Tradition selbst gewachsenen Verständnisses der autoritativen Schriften als Tora mit den Lutherschen Kategorien Gesetz und Evangelium für Altes und Neues Testament in Bultmannscher Deutung[42] wirklich gelungen ist. Wieso es | gerade das Alte Testament sein muß, das als Urkunde des Scheiterns Israels zur Verheißung wird, ist bei Kaiser ebensowenig zwingend wie bei Bultmann. Die geäußerte Kritik darf jedoch nicht den Blick dafür verstellen, daß Kaisers Werk zu den Entwürfen gehört, die sich dem Wahrheitsanspruch des Alten Testaments als Teil der

---

[41] Ebd., 86f.; der kursivierte Teil ist ein Zitat aus E. HIRSCH, Das Alte Testament und die Predigt des Evangeliums, Tübingen 1936, 12.

[42] Vgl. R. BULTMANN, Weissagung und Erfüllung (1949), in: DERS., Glauben und Verstehen, Bd. II, Tübingen 1952, 162-186 (= Probleme alttestamentlicher Hermeneutik. Aufsätze zum Verstehen des Alten Testaments [TB 11], hg. von C. WESTERMANN, München [3]1968, 28-53); vgl. bereits früher DERS., Die Bedeutung des Alten Testaments für den christlichen Glauben, in: DERS., Glauben und Verstehen, Bd.I, Tübingen 1933, 313-336; zur Kritik an Bultmann vgl. H. G. GEYER, Zur Frage der Notwendigkeit des Alten Testamentes, EvTh 25 (1965), 207-237, hier 215-219; H. D. PREUß, Das Alte Testament in christlicher Predigt, Stuttgart u.a. 1984, 73-75.

christlichen Bibel stellen und ihn in Wahrnehmung der theologischen Eigenbewegung des Alten Testaments zu verantworten suchen.

3. Folgerungen – eine Thesenreihe

Die eingangs genannten Rahmenbedingungen, die möglichen Anfragen und die exemplarische Auseinandersetzung mit der gegenwärtigen Forschungssituation unter Aufnahme ihrer positiven Anstöße und unter Berücksichtigung ihrer Risiken sollen in eine Thesenreihe einmünden, die Leitlinien für die Konzeption einer Theologie des Alten Testaments formuliert, in welcher die theologische Eigensinnigkeit der Texte ebenso zu ihrem Recht kommt wie der Wahrheits- und Verbindlichkeitsanspruch des Alten Testaments als Teil der christlichen Bibel zu dem seinen.

1. Die Theologie des Alten Testaments ist eine christliche Disziplin. Sie muß sich dem Wahrheits- und Verbindlichkeitsanspruch der ihr anvertrauten Texte im Rahmen der christlichen Bibel stellen. Von der Verbindlichkeit des Alten Testaments muß gesprochen werden, weil das Alte Testament zusammen mit dem Neuen Testament Gottes Wort bezeugt, welches Wahrheit ist (Ps 119,160; Joh 17,17). Wahrheit kann nicht erfunden oder erdacht werden, Wahrheit kann nur gefunden und erkannt werden – im Zeugnis der Heiligen Schrift. Die Heiligkeit der Schrift zielt auf die Heiligung in der Wahrheit bei ihren Hörern und Lesern (vgl. noch einmal Joh 17,17). Die Heiligung in der Wahrheit ist Gottes Tat an den Glaubenden in Person und Werk Jesu Christi (Joh 17,19). Erst durch diese Tat Gottes, die an den Glaubenden nach dem Zeugnis der Heiligen Schrift verbindlich geschehen ist und immer wieder verbindlich geschieht, ist das Wort der Wahrheit seinerseits verbindlich für die Glaubenden, indem es sie in den Gehorsam ruft. |

2. Der Inhalt des Wortes der Wahrheit ist Jesus Christus selbst im unterschiedlichen Zeugnis der beiden Testamente. Er ist „aus Davids Samen dem Fleisch nach" (Röm 1,3; vgl. Mt 1,1ff. u.ö.), „durch seine Propheten im voraus verheißen in den heiligen Schriften" (also im Alten Testament) und zugleich Gottes endgültige Tat, „dem Geiste der Heiligkeit nach eingesetzt zum Sohn Gottes in Macht seit der Auferstehung von den Toten" (Röm 1,2.4). Paulus kann im Rückblick auf die den Vätern Israels gegebenen Zusagen zusammenfassend vom „Wort Gottes" sprechen (Röm 9,6). Dieses Wort Gottes hat durch Jesus Christus seine definitive Bestimmung als „Wort vom Kreuz" (1Kor 1,18), „Wort von der Versöhnung" (2Kor 5,19), „Wort des Lebens" (Phil 2,16), „Wort der Wahrheit, (nämlich) das Evangelium eurer Rettung" (Eph 1,13; vgl. Kol 1,5; Jak 1,18), „Evangelium von der Gnade Gottes" (Apg

20,24; vgl. 14,3; 20,32) erfahren. Alt und Neu spiegeln sich in diesem vielfältig bestimmten Wort, das seine Einheit und Wahrheit durch den hat, von
dem es redet und mit dem es nach dem Zeugnis des Johannesevangeliums
identisch ist: Jesus Christus (vgl. Joh 1,14; aber auch Hebr 1,3).

3. Beide Testamente bezeugen Jesus Christus auf je eigene Weise. Das Alte
Testament tut es dergestalt, daß es nicht direkt von Jesus Christus redet. Der
Erkenntnisgrund für die eine Wahrheit der beiden Testamente liegt im Neuen
Testament. Somit steht das Alte Testament in einer Verbindlichkeit gegen-
über dem Neuen Testament, weil es die Erkenntnis seiner Wahrheit nicht aus
sich selbst heraus realisieren kann. Deshalb ist es auch konsequent, daß im
Raum der christlichen Theologie das Alte Testament seinen Namen dem
Neuen Testament verdankt (vgl. 2Kor 3,14). Da mit diesen Namen die spezi-
fische Wahrnehmung der Wahrheit der beiden Testamente verbunden ist, sind
in christlicher Perspektive andere Bezeichnungen für das Alte Testament wie
Hebräische Bibel oder Erstes Testament theologisch insuffizient.

4. Das Neue Testament enthält das direkte Christuszeugnis dergestalt, daß es
seine Botschaft nicht ausrichten könnte ohne Kenntnis und Gebrauch der
Heiligen Schrift der Juden in Gestalt der Septuaginta. Mit ihr teilt das Neue
Testament Vorstellungswelt und Sprache. Nur durch die Aneignung der Heiligen Schrift der Juden als Altes Testament in Gestalt der Septuaginta hatte
die Urchristenheit ihre erste Bibel und gewann die Idee eines neutestamentlichen Kanons Gestalt, dessen Schriften ohne das Alte Testament keinen geschichtlichen Ort und somit weder Verstehenskontext noch Sprache gefunden
hätten. Deshalb steht auch das Neue Testament | in einer Verbindlichkeit ge-
genüber dem Alten Testament, allerdings in einer abgeleiteten, die die Ebene
der Vermittlung des Christusgeschehens betrifft.

5. Wahrheits- und Verbindlichkeitsanspruch werden an das Alte Testament
als Teil der christlichen Bibel nicht von außen herangetragen. Die alttestamentlichen Texte wären wie die neutestamentlichen nie aufgezeichnet und
tradiert worden, wenn ihrer Botschaft nicht von Anfang an der auf Verbindlichkeit drängende, zeitübergreifend-kerygmatische (und darin gerade nicht
zeitlose!) Charakter eigen gewesen wäre. Die alttestamentlichen Schriften
wären wie die neutestamentlichen nicht gesammelt und fortgeschrieben worden, wenn nicht Gottes Wort der Wahrheit in ihnen wahrgenommen worden
wäre, das, verbürgt durch autoritative Schriften, immer neu verbindlich weitergesagt werden muß. Die alttestamentlichen Schriften wären wie die neutestamentlichen nicht kanonisiert worden, wenn nicht die eine Wahrheit im
vielstimmigen Chor der ursprungsnahen Zeugen durch die eine Heilige
Schrift im vielgestaltigen Ensemble der Schriften hätte gewahrt werden sol-

len. Daß der Erkenntnisgrund der Wahrheit in der christlichen Kirche ein dem Alten Testament externer ist, vereint sie mit dem Judentum. Sind die Unterschiede im einzelnen auch beträchtlich, ist die hermeneutische Ausgangssituation vergleichbar, weil im Judentum die Erkenntnis der Wahrheit der Tora (verstanden als Gesamtbezeichnung der jüdischen Bibel) zunächst aus der targumischen Tradition und dann aus der normativen rabbinisch-talmudischen Tradition heraus wahrgenommen wird. Daraus resultieren zwischen Judentum und Christentum konkurrierende Wahrnehmungen der Wahrheit der Tora bzw. des Alten Testaments. Das ist unvermeidlich und erfordert den geschwisterlichen Dialog in dem Bewußtsein, daß die Entscheidung über die unterschiedlichen Wahrnehmungen der Wahrheit nicht der Menschen, sondern Gottes Sache ist. Nur er allein kann und wird sein Wort der Wahrheit eschatologisch zur Geltung bringen.

6. Inhaltlich hat das Alte Testament, das kein direktes Christuszeugnis enthält, aus sich selbst heraus eine komplexe Kongenialität zum Neuen Testament. Das einheitliche Thema der alttestamentlichen Schriften in der ganzen Spannweite unterschiedlicher Konkretisierungen ist das Ringen des Volkes Israel und des einzelnen um das dem Wort Gottes entsprechende rechte Gottesverhältnis. Dieses Ringen um das rechte Gottesverhältnis vollzieht sich auf vielfältige Weise in der Reflexion geschichtlicher Widerfahrnisse, in Toraobservanz und Kult, in Prophetie, Weisheit und Apokalyp|tik. Im Zentrum geht es dabei immer um die Möglichkeit der Konstituierung des Gott entsprechenden gerechten und wahren Menschen, zunächst als Glied des Volkes Israel, dann aber auch unter den Völkern. Im Blick auf diese Möglichkeit sind die alttestamentlichen Zeugen von der Rettungsbedürftigkeit des Volkes und des einzelnen durch Gott überzeugt; je später die Schriften, desto entschiedener. Gottes vielfältig bezeugte nationale und individuelle Rettungstaten münden am Ende des Alten Testaments in die ahnende Erkenntnis ein, daß die Konstituierung des Gott entsprechenden gerechten und wahren Menschen nur aus einer neuen, schöpferischen Tat Gottes hervorgehen kann (Jer 31,31ff.; Ez 36,26f.; Ps 51). Der Mensch kann sich aus sich selbst heraus nicht als gerecht und wahr konstituieren. Daß hier etwas gänzlich Neues, auch in der Neuschaffung des Verhältnisses von Mensch und Tora, erwartet werden muß, ist den alttestamentlichen Zeugen gewiß. Daß die Neuschöpfung des gerechten und wahren Menschen durch die Menschwerdung Gottes geschehen könne, ist eine im Alten Testament nicht erschlossene Erkenntnis. Daß das Alte Testament selbst, vom neutestamentlichen Erkenntnisgrund aus betrachtet, dicht an diese Erkenntnis in Wahrnehmung seiner gedanklichen Eigenbewegung heranführt, leidet keinen Zweifel (vgl. im vierten Gottesknechtslied Jes 52,13-53,12 die eigentümliche Identität und Differenz im Verhältnis von Gott und Knecht). Diese theologische Wahrnehmung des Alten Testaments erfaßt wie

alle menschliche Wahrnehmung ihren Gegenstand nur partiell, aber doch so, daß die Bestimmung von Jesus Christus als der einen Wahrheit der christlichen Bibel in der Verschiedenheit des alt- und neutestamentlichen Zeugnisses als adaequatio intellectus ad rem zum Vorschein kommt.

7. Die eine Wahrheit der christlichen Bibel bedarf der wahrheitsgemäßen Auslegung, die die Verbindlichkeit der Botschaft wahrnimmt und verständlich weitersagt. Die seit der Aufklärung immer stärker etablierte kritische historische Methodik wissenschaftlicher Exegese der Heiligen Schrift hat zu einer Relativierung, zuweilen sogar Eliminierung des Wahrheitsanspruchs des biblischen Zeugnisses geführt. Der Wahrheitsanspruch wird allenfalls noch deskribiert, darin aber gerade in seiner zeitdurchdringenden und zeitübergreifenden Verbindlichkeit unterminiert. Biblische Exegese bedarf unter Beibehaltung kritischer historischer Methodik zur Wahrnehmung der Fremdheit und Eigensinnigkeit der Texte einer theologischen Neubesinnung, die dem Wahrheits- und Verbindlichkeitsanspruch der Texte Rechnung trägt. Erst eine Exegese, die die Wahrheit und Verbindlichkeit des biblischen Zeugnisses in der | Mannigfaltigkeit seiner Bezeugungen wissenschaftlich verantwortet weitersagt, die also in den historischen Erscheinungen der Sache ihr hermeneutisches Interesse an die Sache selbst bindet, kann mit Recht theologische Auslegung genannt werden. Auslegung der Wahrheit der Heiligen Schrift ist aber die Aufgabe der Theologie insgesamt. Die gemeinsame Aufgabe unter verschiedenen Aspekten, Methoden und Kompetenzen ist eine Einladung zur Zusammenarbeit aller theologischen Disziplinen.

8. Die Auslegung der Wahrheit des Alten Testaments im engeren Sinne geschieht in der christlich-theologischen Disziplin der Theologie des Alten Testaments. Sie kann ihre Arbeit sachgemäß nur dann ausrichten, wenn sie sich als Teil einer Biblischen Theologie versteht. Andernfalls führt sie sich selbst ad absurdum, weil sie der Externität ihres Erkenntnisgrundes nicht Rechnung trägt. In einer derart angelegten Konzeption unterscheidet sich die Disziplin der Theologie des Alten Testaments klar von derjenigen der Religionsgeschichte Israels. Diese kann in der historischen Darstellung der Religion Israels unter Verwendung aller erkenntnisträchtigen, also auch und vor allem der außerkanonischen Quellen durchaus die Entwicklung ihres Wahrheitsanspruchs deskribieren. Seine zeitdurchdringende und zeitübergreifende Verbindlichkeit verpflichtend explizieren kann sie nicht. In einer Theologie des Alten Testaments haben religionsgeschichtliche Tatbestände und ihre Deutung keinen konzeptionellen Stellenwert, sondern eine strikt funktionale Aufgabe zur Erhellung verbindlicher theologischer Sachverhalte.

9. Darf Theologie des Alten Testaments als kanonische Disziplin ihren externen Erkenntnisgrund nicht ignorieren, so darf sie ebensowenig die Zeugnisvielfalt des ihr anvertrauten Testaments reduzieren. Nicht eine Auswahl alttestamentlicher dicta probantia oder nur die im Neuen Testament rezipierten alttestamentlichen Texte sind kanonisiert worden, sondern mit Bedacht der ganze Kanon der jüdischen Bibel in der einen oder anderen Form. Dabei kommt in einer Theologie des Alten Testaments neben dem masoretischen Kanon dem griechischen der Septuaginta besondere Bedeutung zu. Demgemäß dürfen bei einer Theologie des Alten Testaments die Selektionskriterien für die Darstellung nicht zu eng gewählt werden. Das Ganze des Alten Testaments – quantitativ und qualitativ verstanden – muß zur Darstellung kommen, soweit es sich subjektiver Wahrnehmung in Treue zum bestimmten Erkenntnisgrund erschließt, um in der Auslegung des Ganzen die eine Wahrheit der christlichen Bibel immer neu verbindlich werden zu lassen. |

10. Die konkreten Darstellungen der Theologie des Alten Testaments müssen so vielfältig sein, wie es das theologische Vermögen ihrer Darsteller zuläßt. Verfehlen werden sie ihre Aufgabe nur dann gewiß, wenn sie das einheitliche Thema der beiden Testamente und den damit gesetzten Anspruch auf Wahrheit und Verbindlichkeit nicht zum Fundament ihrer Darstellung machen.

12. Die Liebeserklärung Gottes
Entwurf einer Theologie des Alten Testaments

1. Voraussetzungen

Wer in der gegenwärtigen Forschungslage über Theologie des Alten Testaments spricht, wagt es in einer Situation, in der eine gewisse Blüte dieser Disziplin auf die vehemente Bestreitung ihres Rechtes trifft.[1] Gegenstand des Streites ist das Verhältnis von Theologie des Alten Testaments und Religionsgeschichte Israels. Steht die Religionsgeschichte Israels in einem Verdrängungswettbewerb mit der Theologie des Alten Testaments? Etwa dergestalt, daß die Religionsgeschichte Israels die bessere Theologie des Alten Te-

---

[1] Die Genese des Konfliktes, eine exemplarische Präsentation heutiger Positionen und eigene Überlegungen grundsätzlicher Art habe ich in meinem Beitrag „Die Verbindlichkeit des Alten Testaments. Unzeitgemäße Betrachtungen zu einem ungeliebten Thema", JBTh 12 (1997) 25-51 dargelegt (= s.o. 173-196). Die im folgenden formulierten methodischen Voraussetzungen einer Theologie des Alten Testaments sind dort eingehender begründet. Auch werden alle in dem Beitrag gegebenen Literaturhinweise hier nicht wiederholt. Zusätzlich sei auf folgende Publikationen hingewiesen: B. W. ANDERSON, Contours of Old Testament Theology, Minneapolis 1999, 3-36; J. BARR, The Concept of Biblical Theology. An Old Testament Perspective, London 1999; W. BRUEGGEMANN, Theology of the Old Testament. Testimony, Dispute, Advocacy, Minneapolis 1997, 1-114; H.-J. HERMISSON, Jesus Christus als die externe Mitte des Alten Testaments. Ein unzeitgemäßes Votum zur Theologie des Alten Testaments, in: Jesus Christus als die Mitte der Schrift (FS O. Hofius), hg. von C. Landmesser – H.-J. Eckstein – H. Lichtenberger (BZNW 86), Berlin – New York 1997, 199-233; B. JANOWSKI, Der eine Gott der beiden Testamente. Grundfragen einer Biblischen Theologie, ZThK 95 (1998) 1-36 (= DERS., Die rettende Gerechtigkeit. Beiträge zur Theologie des Alten Testaments 2, Neukirchen-Vluyn 1999, 249-284; O. KAISER, Der Gott des Alten Testaments. Wesen und Wirken. Theologie des Alten Testaments 2 (UTB 2024), Göttingen 1998, 9-28; M. KÖCKERT, Von einem zum einzigen Gott. Zur Diskussion der Religionsgeschichte Israels, BThZ 15 (1998) 137-175; H.-P. MÜLLER, Alttestamentliche Theologie und Religionswissenschaft, in: „Wer ist wie du, HERR, unter den Göttern?" (FS. O. Kaiser), hg. von I. Kottsieper et al., Göttingen 1994, 20-31 (= DERS., Glauben, Denken und Hoffen [Altes Testament und Moderne 1], Münster 1998, 249-260); O. H. PESCH, Schriftauslegung – kirchliche Lehre – Rezeption. Versuch einer ökumenischen Zusammenschau in Thesen, in: Verbindliches Zeugnis 3, hg. von T. Schneider – W. Pannenberg (DiKi 10), Freiburg i. Br. – Göttingen 1998, 261-287; R. RENDTORFF, Theologie des Alten Testaments. Ein kanonischer Entwurf, Bd. 1: Kanonische Grundlegung, Neukirchen-Vluyn 1999, 1-9; W. H. SCHMIDT, Einsichten und Aufgaben alttestamentlicher Theologie und Hermeneutik, VF 43 (1998) 60-75; C. R. SEITZ, Word Without End. The Old Testament as Abiding Theological Witness, Grand Rapids, Michigan – Cambridge 1998, 3-109; Biblische Theologie. Entwürfe der Gegenwart (BThSt 38), hg. von H. Hübner – B. Jaspert, Neukirchen-Vluyn 1999.

staments sei, weil sie ohne die einengenden theologischen Wertungen einer kanongebundenen Disziplin auskommt?[2] Oder lassen sich beide Unternehmen als methodisch und inhaltlich klar zu unterscheidende Projekte in einem Verhältnis gegenseitiger Anerkennung und Förderung begreifen? Etwa dergestalt, daß die Theologie des Alten Testaments auf bestimmter kanonischer Grundlage Wesen, Wirken und Wahrheit des Gottes Israels im kritisch geprüften, vielstimmigen Chor der Glaubenszeugen zu Gehör bringe und daß die Religionsgeschichte Israels unter kritischem Gebrauch aller verfügbaren literarischen (und auf keinen Fall zuvörderst der kanonisch filtrierten altestamentlichen) Quellen sowie der materialen und ikonographischen Hinterlassenschaft die Entwicklung der Religion Israels von den Anfängen bis zu ihrem Übergang in neue religiöse Konstellationen rekonstruiere und deskribiere?[3] Hier soll ein klares Plädoyer für dieses Verhältnis gegenseitiger Anerkennung beider Disziplinen erfolgen. Die Religionsgeschichte Israels als kritische genetische Rekonstruktion wird einerseits von der Theologie des Alten Testaments anerkannt und fruchtbar rezipiert, nicht als ihre Voraussetzung, sondern als Dokumentation der vielen realisierten religiösen Möglichkeiten, von denen in der kanonisch gegründeten Theologie des Alten Testaments nur wenige verbindlichen Charakter gewonnen haben. Andererseits erkennt die Religionsgeschichte Israels an, daß die von ihr kritisch deskribierte Vielfalt der Glaubenszeugnisse eine Vielfalt von Wahrheitsansprüchen darstellt, die

---

[2] Diese Position wird von R. ALBERTZ, Religionsgeschichte Israels statt Theologie des Alten Testaments! Plädoyer für eine forschungsgeschichtliche Umorientierung, JBTh 10 (1995) 3-24 vertreten. Daran hat sich eine lebhafte Debatte angeschlossen, die in zwei Bänden des Jahrbuchs für Biblische Theologie gut dokumentiert ist: JBTh 10 (Religionsgeschichte Israels oder Theologie des Alten Testaments?) und JBTh 12 (Biblische Hermeneutik); vgl. ferner BARR, Concept, 123-139.

[3] Die hier vorgenommene Bestimmung des Unterschieds beider Disziplinen ist zwar nicht mit derjenigen von BARR identisch, liegt aber auf derselben Linie: „The one, Old Testament theology, is related to *certain texts* and to the theology *implied* by them; the other, the history of religion, is related to a large social and intellectual field, for which these texts are part of the evidence... Thus the history of Israel's religion must give equal weight to all aspects and manifestations of that religion, as the Hebrew Bible and other sources reveal them. A theology of the Old Testament ... takes its stand alongside the dominant viewpoint or viewpoints which the Old Testament, or its major currents or elements, represents ... it wants to know in what respects they are (generally, not necessarily universally) 'good' and 'right'" (Concept, 133). „It remains to indicate another reason which may justify or explicate the continuance of biblical theology as a discipline distinct from, though overlapping with, the history of religion ...: that the history of religion, taken in itself, does not organize the material into a form suitable for the asking of the question of *truth*... A limited body of text or texts makes that question more intelligible. In this sense the existence of a *canon* proves itself to be convenient, whether this was the reason for its existence or not ... that a body of ancient texts should be interrogated for their 'theology' seems to me a perfectly proper and reasonable academic undertaking. Even accepting the maximum possible place for history of religion, I do not see that it can perform this task for us" (136).

nur durch eine normative Selektion der Wahrnehmung einer bestimmten Wahrheit zugeführt werden kann. Man kann den Übergang von der Religionsgeschichte Israels zur Theologie des Alten Testaments nachgerade als den Übergang von der Pluralität der Wahrheitsansprüche zur verbindlichen Wahrnehmung eines Wahrheitsanspruches begreifen. Die Bindung an einen bestimmten Wahrheitsanspruch erschließt die Wahrheit des gewählten Zugangs allererst in seiner Tiefe. Der Sache nach verlangt die Wahrheit nun einmal den Singular und nicht den Plural. Dieser Einsicht wird sich gerade theologische Wahrnehmung nur um den Preis der Selbstaufgabe verschließen können. Damit ist keine Apperzeptionsverweigerung oder gar Intoleranz gegenüber gleichzeitig bestehenden verbindlichen Wahrheitswahrnehmungen anderer Art durch andere Personen oder Gruppen verbunden. Menschen steht zur Auseinandersetzung über ihr jeweiliges Wahrheitsverständnis das Wort zur Verfügung, nicht das Schwert. Seine eine Wahrheit in Geltung setzen, kann nur Gott allein. Wollten Menschen mit welchen Mitteln auch immer es versuchen, erlägen sie der Versuchung der Selbstvergötterung und hätten damit sowohl Gott als auch das Menschsein verloren.

Im umrissenen Horizont wüßte selbstkritisch betriebene, ihre Grenzen erkennende Religionsgeschichte Israels, daß sie zur verbindlichen Wahrnehmung von einem der von ihr deskribierten Wahrheitsansprüche hinführen wird, wenn sie die Texte in ihrem Eigenanspruch ernst nimmt. Eine Realisierung solcher verbindlichen Wahrnehmung ist die Darstellungsform der Theologie des Alten Testaments. Andere Bestimmungen des fruchtbaren Miteinanders von Theologie des Alten Testaments und Religionsgeschichte Israels sind möglich und vorgenommen worden. Hier soll unter Voraussetzung der gegenseitigen kritischen Inanspruchnahme von Religionsgeschichte Israels und Theologie des Alten Testaments als jeweils notwendigen und selbständigen Disziplinen konzeptionell weiterzudenken versucht werden.

Wäre es für die Religionsgeschichte Israels geradezu abträglich, ihre Quellenbasis durch bestimmte Vorentscheidungen einengen zu wollen, setzt die verbindliche Wahrnehmung in der Disziplin der Theologie des Alten Testaments die definitive Bestimmung der Schriften voraus, auf deren Grundlage Gottes wahres Wesen und Wirken zur Darstellung kommen soll. Die Bezeichnung Theologie des Alten Testaments deutet, wenn sie wie hier theologisch bewußt gebraucht wird, bereits auf die Vorentscheidung hin, dieses Unternehmen als Teildisziplin einer Theologie der christlichen Bibel, auch Biblische Theologie genannt, zu betreiben.[4] Als Alternative dazu gibt es le-

---

[4] Vgl. besonders B. S. CHILDS, Biblical Theology of the Old and New Testaments. Theological Reflection on the Christian Bible, London 1992. Die Kritik von BARR (Concept, 401-438) an CHILDS ist im Blick auf die Durchführung seiner Biblischen Theologie durchaus bedenkenswert. Das theologische Recht dieser Konzeption wird dadurch jedoch nicht tangiert.

diglich ein Unternehmen, das Theologie der Jüdischen Bibel oder auch – weniger glücklich – Theologie der Hebräischen Bibel genannt werden kann. An der überlegten Wahl der Worte liegt im einen wie im anderen Fall die klare Erfassung der theologischen Problemstellung. Deshalb ist die Nennung der Adjektive jüdisch bzw. christlich in Verbindung mit dem auszulegenden Buch von Bedeutung, weil durch sie deutlich wird, daß unterschiedliche Bibeln der jeweiligen Theologie zugrunde liegen und daß die Wahrnehmung des in der jeweiligen Bibel beschlossenen Wahrheitsanspruchs nur im Raum der jeweiligen Glaubensgemeinschaft, der jüdischen oder der christlichen, sinnvoll expliziert werden kann. In „der Schrift" ergehendes Wahrheitszeugnis, eine von dieser Wahrheit in Anspruch genommene Glaubensgemeinschaft und ein die Ursprungsnähe zum Wahrheitszeugnis sichernder Schriftenkanon gehören unabdingbar zusammen. Theologie des Alten Testaments will dieses Wahrheitszeugnis im kritischen Erklären und anerkennenden Verstehen der biblischen Zeugen der Wahrheit Gestalt gewinnen lassen, so gut es subjektiver theologischer Einsicht, die sich der christlichen Glaubensgemeinschaft verbunden weiß, zugänglich ist. Sie tut es im Respekt vor dem unterschiedlichen Wahrheitsanspruch der jüdischen Glaubensgemeinschaft. Bei ihrer eigenen Wahrnehmung des Wahr-heitszeugnisses tut sie es in bleibender Bindung an den anderen Teil der christlichen Bibel, das Neue Testament, dem das Alte Testament seinen Namen und die Erkenntnis seines eigenen Wahrheitszeugnisses verdankt. Die Notwendigkeit einer Theologie des Alten Testaments ergibt sich also von der Theologie des Neuen Testaments her, und die Selbständigkeit der Disziplin ist theologisch begrenzt durch die Teilnahme am Wahrheitszeugnis der ganzen christlichen Bibel.[5] Wer in diesen Voraussetzungen eine wissenschaftliche Einengung oder gar einen Maulkorb erkennen will, wird über die Grundvoraussetzungen biblischer Hermeneutik Klarheit gewinnen müssen. Dazu gehört, daß es weder wertfreies noch in unterschiedlichen Wertsystemen vagabundierendes Verstehen gibt, das den Namen verdient. Verstehen kann nur, wer vom zu verstehenden Gegenüber oder Gegen-

---

[5] Vgl. B. BOTTE – P.-M. BOGAERT, Septante et versions Grecques (DBS 12), Paris 1996, 536-692; H. FREIHERR VON CAMPENHAUSEN, Die Entstehung der christlichen Bibel (BHTh 39), Tübingen 1968; M. HARL – G. DORIVAL – O. MUNNICH, La Bible grecque des Septante: Du Judaïsme hellénistique au Christianisme ancien, Paris 1988; E. E. ELLIS, The Old Testament in Early Christianity (WUNT 54), Tübingen 1991; M. MÜLLER, Kirkens første Bibel. Hebraica sive Graeca veritas?, Frederiksberg 1994 (Englische Übersetzung: The First Bible of the Church. A Plea for the Septuagint [JSOT.S 206], Sheffield 1996); D. TROBISCH, Die Endredaktion des Neuen Testaments. Eine Untersuchung zur Entstehung der christlichen Bibel (NTOA 31), Fribourg – Göttingen 1996; J. W. WEVERS, The Interpretative Character and Significance of the Septuagint Version, Hebrew Bible/Old Testament. The History of its Interpretation Vol. 1/1, hg. von M. Sæbø, Göttingen 1996, 84-107; vgl. die Antwort an M. Müller von K. JEPPESEN, Biblia Hebraica – et Septuaginta, DTT 58 (1995) 256-266 (Dänisch); SJOT 10 (1996) 271-281 (Englisch); vgl. ebenso die Beiträge in: Kristna tolkningar av Gamla Testametet, hg. von B. Olsson, Stockholm 1997.

stand eingenommen ist und seine ratio essendi in kritischer Bejahung zu ergründen sucht. Das gilt nicht nur für die Theologie, sondern für jede Geisteswissenschaft, die zu ihrer Aufgabe nicht nur ein rein technisches Verhältnis pflegt.

Außer dem Unterschied in der Wahrnehmung des Wahrheitsanspruches der biblischen Schriften, die sich folgerichtig in unterschiedlichen Kanonbildungen Ausdruck verschafft hat, müssen wegen der kanonischen Konzeption der Theologie des Alten Testaments auch die verschiedenen Kanonbildungen im christlichen Raum bedacht werden. Da die Mutter aller dieser Kanonvariationen die Septuaginta ist, haben sie geringere Bedeutung als der Unterschied zwischen hebräischem und griechischem Kanon. Dabei sollte nicht vergessen werden, daß auch die Septuaginta ursprünglich eine jüdische Bibel, nämlich die des griechisch sprechenden Diasporajudentums gewesen und allererst zur Bibel der Christen geworden ist. Die Anordnung der biblischen Bücher in der Septuaginta ist in der Spätantike nicht einheitlich. Das Arrangement des Codex Vaticanus läßt die Intention erkennen, die pentateuchische Gründungsgeschichte und Gesetzgebung in den historischen Büchern im Blick auf die Vergangenheit des Gottesvolkes, in den poetischen Büchern im Blick auf seine Gegenwart und in den prophetischen Büchern im Blick auf seine Zukunft und durch die Endposition des Danielbuches im Blick auf das kommende Gottesreich auszulegen. Vielleicht spiegelt sich darin das Profil eines eschatologisch orientierten Judentums wider, das der göttlichen Ratifizierung der prophetischen Verheißungen entgegenblickt. Die Ordnung des neutestamentlichen Kanons reflektiert in der Abfolge von Evangelien, Apostelgeschichte, Briefen und Apokalypse eine ähnliche Konzeption, nun allerdings als Selbstverständnis des christlichen Gottesvolkes, das sich selbst freilich überhaupt nicht verstehen kann und will ohne die Geschichte des jüdischen Gottesvolkes.[6]

---

[6] Die unterschiedliche Anordnung der alttestamentlichen Schriften in der Septuaginta läßt sich exemplarisch an den drei berühmten Codices Sinaiticus, Vaticanus (beide 4. Jahrhundert) und Alexandrinus (5. Jahrhundert) studieren. Allen ist gemeinsam, daß sie Daniel in das schriftprophetische Corpus integriert haben, um dadurch das Verständnis der Prophetie als Weissagung zukünftiger Ereignisse zu unterstreichen. Diese Intention wird weiterhin durch die Tendenz unterstützt, die Schriftprophetie an das Ende der alttestamentlichen Schriftensammlung zu stellen. Der Codex Vaticanus bezeugt diese Anordnung wohl in Anlehnung an Athanasius (vgl. A. RAHLFS, Alter und Heimat der vaticanischen Bibelhandschrift, NGWG.PH 1899, 72-79) Daß sie erst unter christlichem Einfluß entstanden wäre, ist nicht völlig auszuschließen, allerdings sind jüdische Wurzeln nicht unwahrscheinlich, da die Anordnung bereits in den Listen der biblischen Schriften bei Melito von Sardes (2. Jahrhundert) und im Wesentlichen auch bei Origenes (3. Jahrhundert) bezeugt ist. Die Anordnung der alttestamentlichen Schriften in den genannten Codices und in den patristischen Listen ist zu finden bei H. B. SWETE, An Introduction to the Old Testament in Greek, Cambridge 1902; Nachdruck New York 1968, 200-214; zu den Quellen und zum Problem vgl. M. HENGEL (unter Mitarbeit von R. DEINES), Die Septuaginta als ‚christliche Schriftensammlung‘, ihre

Die bleibende Bedeutung der Septuaginta und der ihr eigenen theologischen Konzeption ist in der orthodoxen und katholischen Kirche besser bewahrt worden als in den Kirchen der Reformation, die mit dem entschlossenen Rückgriff auf das hebräische Alte Testament zwar viel für die Wiedergewinnung seines anfänglichen Schriftsinnes getan, aber durch die Einstufung der nur griechisch bekannten bzw. von vornherein griechisch verfaßten alttestamentlichen Schriften als Apokryphen die fruchtbare und für das sich bildende Christentum schlechterdings entscheidende Synthese von Judentum und Hellenismus aus dem alttestamentlichen Kanonteil verbannt haben. Eine Theologie des Alten Testaments, die sich als Teil einer Biblischen Theologie versteht, wird der griechischen Gestalt des Alten Testaments dieselbe Beachtung wie der hebräischen schenken müssen, wenn sie sich selbst nicht der theologischen Anreicherung berauben will, die das hellenistische Judentum für das Alte Testament bedeutet hat. Erst dadurch ist der Weg zur christlichen Bibel entscheidend gebahnt worden. Ursprungsnähe und Authentizität hängen nicht allein an der hebräischen Sprache, sondern ebenso am Traditionsprozeß, in dem manche theologische Einsichten allererst zu Reife und Tiefe gelangt sind.

Diese thesen- und skizzenhafte Präsentation der Voraussetzungen einer Theologie des Alten Testaments ist die Grundlage des folgenden Entwurfs. In ihm soll in vier Schritten versucht werden, dem hebräischen und dem griechischen Schriftenkanon in gleicher Weise gerecht zu werden.

2. Der Ursprung: Gottes Selbstbestimmung zur Liebe

Es mag verwunderlich erscheinen, Gottes Selbstbestimmung zur Liebe als Ursprung einer Theologie des Alten Testaments zu bezeichnen. Eher würde man hinter dieser Charakterisierung eine Theologie des Neuen Testaments vermuten. Nun ist nach den dargelegten Voraussetzungen einer Theologie des Alten Testaments als Teil einer Biblischen Theologie klar, daß ihre Wahrheit unter Absehung von der Theologie des Neuen Testaments gar nicht zu bestimmen ist. Deshalb wird Gottes Selbstbestimmung zur Liebe mit der theologischen Kategorie des Ursprungs, nicht mit der historischen Kategorie des Anfangs bezeichnet. Gottes Selbstbestimmung zur Liebe manifestiert sich in seinem ewigen Beschluß zu einem besonderen Liebesverhältnis zu den Menschen, welches in einer einmaligen und unaustauschbaren Liebesgeschichte, Gottes Liebe zu Israel, Gestalt gewinnt. Dies wird im Alten Testament erst vom Christusereignis her, das im Neuen Testament bezeugt ist, offenkundig. Dadurch wird nichts Fremdes an das Alte Testament herangetragen, sondern

---

Vorgeschichte und das Problem ihres Kanons, in: Die Septuaginta zwischen Judentum und Christentum, hg. von M. Hengel – A. M. Schwemer (WUNT 72), Tübingen 1994, 182-284.

seine eigene Grundaussage innerhalb einer Biblischen Theologie kongenial zum Vorschein gebracht. Das Neue Testament ist hermeneutisch der Mäeut des Alten Testaments, und das Alte Testament ist geschichtstheologisch der Mutterboden des Neuen Testaments (vgl. Hebr 1,1-2).

Innerhalb der alttestamentlichen Traditionsbestände hat die Liebesgeschichte ihren Ursprung im Pentateuch. Wer die Theologie des Pentateuch auf den prägenden Traditionsstufen erfassen will, wird sich nicht auf Jhwh als Nomadengott oder Berggott konzentrieren dürfen, welcher auf einem langen Weg zunächst der Koexistenz, sodann des Kampfes mit anderen Gottheiten seine monotheistische Anerkennung durchgesetzt hat. Dies wäre Thema einer Religionsgeschichte Israels. Vielmehr wird man auf der Basis des mit der deuteronomistischen Theologie erreichten Monotheismus sein Augenmerk darauf richten müssen, bei welchen theologischen Inhalten das Schwergewicht der Komposition des Pentateuch liegt. In dieser Hinsicht liegt auf der Hand, daß sowohl in der deuteronomistischen als auch in der priesterschriftlichen Komposition der Sinaiüberlieferung die entscheidende Bedeutung zukommt. In ihrer deuteronomistischen Gestalt ist sie durch die Konfrontation von Theophanie, Bundesbuch, Bundesschluß und Gottesschau mit Israels Bundesbruch geprägt, welcher in der Anbetung des Goldenen Kalbes besteht. Am Ort der „Uroffenbarung" prallt der Anspruch des aus Ägypten rettenden und in der Wüste bewahrenden Gottes sogleich auf die „Urschuld" Israels, den Seitensprung mit anderen Göttern. Es gibt die Liebesgeschichte Gottes mit Israel nicht ohne Liebesverrat und Untreue. In den Ursprung dieser Beziehung ist die Frage eingezeichnet, wie Gott in Israel angesichts der Untreue überhaupt bleibend gegenwärtig sein kann – zum Heil, nicht zum Unheil.

In der Situation der verratenen Liebe sagt der Gott Israels selbst, natürlich in der Vermittlung seiner deuteronomistischen Zeugen, wer er seinem Wesen nach ist und wie er an Israel zukünftig zu handeln gedenkt:

(6) Der HERR zog vor ihm vorüber und rief: Der HERR, der HERR, ein barmherziger und gnädiger Gott, langmütig und von großer Liebe und Treue, (7) der Liebe bewahrt den Tausenden, der Schuld, Frevel und Sünde vergibt, aber gewiß nicht ungestraft läßt, der (vielmehr) heimsucht die Schuld der Väter an den Söhnen und Enkeln, am dritten und am vierten Glied (Ex 34,6f.).[7]

---

[7] Vgl. die Auslegung von Ex 34,6f. im Kontext von Ex 32-34 bzw. 19-34, bei E. AURELIUS, Der Fürbitter Israels. Eine Studie zum Mosebild im Alten Testament (CB.OT 27), Stockholm 1988, 91-126; E. ZENGER, Wie und wozu die Tora zum Sinai kam: Literarische und theologische Beobachtungen zu Exodus 19-34, in: Studies in the Book of Exodus, hg. von M. Vervenne (BEThL 126), Leuven 1996, 265-288. Die in Ex 34,6f. vorliegende geprägte Formulierung ist analysiert und als (erweiterte) Gnadenformel bezeichnet worden durch H. SPIECKERMANN, „Barmherzig und gnädig ist der Herr...", ZAW 102 (1990) 1-18 (= s.o. 3-19.); vgl. ferner C. DOHMEN, Der Sinaibund als Neuer Bund nach Ex 19-34, in: Der Neue Bund im Alten, hg. von E. ZENGER (QD 146), Freiburg 1993, 51-83; zu den einzelnen Elementen der Gnadenformel vgl. die Artikel in den theologischen Wörterbüchern: H. J.

Gott antwortet auf Israels Liebesverrat mit der Bekräftigung seiner Liebe und Treue. Zwar erfolgt diese Bekräftigung in der dritten Person, wodurch deutlich wird, daß sie ursprünglich als hymnische Formel wahrscheinlich im kultischen Gotteslob gebraucht worden ist. In Ex 34 findet man sie aber bewußt als Gottes eigene Rede ausgewiesen, weil angesichts der Ursünde der Idolatrie nur Gott selbst sagen kann, worin er für Israel wahrhaft und wesentlich erfahrbar bleiben will. Gott bleibt Israel treu, indem er seiner Selbstbestimmung zur Liebe treu bleibt. Seine Liebe ist freilich fortan durch den Bundesbruch gezeichnete Liebe. Im Zeichen des Verrates nimmt sie die Gestalt der Barmherzigkeit und Gnade an, der Distanz zum Zorn und der Vergebungsbereitschaft für Tausende, d. h. für unbegrenzt viele Generationen, ohne daß die auf vier Generationen begrenzte Strafe unterbliebe. Nicht jedoch die begrenzte Strafe, die hier offensichtlich die (wie auch immer gezählten) Exilsgenerationen im Gefolge der Schuld der Väter erleben, ist das Verwunderliche, sondern die dazu in bemerkenswerter Asymmetrie stehende unbegrenzte Liebe Gottes, mit der er Israel die Treue hält. Er bekräftigt diese Selbstbestimmung sogleich in einem neuen Bundesschluß und in einer erneuten Proklamation seines Rechtswillens (cf. Ex 34,10-27).[8]

Gottes bleibende Selbstbestimmung zur Liebe in Ex 34,6f. hat, bevor sie an dieser entscheidenden Stelle positioniert wurde, eine Geschichte gehabt, die weit in die kanaanäische Religion zurückreicht. In einer Religionsgeschichte Israels hätte die Darstellung dieser Vorgeschichte ihren Platz. In einer Theologie des Alten Testaments ist hingegen entscheidend, auf welche Weise mit dieser Selbstbestimmung Gottes in Ex 34,6f. im Alten Testament

---

STOEBE, Art. רחם, THAT 2 (1979²) 761-768; H. SIMIAN-YOFRE – U. DAHMEN, Art. רחם, ThWAT 7 (1993) 460-477; H. J. STOEBE, Art. חנן, THAT 1 (1978³) 587-597; D. N. FREEDMANN – J. LUNDBOHM – H.-J. FABRY, Art. חנן, ThWAT 3 (1982) 23-40; E. JOHNSON, Art. ארך אפים, ThWAT 1 (1973) 388-389; H. J. STOEBE, Art. חסד, THAT 1 (1978³) 600-621; H.-J. ZOBEL, Art. חסד, ThWAT 3 (1982) 48-71. Die gegenwärtige Debatte um das angemessene Verständnis von חסד ist vorangebracht worden durch K. D. SAKENFELD, The Meaning of Hesed in the Hebrew Bible: A New Inquiry (HSM 17), Missoula, Montana 1978; E. KELLENBERGER, häsäd wäᵃmät als Ausdruck einer Glaubenserfahrung (AThANT 69), Zürich 1982; G. R. CLARK, The Word Hesed in the Hebrew Bible (JSOT.S 157), Sheffield 1993 (Lit.); vgl. außerdem die einen Überblick gewährenden Artikel von J. S. KSELMAN, Art. Grace, AncBD 2 (1992) 1084-1086; K. D. SAKENFELD, Art. Love, AncBD 4 (1992) 375-381; H. SPIECKERMANN, Art. Gnade/Gnade Gottes II. Altes Testament, RGG⁴ 3 (2000) 1024-1025.

[8] Die kontroverse Diskussion um das sog. Privilegrecht wird dokumentiert und evaluiert von F.-L. HOSSFELD, Das Privilegrecht Ex 34,11-26 in der Diskussion, in: Recht und Ethos im Alten Testament – Gestalt und Wirkung (FS H. Seebass), hg. von S. Beyerle u.a., Neukirchen-Vluyn 1999, 39-59; C. KÖRTING, Der Schall des Schofar. Israels Feste im Herbst (BZAW 285), Berlin – New York 1999, 34-38; E. OTTO, Deuteronomium und Pentateuch, Zeitschrift für Altorientalische Rechtsgeschichte 6 (Wiesbaden 2000) 222-284, 253-258.

selbst Theologie getrieben worden ist.[9] In vielen Situationen, in denen die Liebe zwischen Gott und Israel bzw. zwischen Gott und dem einzelnen Israeliten auf dem Spiel steht, wird auf diese Formulierung Bezug genommen. Dies gilt für den Pentateuch im Umkreis der Sinai- bzw. Horeboffenbarung, für die Prophetie seit der spätvorexilischen Zeit, für den Psalter sowie die nachexilische Geschichtsschreibung und Weisheitsliteratur.

Im Kernbestand proklamiert die Gnadenformel den Gott Israels als Gott der Liebe und Treue. Der entscheidende Begriff im Hebräischen lautet חסד nicht selten – wie in Ex 34,6 – erläutert durch אמת.[10] Die Wiedergabe beispielsweise in den deutschen und englischen Bibelübersetzungen dokumentiert eine gewisse semantische Spannbreite: „Gnade und Treue"[11] „Huld und Treue"[12], „abundant in goodness and truth"[13], „steadfast love and faithfulness".[14] Gelehrte Bemühungen haben weitere semantische Komponenten ermittelt und zu mancherlei Spekulationen über die Grundbedeutung geführt. Für den theologischen Gebrauch von חסד trägt dies nicht viel aus. Bei ihm sind semantisches Zentrum und zugehörige Peripherie gut zu unterscheiden. Ins Zentrum gehören die Begriffe Liebe, Gnade, Güte. In unterschiedlichen

---

[9] Die Gnadenformel ist an folgenden Stellen belegt: Joel 2,13; Jon 4,2; Ps 86,15; 103,8; 145,8; Neh 9,17; die erweiterte Fassung liegt in unterschiedlicher Form vor in Ex 34,6-7; 20,5-6 = Dtn 5,9-10; 7,9-10; Anspielungen auf die Formel können häufig mit Grund vermutet, aber nicht immer hinreichend argumentativ erhärtet werden. Zu den in Frage kommenden Belegen gehören Dtn 4,31; Ex 33,19; Num 14,18; Jes 48,9; 54,7-8; 63,7; Jer 15,15; 32,18; Mi 7,18; Nah 1,2-3; Ps 78,38; 86,5; 99,8; 111,4 zusammen mit 112,4; 116,5; Dan 9,4; Neh 1,5; 9,31-32; II Chr 30,9; Sir 2,11; 5,4-7.

[10] Die Septuaginta übersetzt beide Nomina mit den Adjektiven πολυέλεος καὶ ἀληθινός „sehr barmherzig und wahr". Auf diese Weise besteht die Formel in Ex 34,6 aus fünf Adjektiven, von denen die ersten vier ganz auf den Grundton der Barmherzigkeit gestimmt sind. Damit entspricht die Septuaginta der Tendenz der jüngsten Zeugnisse des Alten Testaments und des antiken Judentums, Gottes rettende und heilsame Zuwendung als Erweis seiner Barmherzigkeit zu verstehen. Das fünfte Adjektiv in 34,6, ἀληθινός „wahr" artikuliert demgegenüber auf den ersten Blick einen anderen Aspekt. Tatsächlich handelt es sich jedoch um eine theologische Pointierung, die durch eine Ergänzung zu Beginn von 34,7 unterstrichen wird: καὶ δικαιοσύνην διατηρῶν „der Gerechtigkeit wahrt", um dann in Aufnahme des hebräischen Textes fortzufahren καὶ ποιῶν ἔλεος „und Barmherzigkeit übt". Gottes Barmherzigkeit ist Gottes wahres Wesen, in welchem Gerechtigkeit und Barmherzigkeit keine spannungsgeladenen Gegensätze (mehr) sind, sondern im Sachgehalt identische Begriffe. Der Gerechtigkeit wahrende Gott tut es auf die ihm allein eigene Art: durch seine Barmherzigkeit (zum hebräisch-alttestamentlichen Hintergrund vgl. Jer 9,23; Hos 2,21; 10,12; Ps 33,5; 36,11; 89,15; 103,4.17).

[11] Zürcher Bibel von 1531; Luther, 1545, auch revidierte Fassung von 1984; Deutsche Ausgabe der Jerusalemer Bibel von 1968.

[12] Zürcher Bibel (mit der Inkonsequenz, den sogleich zu Beginn von Ex 34,7 wiederaufgenommenen Begriff חסד mit „Gnade" zu übersetzen), Einheitsübersetzung; M. Buber – F. Rosenzweig, Die fünf Bücher der Weisung, Köln 1954.

[13] Authorized Version.

[14] (New) Revised Standard Version.

theologischen Kreisen und zu unterschiedlichen Zeiten sind durch Komplementierung weitere Deutungen vorgenommen worden, welche mit Hilfe der Begriffe Treue/Wahrheit (אמת/אמונה), Bund (ברית), Barmherzigkeit (רחמים) und Recht/Gerechtigkeit (צדקה/צדק/משפט) zum Ausdruck gebracht worden sind. Die in Revised Standard Version bevorzugte Wiedergabe von חסד durch „steadfast love" scheint der Sache am nächsten zu kommen. Da sie im Deutschen nicht zu imitieren ist, wird im Folgenden der Übersetzung „Liebe" der Vorzug gegeben.[15]

Im Blick auf die Selbstbestimmung Gottes zur Liebe in der Sinaiperikope durch Ex 34,6f. ist zunächst festzuhalten, daß an dieser zentralen Stelle im Pentateuch Gott nicht punktuell, sondern prinzipiell sein Verhältnis zu Israel bestimmt. Er tut es nicht vor aller geschichtlichen Erfahrung mit Israel, sondern mitten in der Krise seiner Liebesgeschichte mit Israel, nämlich im Angesicht des Liebesverrates. In dieser Situation nimmt Gottes Liebe die Gestalt der Treue und der zur Vergebung bereiten Barmherzigkeit an, nicht einmalig, sondern von nun an immer wieder.

Die Priesterschrift hat diese theologische Grundentscheidung aus der deuteronomistischen Konzeption der Sinaiperikope übernommen und die Konstituierung des Kultes ganz auf das Sühnehandeln konzentriert. Allein dadurch bleibt Gottes Gegenwart in Israel möglich.[16] Die Sühnetheologie der Priesterschrift in der Sinaiperikope ist die priesterliche Variante der deuteronomistischen Theologie von Gottes Liebe, Treue und Bund angesichts von Liebesverrat, Untreue und Bundesbruch. Eine letzte große Einflußnahme dieses Denkens ist in der Erzählung von Schöpfung und Fall in Gen 2-3 zu erkennen.[17] Dies ist freilich nur unter der plausiblen Voraussetzung möglich, daß dieser Text in seiner Endgestalt ein nachpriesterschriftliches Zeugnis ist. Gottes liebevolle Fürsorge für den Menschen und die Geburt vorbewußter Liebe beim ersten Menschenpaar sind vom Fall begleitet. Durch ihn betrifft

---

[15] Die eher seltene Parallelisierung von חסד mit אהבה „Liebe" ist kein Argument gegen, sondern für die vorgenommene semantische Präferierung, weil durch חסד Gottes Liebe offensichtlich angemessener als durch das „Allerweltswort" אהבה zum Ausdruck gebracht werden konnte. Zur theologischen Parallelisierung bzw. Kombination von חסד und אהבה/אהב vgl. Jer 2,2; 31,3; Mi 6,8; Ps 33,5. Eine wirkungsgeschichtlich einflußreiche Verbindung göttlicher und menschlicher Liebe: Gott erweist seinen חסד denjenigen, die ihm mit ihrer Liebe in Gestalt der Gesetzesobservanz begegnen: Ex 20,6 = Dtn 5,10; 7,9; Ps 119,159; Dan 9,4; Neh 1,5.

[16] Vgl. B. JANOWSKI, Sühne als Heilsgeschehen. Traditions- und religionsgeschichtliche Studien zur Sühnetheologie der Priesterschrift (WMANT 55), Neukirchen-Vluyn 2000², 277-362.

[17] Vgl. E. OTTO, Die Paradieserzählung Genesis 2-3, in: „Jedes Ding hat seine Zeit...". Studien zur israelitischen und altorientalischen Weisheit (FS D. Michel), hg. von A. Diesel u.a. (BZAW 241), Berlin – New York 1996, 167-192; H. SPIECKERMANN, Ambivalenzen. Ermöglichte und verwirklichte Schöpfung in Genesis 2f., in: Verbindungslinien (FS W. H. Schmidt), hg. von A. Graupner u.a., Neukirchen-Vluyn 2000, 363-376.(= s.o. 51-64).

die verhängnisvolle Verquickung von Liebe und Schuld die Menschheit von Anfang an, obwohl, literatur- und theologiegeschichtlich betrachtet, der Ursprung verratener Liebe in Gottes Verhältnis zu Israel am Sinai liegt. Doch durch Gen 2-3 geht nun in der Endgestalt des Pentateuch der Anfang dem Ursprung bewußt voran, so daß, von der Urgeschichte her gesehen, Gott durch die Gründungsgeschichte mit seinem Volk in der sinaitischen Gnadenformel von Ex 34,6f. allererst zu seinem ursprünglichen Wesen kommt. Gott wird zum gnädigen Gott, weil er von seiner Liebe zu den Menschen nicht lassen will. Am Sinai gilt Gottes Selbstbestimmung zur Liebe allerdings allein Israel. Sein Verhältnis zu den Völkern und zur Welt bleibt vorerst noch offen.

3. Leben in Gottes rettender Gegenwart: der Psalter

Die Bewährung der Selbstbestimmung Gottes zur Liebe in der Ursprungssituation am Sinai hat für das Leben coram Deo in Israel prägende Kraft gehabt. Sowohl das Volk als auch das Individuum haben sich nie anders als in der bleibenden Angewiesenheit auf den rettenden Gott verstanden. Dies ist in den Literaturbeständen des Psalters und der Weisheit reichlich bezeugt. Leben coram Deo steht hier einerseits im Horizont des Gebetes und andererseits im Horizont der Erfahrung, die durch Welterkenntnis zu Gotteserkenntnis werden will. Der kultisch-spirituelle und der religiös-intellektuelle Kontext haben je eigene theologische Denk- und Sprachformen geschaffen, die sich gemeinsam durch ihre jahrhundertelange Selbständigkeit und theologische Prävalenz in vorexilischer Zeit auszeichnen.[18] Damit hat heilsgeschichtlich bestimmte Theologie, sofern es sie überhaupt schon in nennenswerter Gestalt gab, kaum konkurrieren können.[19] Erst in nachexilischer Zeit sind diese unterschiedlichen Konzeptionen in eine Synthese eingemündet. In einer Religionsgeschichte Israels stünden Israels markante Bindung an Kult und Weisheit des Alten Orients sowie die vielfältigen theologischen Adaptionsprozesse im Mittelpunkt. In einer Theologie des Alten Testament ist hingegen von Interesse, welche theologischen Kräfte die unterschiedlichen Konzeptionen in der

---

[18] Vgl. H. SPIECKERMANN, Heilsgegenwart. Eine Theologie der Psalmen (FRLANT 148), Göttingen 1989; DERS., What is Wisdom? The Evidence in the Book of Proverbs, SvTK 77 (2001) 13-21; auch hier gibt es Berührungen mit J. BARR (Concept, 146-171.468-496), die allerdings intensiverer Erörterung bedürften.

[19] Vgl. die in dieser Hinsicht instruktiven Arbeiten von K. SCHMID, Erzväter und Exodus. Untersuchungen zur doppelten Begründung der Ursprünge Israels innerhalb der Geschichtsbücher des Alten Testaments (WMANT 81), Neukirchen-Vluyn 1999; J. C. GERTZ, Tradition und Redaktion in der Exoduserzählung. Untersuchungen zur Endredaktion des Pentateuch (FRLANT 186), Göttingen 2000; R. G. KRATZ, Die Komposition der erzählenden Bücher des Alten Testaments (UTB 2157), Göttingen 2000, 226-313.

Bindung an den einen Gott Israels zusammengeführt und zusammengehalten haben.

Es scheint nicht unplausibel zu sein, eine wesentliche theologische Kraft in der Vorstellung zu erkennen, die in der Krise am Sinai Gottes Selbstbestimmung zur Liebe auf den Begriff bringt: חסד. Der Begriff, zuweilen in der Anreicherung חסד ואמת „Liebe und Treue", gehört zu den theologischen Schlüsseln des Psalters. Das ist bereits durch die Statistik evident. Von den 245 Belegen für חסד sind 127 im Psalter zu finden, unter ihnen 124 bezogen auf Gottes חסד. Damit ist keine Belegfrequenz in einer anderen Schrift des Alten Testaments zu vergleichen. Die Belege im Psalter sind unter den 150 Psalmen auf 54 Texte verteilt. Abgesehen von dem Responsorium Ps 136 (26 Belege in dem stets wiederkehrenden Kolon „denn seine Liebe währt in Ewigkeit") gibt es keinen signifikanten Belegschwerpunkt. Vielmehr gehört der Begriff zu den theologischen Fundamentalkategorien der Psalmtheologie, welcher wie die Psalmen überhaupt im Laufe der Jahrhunderte theologische Anreicherungsprozesse durchgemacht hat.

So kann man in der Individualklage von Ps 61 noch eine Erinnerung an die vorexilische Vorstellung von חסד vermuten.[20] Der Beter bittet, Gott möge sein durch Unterwelt und Feinde bedrohtes Leben wieder in seinen Schutz nehmen. Diese Geborgenheit verdichtet sich in der Metapher vom ewigen Weilen in Gottes Zelt, ein Bild für den Tempel, der Gottes Gegenwart birgt und spendet, ohne daß mit dem Weilen in Gottes Zelt eine Existenz hinter Tempelmauern verbunden wäre. Weilen in Gottes Zelt oder im Schutz seiner Flügel kann jeder, der die Ausstrahlung Gottes vom Tempel her seine Lebensmitte sein läßt. Ganz organisch fügt sich in diesen Psalm die Bitte um ein langes Leben für den König und sein Weilen in der Gottesgegenwart ein (61,7-8).[21] Denn der Jerusalemer König als Mandatar Gottes auf Erden ist

---

[20] Vgl. zu Ps 61 F.-L. HOSSFELD – E. ZENGER, Psalmen 51-100 (Herders Theologischer Kommentar zum Alten Testament), Freiburg u.a. 2000, 168-176.

[21] So das zutreffende Urteil von J. BECKER, Die kollektive Deutung der Königspsalmen, ThPh 52 (1977) 561–578, 572 (= Studien zum Messiasbild im Alten Testament, hg. von U. Struppe [SBAB 6], Stuttgart 1989, 291-318, 308-309). Allerdings stürzt ihn der Gedanke, was „ein Verfasser oder Bearbeiter der königlosen Zeit" (572 bzw. 308) sich bei diesem Psalm gedacht haben könnte, in Zweifel an seinem eigenen Urteil. Das ist jedoch gar nicht nötig. Der Passus über den König ist hier so gut wie in anderen Psalmen auf das Volk hin verstanden worden, ohne daß diese kollektive Lesart durch Fortschreibungen angeregt werden mußte. Es ist überhaupt nicht zwingend, die Aussage „du hast den Besitz denen gegeben, die deinen Namen fürchten" in 61,6b als Schritt über die Sphäre des individuellen Beters hinaus zu verstehen. Vielmehr ist das Bild vom Besitz ganz auf den Tempel gemünzt wie alle vorhergehenden Metaphern auch. Daß es in späterer Zeit auch mit anderen Konkretionen verbunden werden konnte, versteht sich von selbst.

Das Verständnis des Wörtchens מן in 61,8 bereitet Schwierigkeiten. Viele Verständnismöglichkeiten und Emendationen sind erdacht worden, vgl. die Auswahl etwa bei C. A. BRIGGS – E. G. BRIGGS, A Critical and Exegetical Commentary on the Book of Psalms Bd.

Segensmittler par excellence. Wenn ihn ואמת חסד „Liebe und Treue" behüten, vermag er diese Gottesgaben auch an sein Volk zu übermitteln. Dies geschieht zum Beispiel durch gerechte Herrschaft, wie der ähnlichen Formulierung in Prov 20,28 zu entnehmen ist.[22] Auch in Ps 89,15 haben חסד ואמת eine ähnliche Funktion. Im Parallelismus membrorum sind hier צדק ומשפט „Gerechtigkeit und Recht" als Stützen des Gottesthrones genannt. Sie lassen den herausgehobenen Status dieser Wesen(heiten) als Attribute des Gottkönigs selbst erkennen.[23]

Von dem vorexilischen Stadium der Psalmtheologie läßt sich in Orientierung an der Vorstellung von Gottes חסד unschwer der Bogen zu den im Psalter dokumentierten Spätstadien spannen. Dabei wird in diesem Zusammenhang die Voraussetzung gemacht, daß in der Zwischenzeit die Selbstbestimmung Gottes zur Liebe in der Sinaiperikope literarisch Gestalt gewonnen hat. Dadurch wird erklärbar, daß auf dem Hintergrund dieser theologischen Neugestaltung an entscheidendem Ort die Stellung von Gottes חסד als theologischem Schlüsselbegriff, der Gottes Wesen und Wirken umfassend erhellt, auch im Psalter weiter zu verstärken. So geschieht es in Ps 136. Das Responsorium prädiziert in einer Inclusio den universal herrschenden und welterhaltenden Schöpfergott (136,2-9.25) und nimmt in die Mitte den Gott der Heilsgeschichte, der in Exodus, Führung in der Wüste, Landgabe und Befreiung aus jedweder Erniedrigung für sein Volk gehandelt hat und – man beachte die hymnischen Partizipien (136,4-7.10.13.16-17.25) – immer wieder handeln wird. Jede der einzelnen göttlichen Wundertaten (136,4) ist Erweis seines ewigen Wesens, welches in dem Wort חסד beschlossen liegt. In Schöpfung und Geschichte ist Gottes חסד überreich präsent. Menschen mit offenen Augen und Herzen, nicht nur in Israel, können sich seiner Evidenz nicht entziehen. Dieser universale Anspruch wird in der äußeren Klammer des Psalms (136,1.26) mit einer Annäherung an das Wesen seines חסד verbunden. Der

---

2 (ICC), Edinburgh 1907, 67; G. RAVASI, Il Libro dei Salmi. Commento e Attualizzazione Bd. 2 (Lettura Pastorale della Bibbia), Bologna 1985, 242 A. 16. Um mehr als ein „piccolo enigma" handelt es sich in der Tat nicht, wohl am ehesten um „et tilfældigt Indskud i Teksten" (F. BUHL, Psalmerne. Oversatte og Fortolkede, København 1900, 405).

[22] Es ist aufschlußreich, daß die Gründung des Königsthrones בהסד in der Septuaginta mit ἐν δικαιοσύνῃ „in Gerechtigkeit" wiedergegeben wird. Das ist als Übersetzung sicherlich zu frei, der Sache nach aber tendenziell angemessen (vgl. Prov 16,12; 25,5).

[23] Haben diese Vorstellungen auch eine bis in die vorexilische Zeit zurückreichende Geschichte, ist Ps 89 in seiner vorliegenden Fassung eindeutig ein nachexilischer Text (vgl. M. EMMENDÖRFFER, Der ferne Gott. Eine Untersuchung der alttestamentlichen Volksklagelieder vor dem Hintergrund der mesopotamischen Literatur [FAT 21], Tübingen 1998, 203-239). Dasselbe gilt für die vergleichbaren Stellen Ps 85,11-14 (vgl. EMMENDÖRFFER, Der ferne Gott, 248-261) und 97,2 (vgl. J. JEREMIAS, Das Königtum Gottes in den Psalmen. Israels Begegnung mit dem kanaanäischen Mythos in den Jahwe-König-Psalmen [FRLANT 141], Göttingen 1987, 137-143).

Himmelsgott (השמים אל‎[24], 136,26) ist Jhwh, und dessen חסד ist טוב „gut"
(136,1). In der Perserzeit geschärfte Universalität der Gottesvorstellung verbindet sich mit genuin israelitischer Gottesidentität. Gottes חסד strahlt in die
Schöpfung als Gottes Gutsein aus, welches alle in persischer und bald in hel-
lenistischer Zeit als wahres göttliches Wesen verstehen können. Freilich ist
Gottes Gutsein vor allem Güte, wie die Septuaginta in Ps 136,1 (135,1 LXX)
durch die Übersetzung von טוב „gut" durch χρηστός „gütig" sachgemäß interpretiert.[25] In Konvergenz mit dem Gutsein (טוב) als Güte steht die in der
Septuaginta dominierende Übersetzung von חסד mit ἔλεος „Barmherzigkeit"[26], ein Verständnis, das sich bereits in der Parallelisierung von חסד und
רחמים „Barmherzigkeit" in jungen Psalmen angebahnt hat.[27] Gottes Liebe
muß als Güte und Barmherzigkeit erfahrbar werden, will sie die Menschen in
Israel erreichen, denen je länger je deutlicher bewußt wird, daß sie selbst zur
Gerechtigkeit unfähig (vgl. Ps 143,2) und deshalb ganz auf den gütigen und
barmherzigen Gott angewiesen sind.[28]

Der gütige und barmherzige Gott erweist sich in den Psalmen als der rettende Gott. Dieser Zusammenhang ist vielfach bezeugt. Vertraut der Beter auf
Gottes חסד, darf sein Herz über Gottes Hilfe jubeln (Ps 13,6). Was in vorexilischer Zeit bereits theologisch gilt, wird in nachexilischer Zeit in einen großen Beziehungsreichtum eingebettet. Gottes Liebe und Treue (חסד ואמת) bekennen, ist gleichbedeutend mit der Verkündigung von Gottes Gerechtigkeit
(צדקה), Wahrheit (אמונה) und Rettung (תשועה) (vgl. Ps 40,10-11). Diesen
Gott in seinem Wesen zu bekennen, heißt zugleich zweierlei: seinen Willen
zu tun (40,8-9) und um seine Barmherzigkeit zu bitten (40,12). Gottes Willen

---

[24] Vgl. השמים אלהי in Esr 1,2; Neh 1,4; 2,4.

[25] Die Wiedergabe von טוב (als Substantiv und als Adjektiv) durch χρηστός bzw.
χρηστότης ist für die Septuaginta durchaus nicht gewöhnlich. Die übliche Übersetzung erfolgt – wie zu erwarten – durch αγαθός, gefolgt in einigem Abstand durch καλός. Die Übersetzung durch χρηστός bzw. χρηστότης begegnet besonders konzentriert in den Psalmen,
natürlich ganz überwiegend zur Prädikation der Güte Gottes.

[26] Nach der Zählung der Septuaginta vgl. Ps 17,51; 20,8; 22,6 (ἔλεος als Wiedergabe von
טוב וחסד); 24,7.10; 30,8.17.22; 58,11.17.18 (אלהי חסדי wiedergegeben mit ὁ θεός μου, τὸ
ἔλεός μου) und mehr als siebzig weitere Belege allein im Psalter.

[27] Vgl. Ps 25,6; 40,12; 51,3; 69,17; 103,4; Belege außerhalb des Psalters: Jes 63,7; Jer
16,5; Hos 2,21; Sach 7,9; Lam 3,22; Dan 1,9.

[28] In Ps 86,5 wird Gottes Gutsein als seine Bereitschaft zur Vergebung expliziert (טוב
וסלח). Durch die Erwähnung von רב־חסד „reich an Liebe" in demselben Vers wird deutlich,
daß der Verfasser des Psalms um eine Neuinterpretation der Gnadenformel bemüht ist, welche in 86,15 als offensichtlich autoritativ gewordenes Traditum zitiert wird. Ähnlich liegen
die Verhältnisse in Ps 145,7-9, wo die Gnadenformel in 145,8 durch Gottes allen zuteil werdende Güte und Barmherzigkeit umklammert wird. Als drittes erläuterndes Element tritt
Gottes Gerechtigkeit hinzu, welche hier ganz im Sinne der heilsamen und gerechtmachenden
Zuwendung Gottes zum Menschen aufzufassen ist (vgl. SPIECKERMANN, „Barmherzig und
gnädig ist der Herr...", 12.16f. [= s.o. 3-19]).

zu tun, ist keine Last, sondern Lust (חפצתי). Er ist kundgetan in einer Buchrolle (מגלת־ספר) als Weisung (תורה), die nicht im Buch bleiben, sondern ganz in die Menschen kommen will, als Zuspruch und als Anspruch (כתוב עלי, 40,8). Oder mit demselben Psalm anders gesagt: Der Beter geht in dieses Buch gleichsam wie in Gottes Tempel hinein (הנה־באתי, 40,8; vgl. 73,17), weil in diesem wie in jenem Gott ganz gegenwärtig ist. Dieses Eingehen in die heilsame, rettende, gnädige Gottesgegenwart enthebt den Beter nicht Welt und Schuld, sondern führt zum liebevollen Ja zur Tora und zur Bitte um Behütung durch Gottes Liebe und Treue (40,12). Angesichts der Gnadenfülle im eigenen und in Israels Leben erkennt der Beter allererst, daß in der Welt und in ihm selbst des Bösen die Fülle ist, mehr als Haare auf seinem Haupt (40,13), so daß die freudige Verkündigung der gnädigen, rettenden Gerechtigkeit Gottes in die Bitte um die eigene Rettung mündet (40,13-18). Wie die Tora als Buch zeigt, daß Gottes Liebe in der Schuldgeschichte seines Volkes verläßlich bleibt, so zeigt der Psalter in seinen Endstadien der Buchwerdung in Anerkennung des Torabuches, daß Gottes Liebe nicht allein ein Topos der Nationaldogmatik Israels ist, sondern in der Schuldgeschichte eines jeden Israeliten heilsam gegenwärtig ist. Deshalb nennen sich die Beter prononciert אהבי תשועתך „Liebhaber deiner Rettung" (40,17 = 70,5).[29] Ohne die Macht von Gottes חסד, welche den Psalter insgesamt erfaßt hat, wäre dies nicht vorstellbar. Zugleich hat sie auch die Endgestalt der Schriftprophetie entscheidend beeinflußt und sie um wichtige theologische Einsichten angereichert.

4. Mit ewiger Liebe will ich mich deiner erbarmen: die prophetischen Bücher

Die Schriftprophetie ist der Traditionsbereich, der im Liebesverrat Israels seinen Ursprung hat. Schriftprophetie gäbe es nicht, wenn nicht Gott im 8. Jahrhundert v. Chr. das Ende des Volkes Israel durch Prophetenwort hätte verkünden lassen (vgl. Am 8,2). Darüber hinaus wäre Schriftprophetie zu keiner bestimmenden Tradition geworden, wenn Gott das prophetische Gerichtswort allein gnadenlos vollstreckt hätte. Was die Prophetenbücher widerspiegeln, ist Gottes Ringen um seine Liebe zu Israel angesichts des Liebesverrats. Sein Entschluß zur Vollstreckung des Gerichts steht in einer inneren Zerreißprobe mit seiner unauslöschlichen Liebe. Israel hat diese Spannung in

---

[29] Deshalb sind nach Ps 1 das Liebesverhältnis zur Tora (1,2) und der Lebensweg (1,6) unzertrennlich. Schließlich zeichnet der Lebensweg sich dadurch aus, daß Gott ihn kennt, nämlich die erkennt, die auf diesem Weg als Gerechte gehen. Die Liebeslust zur Tora gründet im liebevollen Erkennen Gottes: zunächst als Genetivus subjectivus zu verstehen und erst daraufhin als Genetivus objectivus. Wo sich Toraobservanz und Gebet vereinen, leiht die Sprache der Liebe die Worte, weil es in jener wie in diesem um die Antwort der Liebe auf Gottes Liebe geht. Das ist in Ps 119 nicht anders als in Ps 1.

Gott selbst aus den Prophetenworten immer wieder neu gehört und sich sowohl das Gericht als auch die Liebe immer wieder neu sagen lassen. Die Gültigkeit des stets aktualisierten Prophetenwortes ist in die werdenden Prophetenbücher eingeschrieben worden.[30] Nur einige markante Aspekte sollen aus
diesem reichen Traditionsprozeß in Erinnerung gerufen werden.

Das Hoseabuch, im Grundbestand eines der ältesten schriftprophetischen
Zeugnisse, verbildlicht den Widerstreit in Gott zwischen Gericht und Liebe
zunächst in der prophetischen Existenz.[31] Zwei Kinder des Propheten erhalten
die Namen לא רחמה „Ohne-Erbarmen" (Hos 1,6) und לא עמי „Nicht-mein-
Volk" (1,9). Sie verleiblichen damit die für Israel lebensgefährliche Abwendung Gottes. Wie genau Israel die Lebensbedrohung im Entzug des göttlichen
Erbarmens verstanden hat, wird am Bemühen der Tradenten deutlich, Juda
vom erbarmungslosen Gericht Gottes auszunehmen (vgl. 1,7) und – gewiß
erst nach der Erfahrung von Gottes Gericht – die Verheißung erneuten Erbarmens folgen zu lassen (vgl. 2,1-3). Dabei wird in der Verheißung in Hos
2,3 eindeutig, was bereits in den Unheilsnamen der Kinder לא רחמה „Ohne-
Erbarmen" und לא עמי „Nicht-mein-Volk" zu erahnen war. Die Namen ent-
halten keine Steigerung des Unheils, sondern jeder für sich benennt vollgültig
Gottes Gericht. Wo Gott sein Erbarmen aufkündigt, gibt es keine Beziehung
Gottes zum Volk Israel mehr. „Nicht-mein-Volk" mag in den Augen der Welt
immer noch ein Volk sein. Es ist aber nicht mehr Gottes geliebtes Gegenüber
in der Welt und damit, theologisch betrachtet, weniger als nichts. Dazu spie-
gelbildlich stehen in Hos 2,3 die Namen „Mein-Volk" und „Erbarmen" als
zukünftige verheißungsvolle Benennungen Israels. Nur wo Gottes Liebe zu
seinem Volk als Erbarmen real wird, kann Israel leben – als Nachkommenschaft des lebendigen, nämlich lebendig machenden Gottes (vgl. 2,1).

Im Hoseabuch wird der Liebesverrat Israels zum zentralen Thema – in der
Sprache der Liebe. In dem Text Hos 6,1-6[32], der in 6,1-3* ein Hoseawort als
Grundlage haben mag, wird die einsichtslose Umkehrbereitschaft des Volkes
evident. Die Erkenntnisferne manifestiert sich in einer törichten Heilsgewiß-

---

[30] Zu den zahlreichen Aspekten dieses Prozesses vgl. O. H. STECK, Die Prophetenbücher
und ihr theologisches Zeugnis, Tübingen 1996.

[31] Der programmatische Text Hos 1,2-2,3 ist Teil des in mehreren Stadien gewachsenen
Komplexes in Hos 1-3. Er ist ein gutes Beispiel dafür, wie sich prophetische Theologie in die
fiktive Gestalt prophetischer Biographie kleiden kann (vgl. B. SEIFERT, Metaphorisches
Reden von Gott im Hoseabuch [FRLANT 166], Göttingen 1996, 92-138).

[32] Für exegetische Grundinformationen vgl. J. JEREMIAS, Der Prophet Hosea (ATD
24/1), Göttingen 1983, 78-89; H. SIMIAN-YOFRE, El Desierto de los Dioses. Teología e
Historia en el libro de Oseas, Córdoba 1992, 90-97. Das Wachstum von Hos 6,1-6 wird in der
Forschung kontrovers beurteilt. Die Debatte muß hier nicht geführt werden (vgl. G. A. YEE,
Composition and Tradition in the Book of Hosea [SBL.DS 102], Atlanta 1987, 174-179; W.
WERNER, Einige Anmerkungen zum Verständnis von Hos 6,1-6, in: „Wer ist wie du, HERR,
unter den Göttern?" [FS O. Kaiser], hg. von I. Kottsieper u.a., Göttingen 1994, 355–372; R.
G. KRATZ, Erkenntnis Gottes im Hoseabuch, ZThK 94 [1997] 1-24, 7-13).

heit. Der Gott Israels mag schlagen, aber er heilt auch. Das ist so gewiß wie Morgenröte und Regen. Gottes Liebe, von der Hosea bewußt nicht spricht, ist in die Heilskalkulation Israels geraten. Durch spätere Tradenten, die Nord- und Südreich bereits im Blick haben, läßt Gott seine Verzweiflung über die Erkenntnislosigkeit des Volkes sagen. Nicht von ungefähr geschieht es in der Klage über Israels mangelnde Liebesfähigkeit: „Deine Liebe (חסד) ist wie das Morgengewölk, wie der Tau, der früh verschwindet" (Hos 6,4b). Die im Prophetenwort nahegebrachte tödliche Gegenwart des Gerichts begreift Israel nicht (6,5a), sondern vertraut weiterhin blind auf die Heilsgegenwart Gottes im Kult. Der in seiner Liebe verratene Gott (vgl. 2,4-15) wartet vergeblich auf Gegenliebe und Erkenntnis (6,6). Liebe (חסד) und Gotteserkenntnis (דעת אלהים) stehen in Hos 6,6 bewußt zusammen. Es gibt keine blinde Liebe zu Gott. Es gibt nur Liebe mit – wie die Weisheit sagen würde – „hörendem Herzen" (vgl. 1 Kön 3,9). Das Erkennen Gottes ist Liebe und Einsicht zugleich. Beidem ist Gottes liebevolles Wohlgefallen (חפצתי) gewiß. Die theologische Konstellation ist hier nur graduell von Ps 1 unterschieden, wo die Toralust (בתורת יהוה חפצו, 1,2) des glückseligen Gerechten zum Lebensweg des liebevoll erkennenden Gottes hinführt (1,6).

Im Hoseabuch, vielleicht schon in der Verkündigung des Propheten selbst, erweist sich der Gott, der das Gericht bereits im Prophetenwort seinem Volk gegenwärtig werden läßt, als unfähig zur Vollstreckung des Gerichts – aus Reue über seinen Zorn (Hos 11,8-9).[33] Aus „Was soll ich dir tun?" in Hos 6,4 ist „Wie könnte ich dich aufgeben!" in Hos 11,8 geworden. Die Begründung ist signifikant: „denn ich bin Gott und nicht Mensch" (11,9b). Gottes Gottsein ist Fähigkeit zur Reue über seinen berechtigten Zorn wegen Israels Liebesverrat. Worin sollte die Reue gründen wenn nicht in Gottes Liebe, die sich als Barmherzigkeit erweist? Folgerichtig wird als eine der jüngsten Stimmen im Hoseabuch die Verheißung laut:

„Ich will dich mir verloben auf ewig; ich will dich mir verloben in Gerechtigkeit und Recht (בצדק ובמשפט), in Liebe und Erbarmen (בחסד וברחמים). Ich will dich mir verloben in Treue (באמונה); und du sollst den HERRN erkennen" (Hos 2,21f.).[34]

Hier ist theologisch beisammen, was für Gott wesentlich ist und was für Israel wahr und wirklich werden soll. Im Herzen der Tora (Ex 34,6) und den ganzen Psalter hindurch sagt die Gnadenformel dasselbe. Freilich kommt durch die Vorstellung der (neu) zu erwartenden Verlobung Gottes mit Israel eine Verheißungsdimension ins Spiel, die jede bisherige Erfahrung transzendiert. Hier wächst das Hoseabuch wie andere Prophetenbücher über sich hin-

---

[33] M. KÖCKERT, Prophetie und Geschichte im Hoseabuch, ZThK 85 (1988) 3-30, 26-30; SEIFERT, Metaphorisches Reden, 217-242.

[34] Vgl. C. LEVIN, Die Verheißung des neuen Bundes (FRLANT 137), Göttingen 1985, 235-245.

aus in eine verheißungsvolle Zukunft. Und es ist der Beachtung wert, daß dies nicht nur am Ende des Hoseabuches (Hos 14,2-9)[35], sondern gleich in den Anfangskapiteln geschieht. Bekanntlich steht das Dodekapropheton in der Septuaginta häufig an der Spitze der prophetischen Schriften. Das hat zum einen gewiß seinen Grund in der seinerzeit angenommenen Chronologie der Propheten, die aus ihren Büchern entnommen wurde. Ob aber nicht ein weiterer Grund darin gelegen haben mag, an die Spitze der Prophetie ein Buch zu stellen, das Gottes Kampf um seine verratene Liebe verkündigt, ein Kampf in Gott selbst (11,8-9) und ein Kampf Gottes mit Israel (12,1-10)?[36] Gott gewinnt den Kampf, gegen sich selbst und gegen Israel. Gottes Liebe als Barmherzigkeit wird zur neuen Chance für Israel in der Zukunft. In der Septuaginta scheint dies pointiert am Anfang der Prophetie zu stehen.

Wie endet die Prophetie im Alten Testament? Die Antwort auf diese Frage soll aus einigen theologischen Hinweisen bestehen, die sich aus Beobachtungen zur Buchwerdung der Prophetentradition speisen. Angesichts der Bedeutung der Septuaginta müßte der in ihr erfolgenden Integration des apokalyptischen Danielbuches als Abschluß der prophetischen Schriften eingehende Aufmerksamkeit geschenkt werden. Dadurch ist die in der griechischen Version ohnehin vorhandene starke Zukunftsorientierung der Prophetie noch einmal unterstrichen worden. In Ansätzen ist eine vergleichbare Tendenz aber auch bei der Buchwerdung der hebräischen Schriften, die etwa beim Jeremiabuch mehr oder weniger parallel zur Entstehung der griechischen Fassung erfolgt ist, zu beobachten. Deshalb sollen ein Beispiel aus diesem Buch und eines aus dem werdenden Deuterojesajabuch diese Zukunftsorientierung verdeutlichen. Beide nehmen die Verkündigung des Hoseabuches auf und führen sie weiter.

Als erstes Beispiel soll Jer 31 dienen, besonders der Abschnitt über den neuen Bund in Jer 31,31-34.[37] Nach diesem Text schreibt Gott die Tora in die Herzen der Israeliten ein und bewirkt dadurch unmittelbare Gotteserkenntnis, zu der die Menschen aus sich selbst heraus unfähig sind. Gott aber macht sie dazu fähig, indem er mit der Einstiftung der Tora ins Herz eine umfassende Sündenvergebung (סלח) verbindet. Selten wird gefragt, was Gott zu diesem

---

[35] Hos 14,5a: „Ich werde ihre Abtrünnigkeit heilen, ich will sie aus freien Stücken lieben" (אהבם נדבה).

[36] Vgl. G. EIDEVALL, Grapes in the Desert. Metaphors, Models, and Themes in Hosea 4-14 (CB.OT 43), Stockholm 1996; H. SPIECKERMANN, Der Gotteskampf. Jakob und der Engel in Bibel und Kunst, Zürich 1997, 35-51.

[37] Vgl. die unterschiedlichen Zugänge von LEVIN, Verheißung, 11-60.132-146; W. GROSS, Neuer Bund oder Erneuerter Bund. Jer 31,31-34 in der jüngsten Diskussion, in: Vorgeschmack. Ökumenische Bemühungen um die Eucharistie (FS T. Schneider), hg. von Hilberath, B. J. – Sattler, D., Mainz 1995, 89-114; K. SCHMID, Buchgestalten des Jeremiabuches. Untersuchungen zur Redaktions- und Rezeptionsgeschichte von Jer 30-33 im Kontext des Buches (WMANT 72), Neukirchen-Vluyn 1996, 66-85.107-196.

Neuanfang mit Israel bewegt. Das Motiv wird im vorhergehenden Text in Bezugnahme auf andere prophetische Schriften und weitere alttestamentliche Texte expliziert. An diesem intertextuellen Dialog mit anderen wachsenden Prophetenbüchern wird deutlich, daß Jer 31 ein Text der nachexilischen Zeit ist. Die wichtigsten ins intertextuelle Gespräch einbezogenen Bücher sind Hosea und das Deuterojesajabuch. Unter ihnen sind die Bezugnahmen auf das Hoseabuch für das Verständnis von Gottes Entschluß zum neuen Bund in Jer 31 von besonderer Bedeutung. Das Hoseabuch weiß in 2,16-22* von Gottes neuem Lieswerben um Israel (wozu Israel wieder in die Wüste muß), von seinem Bund zugunsten Israels mit den Tieren (was zugleich zeigt, daß Israel in jetziger Verfassung kein Bundespartner sein kann) und von seinem Verlöbnis mit Israel aus liebevollem Erbarmen zu künden. In Jer 31,2-3 sind es die der Katastrophe von 587 entronnenen Israeliten, die Gottes Gunst (חן) in der Wüste neu finden und wieder ins Land kommen. Sie werden geleitet durch den Gott, der sich aus der Ferne neu offenbart und wieder die Erkenntnis nahebringt, die offensichtlich aus Israels Gotteswissen entschwunden ist: „Ich habe dich mit ewiger Liebe (אהבת עולם) geliebt; deshalb habe ich dir Treue (חסד) bewahrt" (31,3b). Wagt Gott in Hos 2 aus Liebe erneut das Verlöbnis mit Israel, wagt er in Jer 31 aus Liebe den neuen Bund. Zwar ist es dieselbe Liebe bei Hosea wie bei Jeremia, jedoch hat die ewige Liebe in Jer 31,3 offensichtlich eine andere Intensität. Der neue Bund ist mehr als ein neues Verlöbnis. Israel kann wieder Bundespartner sein, weil der neue Bund Israel selbst neu macht. Gotteserkenntnis, die als Echo der Liebe auf Gottes Verlöbnis auch in Hos 2,22 erhofft wird, gewinnt in Jer 31,34 Unmittelbarkeit, weil die Tora unmittelbar im Herzen ist.[38] In Jer 31 hat Gott nicht alles neu, aber Entscheidendes neu gemacht – zuvörderst seine Liebe zu Israel. Hier ist eine große Hoffnung geboren worden.

In der Septuaginta ist die Erneuerung der ewigen Liebe Gottes als Grundlage der Verheißung des neuen Bundes gleichsam in die vorletzte Position des Prophetenbuches gerückt worden. Jer 38 LXX (31 MT) gehört zu dem Textkomplex Jer 37-42 LXX (30-35 MT), der der Leidensgeschichte Jeremias, dem Abschluß des Prophetenbuches, vorausgeht (43-51 LXX; 36-45 MT).[39]

---

[38] Im Dialog mit Hos 11,1-9 stellt sich Gott in Jer 31,20 erneut die Frage nach seinem Verhältnis zu seinem Sohn Ephraim/Israel. Die Rede vom Sohn ist in Jer 31,20 noch stärker von der Sprache der Liebe geprägt als in Hos 11,1: teurer Sohn (בן יקיר), Lieblingskind (ילד שעשעים). Fast verwundert, aber keineswegs unwillig nimmt Gott an sich selbst wahr, daß ihm die geplanten Vorwürfe gegen den Sohn zum erbarmenden Gedenken geraten. Sagt Gott in Hos 11,8-9, was er Ephraim/Israel anzutun nicht fähig ist, sagt er in Jer 31,20, was er seinem geliebten Sohn tun will: seiner (rettend und liebevoll) gedenken und sich seiner erbarmen – beides mit stärkster Affirmation ausgedrückt durch die Konstruktion mit dem Infinitivus absolutus.

[39] Der geschichtliche Anhang Jer 52 MT/LXX, bekanntlich eine Wiederholung von 2 Kön 24,18-25.30, kann in diesem Zusammenhang außer acht bleiben.

Durch das Arrangement in der Septuaginta stehen große Verheißung und prophetisches Leiden am Ende des Jeremiabuches beziehungslos hintereinander. Zwar ist die Reihenfolge auch im masoretischen Text schon dieselbe, doch wird die nicht aufgelöste Spannung zwischen Verheißung und Leidensgeschichte durch die Endposition im griechischen Jeremiabuch noch stärker betont. Verheißung und Leiden verharren in einem ungeklärten Verhältnis.

Im Deuterojesajabuch ist – wohl in Kenntnis einer hebräischen Fassung des werdenden Jeremiabuches – das Verhältnis von verheißungsvoller Liebe und Leiden theologisch vertieft worden. Dabei stehen im Zentrum des Interesses das vierte Gottesknechtslied in Jes 52,13-53,12[40] und der anschließende Verheißungstext in 54,1-10 an die Frau (Zion), die als Frau mit Geschichte – teils verschuldet, teils unverschuldet – von ihrem Gottesgemahl angesprochen wird.[41] Beide genannten Texte sind aufeinander bezogen und in ihrer jetzigen Gestalt nachexilischen Stadien des Deuterojesajabuches zuzurechnen.

Im großen Mittelteil des vierten Gottesknechtslieds Jes 53,1-11aα sagt eine Wir-Gruppe, was die Leidensgeschichte des nicht identifizierten Gottesknechts für sie selbst bedeutet. Hier hat Leiden nicht allein den Charakter der Repräsentation[42], sondern der Substitution. Was der Knecht tut, ist Stellvertretung durch Leiden und Tod. Stellvertretend für die Wir-Gruppe treffen ihn Gottes Schläge bis zum Tod: „Aber er wurde verwundet wegen unserer Übertretungen, zermalmt wegen unserer Sünden. Züchtigung, uns zum Heil, war auf ihm. Durch seine Wunden sind wir geheilt" (Jes 53,5). Die Bedingung der Möglichkeit der todbringenden Leidensübernahme (53,8) besteht in der Sündlosigkeit des Knechts (53,9) und in seiner Willenseinheit mit Gott (53,6.10), der dieses stellvertretende Leiden bewirkt und zugleich akzeptiert.

Es ist in den Rahmenteilen des vierten Gottesknechtslieds Gott selbst, der die Wirksamkeit der Stellvertretung des Gottesknechts bekräftigt und wahr-

---

[40] Vgl. H.-J. HERMISSON, Das vierte Gottesknechtslied im deuterojesajanischen Kontext, in: Der leidende Gottesknecht. Jesaja 53 und seine Wirkungsgeschichte, hg. von B. Janowski – P. Stuhlmacher (FAT 14), Tübingen 1996, 1-25; B. JANOWSKI, Er trug unsere Sünden. Jes 53 und die Dramatik der Stellvertretung, ZThK 90 (1993) 1-24 = Gottesknecht, 27-48; DERS., ‚Hingabe' oder ‚Opfer'? Zur gegenwärtigen Kontroverse um die Deutung des Todes Jesu, in: Mincha (FS R. Rendtorff), hg. von E. Blum, Neukirchen-Vluyn 2000) 93-119; H. SPIECKERMANN, Konzeption und Vorgeschichte des Stellvertretungsgedankens im Alten Testament, Congress Volume Cambridge 1995, hg. von J. A. Emerton (SVT LXVI), Leiden 1997, 281-295 (= s.o. 141-153); DERS, Stellvertretung II. Altes Testament, TRE 32 (2000) 135-137.

[41] Vgl. O. H. STECK, Beobachtungen zur Anlage von Jesaja 54,1-8, ZAW 101 (1989) 282-285 = DERS., Gottesknecht und Zion (FAT 4), Tübingen 1992, 92-95; DERS., Beobachtungen zu den Zion-Texten in Jesaja 51-54, BN 46 (1989) 58-90 = Gottesknecht und Zion, 96-125.

[42] So ist es in den Konfessionen und in der Leidensgeschichte Jeremias der Fall. Der Prophet repräsentiert sowohl Gottes Leiden an Israel als auch Israels Leiden aus Ungehorsam und an den Völkern.

scheinlich ausweitet. In einer ersten Erweiterung geschieht dies in Jes 53,11aβ-12, in der dreimal betont wird, daß die Leidensstellvertretung des Knechts den „Vielen" (רבים) zugute kommt. Wer die Vielen sind, wird nicht näher gesagt. Doch daß die Vielen abschließend in 53,12b parallel zu den Sündern (פשעים) stehen, macht unwahrscheinlich, daß lediglich die vorher redende Wir-Gruppe gemeint ist. Die in einer zweiten Erweiterung hinzuge-fügte einleitende Gottesrede in 52,13-15 läßt schließlich die Tendenz erken-nen, die Vielen (52,14) mit den vielen Völkern (גוים רבים, 52,15) zu identifi-zieren. Das stellvertretende Leiden des Knechts hat universale Bedeutung bekommen, eine Verheißung für die Völkerwelt, die in einer schon geschehe-nen Tat gründet, ohne daß der Knecht ein identifizierbares Gesicht hätte.

Dies ist wahrscheinlich kein Zufall. Die enge Beziehung zwischen Gott und Knecht im Gedanken des stellvertretenden Leidens stößt innerhalb des Alten Testaments an Grenzen der theologischen Vorstellungskraft.[43] Nicht von ungefähr wird in tritojesajanischen Texten die Vorstellung der Stellver-tretung implizit kritisiert (vgl. Jes 57,17-19; 59,15b-20; 63,1-9). Und in der deuterojesajanischen Sammlung tritt in unmittelbarem Anschluß an das vierte Gottesknechtslied an die Stelle der Beziehung von Gott und Knecht diejenige von Mann und Frau. Gott sagt in Jes 54,1-10 nach Liebesverrat und Ehe-bruch, nach Unfruchtbarkeit und Witwenschaft – die Bilder von Schuld und Leid überdecken und durchdringen einander – seiner Frau Zion-Jerusalem verheißungsvoll seine Liebe zu. Diese Liebe muß nicht neu geweckt werden. Sie ist immer geblieben. Gott hat von seiner Jugendliebe nie lassen können. „Kann etwa eine Frau der Jugend verstoßen werden?" spricht dein Gott.[44] Für einen kleinen Augenblick habe ich dich verlassen, aber mit großem Erbarmen (רחמים גדלים) werde ich dich sammeln. In aufloderndem Zorn habe ich mein Angesicht einen Augenblick vor dir verborgen, aber in ewiger Liebe (חסד עולם) werde ich mich deiner erbarmen, spricht dein Erlöser(גאל), der HERR" (54,6b-8, vgl. auch 60,10).

Dieser Gott ist zwar „der Gott der ganzen Erde" (54,5b), aber seine Liebe gilt allein Israel, seiner Jugendliebe. Der Zorn steht dazu in krasser Asymme-

---

[43] Wie weit ist im Alten Testament eine Willenseinheit theologisch vorstellbar und trag-bar, die zu einer Leidensstellvertretung führt, also zur Heilstat durch einen Menschen, wo sonst außer Zweifel steht, daß allein Gott Heil schaffen kann? Menschen – Könige und Prie-ster – können göttliches Heil kraft ihres Amtes vermitteln, aber gewiß nicht durch Leiden und Tod. Charakteristischerweise gelingt es im vierten Gottesknechtslied nicht, die Leidensstell-vertretung des Knechts mit Gottes Liebe in Beziehung zu setzen. Der zweimalige Gebrauch von חפץ in Jes 53,10 ist nicht durch Gottes liebevolle Zuwendung, sondern durch seine Ent-scheidung für das Leiden des Knechts konnotiert.

[44] Die Konstruktion von Jes 54,6b ist als „een irreële vraag of een uitroep van ongeloof" zu verstehen (so W. A. M. BEUKEN, Jesaja 2B [De Prediking van het Oude Testament], Nijkerk 1983, 252 in Anknüpfung an eine auf H. EWALD zurückgehende Auslegungstraditi-on; vgl. F. BUHL, Jesaja, København – Kristiania 1913, 658).

trie. In Überbietung von Ps 30,6 wird sie in Jes 54,7-8 durch das Verhältnis von Augenblick und Ewigkeit charakterisiert. Und ewige Liebe ist nicht nur großes Erbarmen, sondern „mein Bund des Heils" (ברית שלומי, 54,10).[45] Die Erinnerung an den priesterschriftlichen Noahbund (vgl. Gen 9,8-17) ist durch Jes 54,9 ebenso präsent wie die שלום-wirkende Stellvertretung des Gottesknechts in Jes 53,5. Wird der Noahbund durch die feste Zusage erbarmungsvoller Liebe überboten, so wird die heilschaffende Stellvertretung des Knechts durch Gottes Heilsbund implizit zurückgewiesen. Es gibt keine Mittler zwischen Gott und Israel, nicht in der Liebe und nicht in der Schuld. Wo die Völker in diesem Verhältnis ihre Stelle finden, bleibt allerdings offen.

Noch stärker als der masoretische Text hat die Septuaginta den Abschnitt Jes 54,7-10 zum Hohenlied des göttlichen Erbarmens gemacht. In 54,7-8 übersetzt sie sowohl רחמים als auch חסד mit ἔλεος „Erbarmen". Dem müßte man nicht besondere Beachtung zollen, wenn nicht das Auffällige geschähe, daß Gott in 54,7 aus großem Erbarmen nicht sammelt (אקבצך, MT), sondern sich erbarmt (ἐλεήσω σε, LXX). Die Wiedergabe von קבץ pi. „sammeln" durch ἐλεεῖν „sich erbarmen" gibt es nur an dieser Stelle. Dasselbe gilt für die Wiedergabe von מרחם „Erbarmer" in 54,10 durch ῎Ιλεως „Gnädiger", das durch den Itazismus wie ἔλεος klingt. Eine andere Erklärung als die intendierte Homophonie von ἔλεος und ῎Ιλεως gibt es nicht. Die gut bezeugte Übersetzung von רחום durch ἐλεήμων „barmherzig" hätte dies nicht leisten können.

Inhaltlich soll deutlich werden: Was Gott aus Erbarmen tut, bewirkt nichts anderes als Erbarmen. Was tautologisch klingen mag, signalisiert den entschlossenen Willen Israels, Gott in seiner Selbstbestimmung in der Gnadenformel beim Wort zu nehmen. Ewige Liebe nach Jer 31,3 (אהבת עולם) oder Jes 54,8 (חסד עולם) ist großes Erbarmen (רחמים גדלים). Anders will Gott nicht mehr erkannt werden und hat er nach Ausweis seiner Selbstbestimmung zur Liebe nie erkannt werden wollen. Wie er in Ex 34,6-7 sein Wesen selbst kundgibt, so tut er es auch in Jes 54,7-10. Offen bleibt, wie die Wahrheit von Gottes Erbarmen in Israel wirklich werden kann angesichts der bleibend trennenden Schuld. Ferner bleibt offen, in welchem Verhältnis die Völkerwelt zu Gottes Erbarmen und Israels Heil steht. Je weiter die Zeit voranschreitet, desto mehr wächst die Spannung zwischen Heil und Gericht im Alten Testament. Die Prophetie, besonders in der Septuaginta durch die Integration des

---

[45] Der Heilsbund von Jes 54,10 wird im Blick auf Zion/Jerusalem weitergedacht im ewigen Bund in 55,3-5 und noch einmal anders in 61,8f. Die Denkbewegung kann hier nicht dargestellt werden. Sie ist ein eigenes Thema, bei dem 2Sam 7,11-16 und Jer 31,31-34 sowie der ewige Bund in Gen 9,16; 17,7.13.19; Ri 2,1; 2Sam 23,5; Jer 32,40; 50,5; Ez 16,60; Ps 89,29; 105,8.10 par. 1Chr 16,15.17; Ps 111,5.9 und der Bund des Heils/Friedens in Ez 34,25; 37,26 berücksichtigt werden müßten.

apokalyptischen Danielbuches, bringt diese Spannung aufs schärfste zu Wort. Ein letztes, endgültiges Wort hat sie dazu aber nicht.

6. Gottes Liebe in Jesus Christus: Ende und Fülle des Gesetzes

Das letzte Wort zu dieser Spannung ist aus der Sicht der neutestamentlichen Zeugen das Wort der Wahrheit in Jesus Christus. Diese Zeugen bzw. ihre Vorfahren sind Juden gewesen, die aus den Worten ihrer werdenden jüdischen Bibel, vor allem der Septuaginta, gelebt haben. Daß sie das Christusgeschehen als Antwort auf die Worte ihrer zunächst jüdischen und allererst christlich gewordenen Bibel erkannt haben, kann nach den Einblicken in die Überlieferung nicht verwundern. Dabei ist im einzelnen durchaus offen, wo der Wortlaut der Septuaginta noch jüdisch geprägt oder schon christlich überformt ist. Trotz dieser Unsicherheit leidet es keinen Zweifel, daß die Septuaginta bereits in ihrer jüdischen Version ein für den Glauben an Christus suggestives Buch gewesen ist. Andernfalls wäre sie in Urchristentum und Alter Kirche nicht zu derart hohem Ansehen gelangt und deshalb im hellenistischen Judentum schließlich aufgegeben worden.

Um ein Beispiel aus der Septuaginta zu nehmen, dessen griechischer Wortlaut gewiß keine christliche Überformung erfahren hat: Wie sollen zum Glauben an den Christus gekommene (durchaus noch jüdische) Zeugen ihre griechische Bibel verstehen, wenn es in Ps 135,1 LXX (136,1 MT) heißt: Ἐξομολογεῖσθε τῷ κυρίῳ, ὅτι χρηστός, ὅτι εἰς τὸν αἰῶνα τὸ ἔλεος αὐτοῦ „Danket dem HERRN, denn er ist gütig, denn sein Erbarmen währt ewiglich". Der κύριος ist χρηστός „gütig", was in der zeitgenössischen griechischen Aussprache mit Χριστός identisch ist. In 1 Petr 2,2 ist die Identifizierung in Anspielung auf die in Ps 33,9 LXX (34,9 MT); 135,1 LXX (136,1 MT) und an anderen Stellen gebrauchte Formel vollzogen worden. Wenige Verse später lassen sich in 1 Petr 2 diese zum Christusglauben Gekommenen die großen Verheißungen Israels und Gottes Wohltaten zusprechen: „Ihr aber seid das auserwählte Geschlecht, die königliche Priesterschaft, das heilige Volk, das Volk des Eigentums, daß ihr verkündigen sollt die Wohltaten dessen, der euch berufen hat von der Finsternis zu seinem wunderbaren Licht; die ihr einst ‚Kein-Volk' wart, nun aber Gottes Volk seid; die ihr ‚Ohne-Erbarmen' wart, nun aber Erbarmen gefunden habt" (1 Petr 2,9-10). Fast Wort für Wort leben diese Verse von alttestamentlichen Worten, besonders in der Anspielung auf die Gerichtsnamen der Hoseakinder, die zu Heilsnamen werden (vgl. Hos 1,6.9; 2,3.25), nun auf die Völkerwelt bezogen, deren Gottesverhältnis im Alten Testament zu keiner Klärung gelangt ist.

Das Erbarmen, welches die Völkerwelt empfangen hat, besteht in der stellvertretenden Lebenshingabe Jesu Christi für die Schuld aller Menschen.

Das vierte Gottesknechtslied, das die Idee einmaliger stellvertretender Lebenshingabe für die Schuld der vielen gedacht, aber im Alten Testament keine Rezeption erfahren hat[46], gewinnt nun zentrale Bedeutung. Wenn Paulus sagen will, womit christlicher Glaube steht und fällt, bedient er sich der bereits empfangenen Tradition, „daß Christus gestorben ist für unsere Sünden nach den Schriften und daß er begraben worden ist und daß er auferstanden ist am dritten Tage nach den Schriften" (1Kor 15,3f.). Das Zeugnis der Schriften kann nur auf das Zeugnis der im Entstehen begriffenen jüdischen Bibel bezogen werden. Zeugnischarakter haben aber nicht bestimmte Schriftzitate, sondern das Gesamtzeugnis der autoritativen Schriften, aus denen freilich auf allenfalls drei Texte angespielt wird: Jes 53; Hos 6,2 und Jon 2,1. Die theologische Wahrnehmung macht sich nicht von der Quantität der Texte abhängig. Bewußt wird gesagt „nach den Schriften" und nicht „nach einigen Texten in den Schriften".

Unter dieser dezidiert auswählenden und zugleich die Wahrnehmung des Ganzen reklamierenden Perspektive soll ein abschließender Blick auf das vierte Gottesknechtslied geworfen werden. Im alttestamentlichen Kontext ist das stellvertretende Leiden und Sterben des Gottesknechtes eine singuläre Vorstellung. Zu ihren Voraussetzungen gehört die Überzeugung von der denkbar engsten Willenseinheit von Gott und Knecht, die in vielen Texten der deuterojesajanischen Sammlung auf unterschiedliche Weise vorbereitet worden ist. Gleichwohl bleibt für alttestamentliches Denken die Vorstellung von einer Leidensstellvertretung und der damit verbundenen Heilswirksamkeit des Todes eines Menschen problematisch. Das vierte Gottesknechtslied führt den Gedanken der Stellvertretung sehr weit und wagt den letzten Schritt, der von der Willenseinheit zur Wesenseinheit fortschreitet, nicht: den Gedanken der Menschwerdung Gottes. Doch dieser Schritt kann wohl ohnehin nur in einer neuen Tat Gottes gründen, die die theologische Erkenntnis der Menschwerdung Gottes unabdingbar macht.

Die Menschwerdung Gottes in Jesus Christus zur stellvertretenden Lebenshingabe für die Sünden der Vielen ist die Tat Gottes, in der das Neue Testament seine Mitte hat. Diese Tat Gottes in ihrer Notwendigkeit und Möglichkeit erkennen zu können, wäre ohne die Schriften, aus denen zunächst die jüdische und dann die christliche Bibel geworden ist, nicht denkbar gewesen. Es wäre auch nicht möglich gewesen, diese Tat Gottes als Tat seiner Liebe zu verstehen, wie es in Röm 5,8 und Joh 3,16 geschieht. Es ist auffällig, daß die dominante Stellung der Barmherzigkeit Gottes in den späten Zeugnissen des Alten Testaments in den Schriften des Neuen Testaments durch die Liebe Gottes weitgehend abgelöst wird. Das kann nicht verwundern. Wo Gott in seinem geliebten Sohn die Versöhnung der Welt mit sich selbst vollbringt

---

[46] Abgesehen von der Anschauung der stellvertretenden Lebenshingabe jüdischer Märtyrer (vgl. 4Makk 6,28f.; 17,20-22).

(vgl. 2Kor 5,17-21), strahlt die Versöhnungstat das Liebesverhältnis von Vater und Sohn in die Welt aus. Gottes Barmherzigkeit bekommt die Gestalt der menschenfreundlichen Liebe, denn seine Liebe zu seinem Sohn und seine Liebe zur Welt sind eins. Weil dies im Christusgeschehen erfahrbar und erkennbar geworden ist, haben die Berufenen das Gotteswissen, daß sie nichts von der Liebe Christi scheiden kann (vgl. Röm 8,31-39). Vielmehr leben sie in dankbarem Empfangen und Weitergeben dieser Liebe. Und sosehr sie im Glauben an das stellvertretende Leiden und Sterben Christi das Ende des Gesetzes als Heilsweg erkennen (vgl. 10,1-13), nehmen sie im Leben, das von der Liebe Christi bestimmt ist, die Fülle des Gesetzes wahr (vgl. 13,8-10).[47]

Daß es zur Wahrnehmung der Liebe Gottes in der Liebe Christi der Auslegung bedarf, die einen hellen Schein in die Herzen gibt, wird im Neuen Testament nicht verschwiegen. Ausleger stehen dabei unter einem hohen Zuspruch und einem großen Anspruch. Gott selbst gibt als schöpferische Tat den hellen Schein in die Herzen „zur Erleuchtung der Erkenntnis der Herrlichkeit Gottes im Antlitz Christi" (2Kor 4,6). Diesem Anspruch muß auch wissenschaftliche Auslegung der Bibel genügen. Sie darf bei aller notwendigen kritischen Beschäftigung die Grundlagen ihres Tuns nicht vergessen. Die Emmausgeschichte ist in dieser Hinsicht eine kleine Schule biblischer Hermeneutik.[48] Bringt 2 Kor 4 die verstehende Auslegung mit Gott in Verbindung, so Lk 24,13-35 in identischer Intention mit dem auferstandenen Jesus. Er ist es, der den Emmausjüngern zum Ausleger wird, ehe sie selbst Ausleger werden können. „Und er fing an bei Mose und allen Propheten und legte ihnen aus, was in allen Schriften von ihm gesagt war" (Lk 24,27). Zur Erkenntnis der Wahrheit der Auslegung kommen die Jünger aber bezeichnenderweise erst in dem Moment, in dem Jesus ihnen unter Danksagung das Brot gibt (24,30-31.35). Zu den Worten der Auslegung tritt die Erfahrung der wahren Wirklichkeit seiner Person hinzu. Erst daraufhin können die Jünger rückblickend sagen: „Brannte nicht unser Herz in uns, als er mit uns redete auf dem Wege und uns die Schriften öffnete?" (24,32). Christliche Auslegung als Öffnung der Schriften bedarf der durch Gott bzw. Jesus Christus geöffneten Augen (24,31).

---

[47] Die Übersetzung von πλήρωμα οὖν νόμου ἡ ἀγάπη (Röm 13,10) durch „So ist nun die Liebe des Gesetzes Erfüllung" (Luther, ähnlich Einheitsübersetzung) ist kaum sachgemäß. Vielmehr dürfte gemeint sein, daß die Liebe der wahre und wirkliche Inhalt des Gesetzes ist. In einem vergleichbaren Sinne ist in Eph 3,19 das Erfülltsein mit der Fülle Gottes (nämlich mit dem Wesen und der Wahrheit Gottes) die alles übersteigende Erkenntnis der Liebe Christi. Und in Kol 2,9 ist Christus dadurch charakterisiert, daß in ihm die ganze Fülle der Gottheit leibhaftig wohnt.

[48] Vgl. auch B. JANOWSKI, ‚Verstehst du auch, was du liest?' Reflexionen auf die Leserichtung der christlichen Bibel, in: Befreiende Wahrheit (FS E. Herms), hg. von W. Härle u.a. (MThSt 60), Marburg 2000, 1-21.

Daran hängt bleibend die Auslegung der christlichen Bibel, auch – wenn auch nicht allein – in der wissenschaftlichen Exegese. Sie ist grundsätzlich ausgerichtet auf die Erkenntnis der Wahrheit der ihr anvertrauten Texte, sowenig dies manchmal bei aller notwendigen philologischen und historischen Forschung unmittelbar evident ist. Die Wahrheit der christlichen Bibel – und so auch des Alten Testaments – vom Christusgeschehen her ergründen, bedeutet nicht, in jedem alttestamentlichen Text ein direktes Christuszeugnis zu finden. Das wäre der zum Scheitern verurteilte Versuch, das Wahrheitszeugnis der Texte ergründen zu wollen, ohne sich auf ihre geschichtliche Wirklichkeit einzulassen. Auslegung des Wahrheitszeugnisses der christlichen Bibel heißt hingegen, die Erforschung der Welt der Texte ernst zu nehmen, weil sie Texte mit einer Botschaft für die Welt sind, die nicht von dieser Welt ist. Führt ein Überspringen der geschichtlichen Wirklichkeit der Texte in den Doketismus, endet die Vernachlässigung des wahrheitsgemäßen Fragens in der religiösen Indifferenz, die über die Texte nur noch Belanglosigkeiten mitzuteilen weiß.

Die biblischen Texte wollen indessen nicht trägen Herzens (vgl. Lk 24,25), sondern brennenden Herzens (vgl. 24,32) gelesen werden. Das Herz entzünden kann aber nur Gott, neutestamentlich gesprochen, der aufgrund seiner unausrottbaren Menschenliebe (vgl. Tit 3,4-7) in Jesus Christus menschgewordene Gott. Er öffnet die Schrift (vgl. Lk 24,32), nämlich das Alte Testament, indem er *alle* Schriften (vgl. 24,27) im Blick auf sich auslegt. Das ist keine exegetische Monomanie, die in jedem Text dasselbe findet. Indem vielmehr Jesus Christus als menschgewordener Gott sich selbst in den Texten ins Spiel bringt, lehrt er, in den Texten wahrheitsgemäß nach Gott zu fragen. So stellt Jesus in der Emmausgeschichte die wahrheitsgemäße Frage nach dem Leiden. Wer mit derart geöffneten Augen die Leidensgeschichte Jeremias und das vierte Gottesknechtslied liest und die Worte des Jeremia- und Jesajabuches von der ewigen Liebe und dem ewigen Erbarmen Gottes im Herzen hat, wird die Spannung wahrnehmen, die sich im Alten Testament zwischen göttlicher Liebe, prophetischem Leiden und menschlicher Schuld aufbaut. Man kann im wahrheitsgemäßen Fragen erkennen, wie sehr im vierten Gottesknechtslied die stellvertretende Lebenshingabe für die Schuld der Vielen in die Nähe der Menschwerdung Gottes führt, ohne daß dieser Schritt vollzogen wird. So kommt es im Alten Testament trotz des stellvertretenden Leidens und Sterbens des Gottesknechts unter diesem Zeichen zu keiner theologischen Neuorientierung. Die Stellvertretung tritt in keine wirksame Verbindung mit Gottes Wesen und Willen der Liebe und Barmherzigkeit.

Wahrheitsgemäße Fragen zu stellen, heißt, in der ganzen christlichen Bibel die Liebe Gottes in der Erhellung durch die Menschwerdung Gottes wahrzunehmen. Es ist die Aufgabe einer Theologie der christlichen Bibel – und als deren Teil der Theologie des Alten Testaments –, dieses Thema in allen

Aspekten, die die biblischen Schriften bezeugen, zu erschließen. Die Theologie des Alten Testaments auf diese Weise zu schreiben, ist wahrhaftig nicht der einzige Weg, auf dem dies geschehen kann. Aber es ist eine Möglichkeit, daß sich wissenschaftlich forschende und von der Botschaft der Gottesliebe berührte Erkenntnis gemeinsam auf den Weg zum Wahrheitszeugnis der christlichen Bibel in ihrem alttestamentlichen Teil machen können.

Nachweis der Erstveröffentlichungen

1. „Barmherzig und gnädig ist der Herr..."

ZAW 102, 1990, 1-18

2. Gnade. Biblische Perspektiven

Bearbeitete Fassung eines Vortrages vor der Hanns-Lilje-Stiftung 1996

3. Dies irae. Der alttestamentliche Befund und seine Vorgeschichte

VT 39, 1989, 194-208

4. Ambivalenzen. Ermöglichte und verwirklichte Schöpfung in Genesis 2f.

Verbindungslinien. FS W. H. Schmidt, hg. von A. Graupner u. a., 2000, 363-376

5. „Die ganze Erde ist seiner Herrlichkeit voll."
Pantheismus im Alten Testament?

ZThK 87, 1990, 415-436

6. Die Stimme des Fremden im Alten Testament

PTh 83, 1994, 52-67

7. *Ludlul bēl nēmeqi* und die Frage nach der Gerechtigkeit Gottes

tikip santakki mala bašmu... FS R. Borger, hg. von S. M. Maul, Cuneiform Monographs 10, 1998, 329-341

8. Recht und Gerechtigkeit im Alten Testament.
Politische Wirklichkeit und metaphorischer Anspruch

Recht – Macht – Gerechtigkeit, hg. von J. Mehlhausen, Veröffentlichungen der Wissenschaftlichen Gesellschaft für Theologie 14, 1998, 253-273

9. Konzeption und Vorgeschichte des Stellvertretungsgedankens im AltenTestament

Congress Volume Cambridge 1995, hg. von J. A. Emerton, 1997, 281-295

10. Mit der Liebe im Wort. Zur Theologie des Deuteronomiums

Liebe und Gebot. Studien zum Deuteronomium. FS L. Perlitt, hg. von R. G. Kratz/H. Spieckermann, FRLANT 190, 2000, 190-205

11. Die Verbindlichkeit des Alten Testaments. Unzeitgemäße Betrachtungen zu einem ungeliebten Thema

JBTh 12, 1997 (erschienen 1998), 25-51

12. Die Liebeserklärung Gottes. Entwurf einer Theologie des Alten Testaments

Barbeitete deutsche Fassung von: God's Steadfast Love. Towards a New Conception of Old Testament Theology, Biblica 81, 2000, 305-327

Stellenregister

Sachregister

Begriffe, die sich aus den Titeln der Beiträge ergeben, sind in das Sachregister nicht aufgenommen worden.

Hebräische Begriffe

Forschungen zum Alten Testament

Herausgegeben von Bernd Janowski und Hermann Spieckermann

Alphabetische Übersicht

Einen Gesamtkatalog erhalten Sie gerne vom Verlag
Mohr Siebeck, Postfach 2040, D–72010 Tübingen.
Neueste Informationen im Internet unter http://www.mohr.de